D1092098

Des gens
bien

Marcus Sakey

Des gens bien

Traduit de l'anglais (États-Unis)
par Séverine QUELET

Le
cherche
midi

DIRECTION ÉDITORIALE : ARNAUD HOFMARCHER
COORDINATION ÉDITORIALE : ROLAND BRÉNIN

Titre original : *Good People*
Éditeur original : Dutton
© Marcus Sakey, 2008

Pour G. G. qui a le plus beau rire du monde.

24 AVRIL 2006

1

LE SOURIRE ÉTAIT CÉLÈBRE. Jack Witkowski n'était pas spécialement fan, mais il avait déjà vu cette dentition un tas de fois. On tombait dessus aux caisses des supermarchés. Elle s'affichait, étincelante, à la une de centaines de magazines. Au bout d'un moment, il devenait presque naturel de dissocier le sourire de l'homme, et l'impression ne faisait que se renforcer lorsqu'on le voyait prendre la pause sur les marches d'une boîte de nuit pour offrir son sourire à une fille qui le contemplait d'un air béat, téléphone portable à la main pour filmer. Un instant, il était un type comme un autre, plutôt mignon et bien fringué, d'accord, mais un gars normal à qui une dizaine de centimètres en plus n'aurait pas fait de mal. Et puis on avait droit à ce sourire ravageur qui ne manquait pas de faire son petit effet. Comme frappé par la foudre, on comprenait qu'on était en présence d'une star.

Jack suivait la scène derrière le pare-brise, tapotant machinalement de l'index son colt 45 rangé dans son holster. Un 9 millimètres aurait certainement été plus indiqué pour l'occasion, mais rien ne valait un 45 pour couper irrémédiablement un adversaire dans son élan.

« Allez, on recommence.

— Marshall nous fait entrer, dit Bobby. On prend l'escalier de service. On met les masques. On fait gaffe à ne pas prononcer nos noms. Will et Marshall les attachent. Je prends l'argent.

11

On repart par le même chemin, on monte dans la Chrysler. Si y a le moindre lézard, on se sépare et on se retrouve plus tard. »

Les jointures de ses poings contractés sur le volant étaient blanches.

Jack plissa les yeux, se demandant, une fois encore, si embarquer son jeune frère dans cette histoire était une bonne idée.

« C'est bon, dit-il d'une voix neutre. Rappelez-vous, on joue les durs. Des gamins pourris gâtés, voilà tout ce qu'ils sont. Braquez-leur votre flingue sur la tronche, criez-leur dessus. Quelqu'un cherche la merde ? Un coup de crosse derrière la tête et pas la peine d'y aller mollo. Les autres se tiendront tranquilles comme ça. On entre et on ressort en cinq minutes. »

Bobby acquiesça.

« Et pour celui-là ? »

Il fit un geste du menton vers un type qui dépassait d'une bonne tête la Star et ceux qui l'entouraient. Taillé comme une armoire à glace, il tenait un attaché-case noir à la main gauche. La droite était tendue devant son estomac, les doigts disparaissant sous la veste.

« C'est le garde du corps », expliqua Will Tuttle, depuis la banquette arrière. Sa voix suave rappelait celle d'un animateur de radio de jazz.

Il leur avait un jour révélé avoir bossé comme doubleur quand il était à Los Angeles. Il avait joué la voix d'une bulle de savon qui dansait dans une pub vantant les mérites d'un nettoyant pour chiottes. Boulot plutôt facile : deux mille dollars pour une matinée passée à répéter « On frotte pour vous ».

« T'inquiète pas, gamin. Les vrais durs vont se charger de lui.

– Va te faire foutre. »

Will lâcha un petit rire.

« C'est quoi le problème ? fit-il en tirant un paquet de Carlton de la poche de sa veste avant de le tapoter pour en faire sortir une cigarette. J'ai heurté ta sensibilité ?

– Ça suffit ! lâcha Jack. Il jeta un coup d'œil dans le rétroviseur. Et t'avise pas d'allumer ce truc ici. »

Will coinça sa cigarette derrière son oreille. « La clope de la victoire. »

De l'autre côté de la rue, un des minets tapota la Star sur l'épaule, et, un pouce levé, lui fit signe d'y aller. La Star hocha la tête, lança un dernier sourire et, dans un élégant demi-tour, passa les portes. Sa cour lui emboîta le pas. L'un de ses sujets marqua une pause pour choisir dans la foule une petite brunette qu'il sortit ainsi de l'anonymat. Elle jeta un sourire ravi à ses copines qui s'égosillaient en poussant des cris suraigus. Ah ! les acteurs. Merde. Le garde du corps fermait le cortège. Il s'arrêta en haut des marches et balaya la rue du regard. Jack le fixa à son tour, se glissant dans la peau d'un autre péquenaud de Chicago impressionné par Son Altesse royale. Au bout d'un moment, l'homme entra à son tour, faisant battre la porte jusqu'à ce qu'elle se referme et étouffe les basses.

« Vas-y », dit Jack.

Bobby engagea dans la circulation la Ford volée et passa devant la rangée de mecs en chemises brillantes et de filles aux épaules bronzées à l'aérosol. Au bout de la rue, ils se retrouvèrent coincés derrière un taxi, tournèrent à droite, puis à gauche, avant de s'arrêter sur un parking payant sans surveillance qu'ils avaient repéré plus tôt. Bobby fit tourner la clé pour couper le moteur. Il se trompa de sens et fit ronfler l'engin.

« Bordel ! fit Will. T'as quel âge ? 14 ans ?

– J'ai dit ça suffit », intervint Jack.

Relevant la manche de sa veste, il regarda sa montre. Ils restèrent assis sans échanger un mot, écoutant le ronron du moteur, le bruit des festivités venant de l'extérieur. On était à River North, le quartier des boîtes de nuit, et tout le reste.

« Tu le trouves petit, toi ? demanda Bobby, sans avoir besoin de préciser de qui il parlait.

– Ils le sont tous, répondit Will. Tom Cruise fait un mètre soixante-dix. Al Pacino aussi.

– Pacino ? Tu te fous de ma gueule.

– Emilio Estevez. Robert Downey Jr.

– J'aime bien ce type, fit Bobby. C'est un grand acteur.

– N'empêche qu'il reste petit. »

Jack les laissa bavasser. Il prenait de profondes inspirations, dans l'attente du coup d'envoi.

« C'est marrant, dit Bobby. On dirait que c'est le pape qui est en visite. Toute la semaine, j'ai entendu parler des endroits où il avait été vu. J'ai lu un article dans *Red Eye* sur ses restaurants préférés. Il est là pour bosser, non ? Pour faire un film. Mais tout ce qu'ils trouvent à raconter, c'est l'endroit où il mange ! C'est presque triste pour lui.

– Ouais, fit Will. Pauvre petit millionnaire célèbre, qui se tape tellement de chattes que les cageots que tu fréquentes ressemblent à des schnauzers.

– Will, intervint Jack. Va au coin de la rue surveiller les flics, OK ?

– Quoi ? Pourquoi ?

– Parce que je le dis.

– Comme tu veux », soupira-t-il.

Il ouvrit la portière d'un coup sec, faisant soudain pénétrer dans l'habitacle le bruit assourdissant de la rue.

« Putain d'amateur, marmonna-t-il avant de sortir.

– Va te faire foutre », lâcha Bobby à voix basse.

Ils restèrent assis, silencieux. Jack laissa la tension se dissiper. Il fit craquer ses doigts à travers ses gants. Au bout d'une minute, il lâcha : « Ça va ? »

Bobby leva les yeux sur lui, le visage pâle et les pupilles dilatées.

« Je ne peux pas faire ça.

– Bien sûr que si. C'est un jeu d'enfant.

– Jack...

– Tu peux le faire, coupa-t-il avec un sourire. Écoute, je sais ce que tu ressens. La première fois que j'ai braqué quelqu'un, je tremblais comme pas possible. J'ai failli lâcher mon flingue.

– Sérieux ? Toi ?

– Ouais. Ça fait partie du boulot. Pourquoi tu crois que Will se comporte comme un tel connard ? On a tous les jetons.

– Marshall aussi ? »

Jack haussa les épaules. « Je sais pas. »

Il sourit, se tourna et posa un bras autour des épaules de son frère.

« C'est plus important que tout ce que tu as fait jusque-là, je le vois bien. Mais essaye de te concentrer sur le résultat. Dans un quart d'heure, tu seras sacrément plus riche.

– Mais...

– Si je pensais que trois hommes suffisaient pour ce coup-là, on le ferait à trois. Mais j'ai besoin de toi, frangin. »

Bobby hocha la tête, respira profondément et expulsa lentement l'air de ses poumons. Il tourna la tête de chaque côté, avant de dire : « OK. »

Jack ressentit un élan de chaleur familier.

« Ça va être sympa, tu verras. Les frères Witkowski qui déchirent tout. Fais ce que je te dis et ce sera fini avant même que tu t'en rendes compte. »

Il donna un coup de poing dans le biceps de Bobby.

« En plus, t'es un dur.

– Exact. »

Bobby prit une nouvelle inspiration puis sortit un Smith noir et chrome dont il arma le chien.

« Je suis un dur, un vrai dur. »

Ils descendirent de voiture en laissant les clés sur le contact. L'air était empli de la rumeur émanant d'une douzaine de clubs, des klaxons des taxis et du rire des filles. Une riche senteur de cacao en provenance de l'usine de chocolat de Bloomer, deux kilomètres plus loin, chatouilla les narines de Jack.

« Vous êtes prêtes, les gonzesses ? demanda Will en faisant passer son poids d'un pied sur l'autre.

– C'est parti ! »

Ils se dirigèrent vers l'est d'un pas tranquille. Ils pouvaient passer pour des hommes d'affaires, venus assister à une convention, s'offrant un week-end loin de leurs épouses. Sortis pour découvrir le coin, ils allaient se payer un ou deux cocktails, draguer des minettes de l'âge de leurs filles, avant de prendre le vol du matin qui les ramènerait vers leur quotidien monotone. Jack se plaça entre ses deux acolytes, l'œil aux aguets. Ils traversèrent Erie Street en dehors du passage piéton puis coupèrent par l'allée. Du verre brisé crissa sous les talons de Jack.

Tandis qu'ils se fondaient dans l'obscurité, il sortit son pistolet et ôta le cran de sûreté.

À l'intérieur du club, la serveuse portait un T-shirt tellement court qu'il laissait voir son nombril. Marshall Richards attendit qu'elle regarde ailleurs. Alors il saisit le verre au culot épais et versa le whisky qu'il contenait par terre. Il reposa le verre dans un grand bruit, esquissant une grimace au moment où elle se retournait.

« Un autre ?

– Ouais. »

Il posa un coude sur le coin du bar, puis joua à la perfection le poivrot qui glisse et se retient de justesse. Avec un sourire à l'attention de la serveuse, il articula un « Oups ! » à peine audible au milieu du martèlement de la musique. Elle secoua la tête tout en le resservant, puis tendit un bras ambré, aussi épais qu'une liane, entre les bouteilles et les verres. Habile. Elle tira ensuite un billet de vingt de la liasse qu'il avait posée sur le comptoir et tourna les talons.

Il prit le verre et pivota sur son tabouret, veillant à ne pas poser les pieds par terre. Il y avait vidé une petite dizaine de whiskys qui commençaient à former une flaque importante sous son siège. Il aurait pu se les enfiler sans problème, mais la vie vous joue parfois de sacrés tours. Et un tireur qui a de la jugeote respecte sa cible.

Situé à l'étage, le salon VIP était gardé par un videur au crâne rasé. De chaque côté de l'entrée, des voilages verts se gonflaient d'air puis retombaient comme si la pièce respirait.

Derrière, on distinguait des silhouettes en train de se tortiller. Une bande de jeunes d'une vingtaine d'années, pleins aux as, dansaient sous des lasers en délire. Cette vision d'un enfer peuplé de corps en sueur rappelait vaguement à Marshall une peinture de Bosch. Il était tôt pourtant, même pas minuit, et le salon n'était rempli que d'une poignée de VIP. Un groupe faisait un sort à une bouteille de vodka à trente dollars pour laquelle ils en avaient lâché deux cents tandis qu'un papy aux poches pleines jouait avec le porte-jarretelles de sa petite copine strip-teaseuse à qui il ne refusait rien. Ailleurs, deux lesbiennes super-sexy, invitées pour compléter le tableau des interdits, s'en donnaient à cœur joie. Et puis, installés au bout du bar, deux Blacks. Sa cible.

Le boss avait la peau sombre et une certaine classe : moustache soigneusement taillée, Rolex en or qui se balançait sous des revers de manche impeccables, costume Armani parfaitement ajusté. L'autre, tout en muscles, tendait le tissu de son survêt Sean John. Armani buvait de l'eau de Seltz. L'autre ne buvait rien. Marshall sourit intérieurement. Il vida son whisky par terre et en commanda un autre.

La serveuse finissait juste de remplir son verre quand le portable du boss vibra. Marshall posa son menton sur ses mains et, le regard dans le vide, joua l'ivrogne perdu dans ses pensées alcoolisées. Du coin de l'œil, il vit l'homme ouvrir son téléphone et contempler l'écran. Ses doigts tapotèrent avec agilité et rapidité sur les touches pour répondre au texto. Puis il lâcha un billet de cinquante dollars sur le bar et se laissa glisser du tabouret. Son garde du corps l'imita.

Marshall compta jusqu'à trente puis ramassa sa monnaie qu'il fourra dans sa poche. Son whisky dans une main, il se dirigea d'un pas chancelant vers les escaliers. Le videur bâilla, détourna le regard.

La piste de danse vibrait, les basses résonnaient dans son ventre au rythme d'un remix de Fergie qui chantait qu'elle était délicieuse, vraiment à croquer dans sa dentelle. Des corps qui exhalaient l'eau de Cologne et le désir emplissaient l'espace.

Il posa les yeux sur l'escalier qui s'ouvrait au-dessus de la piste qui, pareille à une boule à facettes, renvoyait l'éclat des lasers. Boss et son garde du corps étaient à mi-chemin. Parfait.

Protégeant son verre de son corps, Marshall gagna le mur du fond. Il était peint en noir et des couples s'y blottissaient. Les femmes, tout excitées, jouaient de leur pouvoir face à ces hommes qui se frottaient à elles et espéraient conclure l'affaire. Il s'approcha d'une porte marquée « Privé » en lettres blanches puis se retourna et balaya rapidement la salle du regard. Il avait pleinement conscience des battements de son cœur, de cette petite excitation grisante qui le gagnait, celle qui allait de pair avec le boulot. Personne ne lui prêta attention lorsqu'il poussa la porte pour entrer.

De l'autre côté, le couloir était terne et trop éclairé. Il passa devant une porte ouverte flanquée de deux hommes qui s'entretenaient en espagnol. Il détourna le visage et avança d'un pas assuré. Le risque était quasiment nul que deux clandestins aillent chercher des noises à un mec qui passait devant eux comme s'il était de la maison. Au bout du couloir, dans un recoin, partait l'escalier de service qui menait au salon privé. Il s'arrêta le temps de s'envoyer le whisky. Une douce brûlure l'envahit alors. Il s'en jetait toujours un avant le boulot. Puis il dissimula le verre dans sa paume et tourna au coin.

Le videur était assis sur un tabouret, ses bras de mastodonte croisés sur la poitrine. Il descendit de son perchoir lorsqu'il remarqua Marshall.

« Les chiottes, c'est pas par là, mec. »

Marshall fit un pas, puis un autre, plus lentement. Il leva la main gauche, affichant une expression confuse, jeta un regard par-dessus son épaule comme s'il était perdu. En se retournant, il projeta le lourd verre en direction de l'homme, levant une jambe avant de la rabattre, le bras claquant comme un fouet. Une figure parfaite. Il fut un temps où il était un grand sportif.

Plus qu'il ne s'abattit sur le front du videur, le verre explosa à son contact, envoyant des tessons aiguisés dans tous les sens.

Le bruit de l'impact se perdit dans les battements rageurs de la musique qui faisaient vibrer les murs. Le videur porta les mains à ses yeux, du sang s'écoula entre ses doigts et il lâcha un gémissement horrifié.

Marshall fit un pas en avant, jeta son poing contre le plexus solaire de l'homme, puis lui donna un puissant coup de coude sur la nuque pour le mettre à terre. Il se redressa, secoua la main et poussa le verrou pour ouvrir la porte de service.

Jack, enjambant le videur, lui lança un sourire et tendit le 22 millimètres à Marshall. Les quatre hommes gravirent les escaliers.

La brunette s'empourpra un peu, jeta un regard de défi à la blonde avant de se pencher en avant pour poser ses lèvres sur celles de l'autre femme. Le môme agenouillé sur le sofa inclina une bouteille de champagne et s'essuya la bouche du revers de la main.

« Mettez la langue. »

Des gosses. Indisciplinés, idiots et ridicules. Toute leur vie autorisés à tous les abus. La Star en tête, tous n'étaient que des gamins, se dit Malachi. Et ils lui tapaient sur les nerfs.

« Mon frère », dit-il, un grand sourire aux lèvres et les bras ouverts.

La Rolex glissa sous ses revers de manche.

« Comment ça va, mon pote ? »

Il jouait à la perfection le rôle du grand méchant Noir.

La Star lui lança un sourire d'un blanc éclatant et s'approcha pour l'étreindre.

« Salut, mon grand, merci d'être venu. »

Les étoffes ondoyantes, les bougies disposées ici et là et les coussins en guise de fauteuil, donnaient à la pièce l'allure d'un palais des *Mille et Une Nuits*.

« Un verre ? »

Malachi sourit et secoua lentement la tête. Il déboutonna sa veste Armani et plongea les mains dans ses poches, dévoilant son holster. À la manière dont les yeux de la Star se posèrent dessus, Malachi fut certain qu'il appréciait, qu'il aimait cette image qu'il avait de lui-même : un gars bien qui fricotait avec des gangsters. Putain, ces acteurs !

« Pas pour moi, dit-il.

– On a de la vodka, du champagne. Je peux aussi envoyer quelqu'un chercher du cognac en bas...

– Tout va bien, fit Malachi avec un sourire. Et ton film, ça marche ? »

La Star poussa un soupir en se passant une main sur le front.

« C'est un cauchemar. Le réalisateur est con comme un manche. Je me demande qui il a sucé pour gagner sa statuette, fit-il en secouant la tête. T'es sûr que tu veux rien boire ?

– Je préférerais qu'on parle business, si tu n'y vois pas d'objection.

– Ce mec me plaît », lâcha la Star en souriant.

Malachi attendit. Un moment passa puis la lumière se fit dans l'esprit de la Star.

« Ah oui, désolé. »

Il avait pris le ton d'un écolier répondant à son instituteur, forçant le trait.

« J'aimerais acheter de la drogue, s'il vous plaît. »

Malachi eut un hochement de tête à l'attention de son partenaire qui posa la mallette sur une table basse puis fit un pas en arrière.

« Voilà comment on procède. Si tu veux de la coke, de l'héro, de l'ecstasy, de l'herbe ou des analgésiques, pas de problème, j'en ai tout le temps. Si tu veux quelque chose de spécial, il me faut deux heures de délai. Je suis dispo vingt-quatre heures sur vingt-quatre, sept jours sur sept, partout dans le pays. Je ne passe pas les frontières. Je ne conclus pas d'affaire à moins de vingt-cinq, et je ne fais pas dans le crack. »

Il fit sauter les loquets de la mallette mais ne l'ouvrit pas. Il voyait l'excitation monter dans les yeux du gamin et voulait faire durer le moment. La petite brune poussa un cri aigu : on lui versait du champagne dans le décolleté. Elle rit puis gémit quand la blonde se pencha pour lécher sa peau bronzée. Les mecs, eux, émirent des sifflements appréciatifs.

« C'est de la bonne ? fit la Star en essayant de jouer les durs. J'ai pas envie de payer un max pour une merde coupée à l'eau. »

Malachi secoua la tête.

« Aussi pure qu'un rêve de bonne sœur. Garantie de première qualité. Mes prix sont élevés en raison du service et de la qualité que je fournis. Maintenant, dit-il en ouvrant la mallette pour révéler des rangées bien ordonnées de petits sacs et de bouteilles colorées, le docteur est là. »

Jack ouvrait le chemin. Là, dans le ventre du club, la musique semblait sortir de partout à la fois : des murs, de la balustrade, du sol et même de son propre cœur. Il avait attendu le flot d'émotions et, finalement, ça y était, la sensation était là : cette contraction, ce vieil élan de joie et de panique mêlées qui ne le quittait jamais vraiment. Ce sentiment faisait partie de son être depuis 1975, depuis le jour où il avait fourré sous sa chemise le disque d'Aerosmith, *Toys in The Attic*, et était sorti d'un pas crâneur de la boutique de Mel, l'emballage de plastique froid frottant contre la peau de son torse d'adolescent. Il était rentré chez lui et avait écouté le disque jusqu'à ce qu'il puisse chanter chaque parole, avec l'impression que le morceau *Sweet Emotion* s'adressait directement à lui.

L'escalier était raide et étroit, un simple conduit utilisé uniquement par les serveurs pour apporter aux occupants du salon tout ce qu'ils désiraient. Il y avait salon VIP et salon VIP. Celui-ci faisait partie de ce que l'on pouvait trouver de mieux : une aire de jeux privée pour les jeunes et célèbres richards.

Jack lâcha une expiration devant la porte, se retourna pour regarder les hommes derrière lui. Ils avaient déjà enfilé leur masque et, dans la faible lumière, seul l'éclat de leurs yeux et de leurs armes brillait. Bobby et Will semblaient nerveux, tendus par l'adrénaline. Marshall, lui, avançait avec la lenteur d'un prédateur. L'attitude du cobra tranquille. Prêt à frapper.

Jack sourit. Il haussa les épaules, enfila son masque. Le tissu retenait son souffle chaud contre ses lèvres. Il laissa l'excitation l'envahir, accueillit avec joie ce sentiment : ce gouffre au bord duquel il se tenait quand tout pouvait arriver, quand le moment était chargé d'intensité et de promesses.

Il posa la main sur le bouton de porte et le tourna.

Qu'est-ce qu'il foutait là ? Bobby avait l'impression que les veines de son front allaient exploser, son cœur battait à tout rompre. Il essaya de déglutir, la gorge complètement sèche. Il voulait essuyer les paumes de ses mains sur son pantalon mais craignait que les autres ne le remarquent.

Ce n'était pourtant pas son premier boulot, loin de là. Il avait aidé Jack en d'autres occasions. Ils avaient dévalisé un entrepôt tard la nuit pendant que le gardien, un billet de cent dans la poche, regardait ailleurs. Ils avaient braqué le patron d'un bar sur le chemin de la banque où il allait déposer la recette de la soirée. Ils avaient aussi battu à mort ces deux Latinos qui avaient essayé de rouler son grand frère. Il n'avait rien d'une âme sensible, mais ça ? Entrer dans une pièce, masqué et arme au poing ?

Ça va être sympa, tu verras, lui répétait la voix de Jack dans sa tête. *Les frères Witkowski qui déchirent tout. Fais ce que je te dis et ce sera fini avant même que tu t'en rendes compte.*

Il prit une profonde inspiration.

T'es un dur.

Jack ouvrit la porte à la volée et Marshall et lui se précipitèrent à l'intérieur.

Un groupe de beaux gosses les dévisagea, les yeux comme des soucoupes, depuis un tas de coussins où deux filles s'envoyaient en l'air. Will avait raison, elles étaient toutes les deux plus canon que n'importe quelle nana à poil qu'il avait vue dans les magazines. La Star était assise devant une table basse, à côté d'un Black bien sapé. Une mallette était ouverte entre eux deux. La Star tenait une carte à jouer à quelques centimètres de son nez et lâcha un soupir de panique qui envoya voler la poudre blanche comme un nuage flottant entre les collines.

« On y va ! » cria Will derrière lui.

On y va, se répéta Bobby. *Bouge-toi*. Il sentit un filet de sueur lui couler le long du dos. Ses mains tremblaient.

« Putain d'amateur », cracha Will en le poussant pour passer.

Le flingue braqué droit devant lui, il hurla sur le second Black, un type aux allures de gangster, qui se figea, la main à quelques centimètres de la crosse de son revolver.

La scène avait quelque chose d'irréel. Les flingues qu'on agitait dans ce repaire de frimeurs, les basses qui donnaient l'impression qu'on tournait un clip vidéo. Il y avait plus de monde que Bobby n'aurait cru. Cinq ou six potes de la Star, les filles, le garde du corps et les dealers. Ça faisait beaucoup à gérer. Jack avait raison. Il fallait être quatre. La honte lui tordit les intestins. *Allez, vas-y !*

Puis il vit l'un des gamins se lever, une bouteille de champagne à la main. Il se dirigeait vers Jack qui, surveillant le garde du corps, avait le dos tourné. Les jambes de Bobby retrouvèrent leur mobilité. Il fonça dans la pièce et abattit son arme sur le visage du gamin, mettant dans son geste toute la rage et la peur qui l'habitaient. Le coup fut à la fois surprenant et étrangement intimidant. Quelque chose craqua sous le métal, et il sentit une chaleur soudaine contre son gant tandis que son adversaire s'effondrait au sol. Bobby avait presque envie de l'accompagner, de briser chaque os de son visage pour avoir osé menacer son grand frère.

Il choisit de reculer d'un pas et leva son Smith, lui faisant décrire un arc de cercle pour couvrir toute la pièce.

« Pas un geste, putain ! »

C'était bon, la peur se transformait en pouvoir. *Je suis un dur.*

Jack jeta un œil par-dessus son épaule, hocha la tête.

« Bien, fit-il en avançant, le flingue levé. Bien. Mains sur la tête. Et vite ! »

Pendant ce qui sembla un long moment, personne ne fit le moindre mouvement. Puis le dealer leva lentement les mains et croisa les doigts derrière la tête. Ce geste sembla réveiller le reste de la bande et tous firent de même.

Tous sauf la Star.

« C'est une blague, hein ? C'est du cinéma ? » dit le sale môme, un sourire aux lèvres. Trop riche et trop con, ça le perdrait.

La contraction dans la poitrine de Jack s'accentua. De sa main armée, il assena à la Star une claque sonore. Le gamin chancela, se redressa en se frottant la joue, les yeux humides, les lèvres tremblantes, comme s'il n'avait jamais pris de coup de sa vie. Ce qui était probablement le cas.

« Les mains sur la tête. »

Quand il se fut exécuté, Jack ajouta :

« Vous autres, contre le mur. Allez ! »

Le groupe se traîna jusqu'au mur, les membres entravés par la peur. Jack fit un geste à l'attention de Marshall et Will qui s'approchèrent pour les surveiller. Par-dessus son épaule, il lança :

« Prends les sacs. »

Son frère donna des coups de pied dans les coussins pour les écarter, attrapa le sachet de cocaïne ouvert et la carte à jouer et les jeta dans la mallette avant de la refermer. Jack dardait un regard perçant sur la Star. Sans un battement de cils, il observait ce héros de cinéma s'effondrer devant lui. L'homme puissant se transformait en un enfant pleurnichard.

« Bordel de merde », siffla Bobby.

Jack coula un regard sur le côté, vers son frère agenouillé au-dessus d'une seconde mallette, celle apportée par la Star.

« Quoi ?

– C'est plus que ce qu'on croyait, bon Dieu. »

Puis, dans un souffle : « Ça fait un sacré paquet. »

Jack pointa son arme sur le visage de la Star.

« Combien ?

– Qu... quoi ?

– Combien ? répéta-t-il en armant le chien. Combien y a dans la mallette ?

– Quatre cent mille. »

Il lutta pour empêcher la stupéfaction de se lire sur son visage. Ils s'attendaient à cinquante, à peine plus. Partagé en quatre, c'était déjà une sacrée paye.

« Quatre cent mille dollars, fit-il en secouant la tête. De quoi t'as besoin, bordel, pour te balader avec quatre cent mille dollars en cash ?

– C'est juste... euh... hésita la Star. De l'argent au cas où. »

Jack l'observa, une lèvre retroussée contre le masque.

« De l'argent au cas où quoi ? »

La Star lui rendit son regard avant de baisser les yeux.

« Prenez-le. On ne dira rien aux flics. Je jure...

– Les flics ? grogna-t-il. Et qu'est-ce que tu leur dirais ? Que tu t'es fait braquer pendant que t'achetais de la coke ? »

La Star ouvrit la bouche, puis la referma, les yeux sur le canon du revolver.

« Bon Dieu, murmura une nouvelle fois Bobby.

– Ferme la mallette. »

Jack avait parlé d'une voix égale mais l'excitation gagnait son corps désormais. Le job, l'adrénaline, quatre cent mille dollars. Il fit signe à la Star de rejoindre les autres.

« Tout le monde face au mur ! lâcha-t-il avant de marquer une brève pause. Maintenant ! »

Les richards s'exécutèrent les premiers. Un des garçons se mit à pleurer en silence, lâchant quelques sanglots, avant de se tourner quand même vers le mur. Les dealers échangèrent un regard puis pivotèrent eux aussi. Enfin, le garde du corps s'exécuta.

« Attache-les. »

Will prit des liens en plastique dans sa poche et, aidé de Marshall, commença à les ligoter. Jack maintenait son arme devant lui. Il regarda Bobby, agenouillé au sol, en train de tripoter les loquets de la mallette. Leurs regards se croisèrent. Il décocha un sourire à son frère. La joie remplit sa poitrine et il savait que Bobby partageait ce sentiment. Un cri de triomphe muet les unissait.

Marshall vint se placer derrière Malachi, planta le 22 sur l'arrière de sa tête.

« J'ai la gâchette délicate avec ce genre de machin, dit-il. Le plus petit mouvement, et tout est fini.

– J'ai compris, répondit l'homme avec calme.

– On ne fait que vous attacher.

– Allez-y. »

Marshall fit un signe de la tête à Will. Celui-ci attrapa les mains de l'homme et les bloqua derrière son dos où il les ligota. Puis il s'accroupit pour en faire autant avec les chevilles.

« Je vois que vous êtes des pros, dit Malachi, le visage face au mur. Moi aussi. Juste pour info.

– Et ?

– Les choses seraient plus faciles si vous laissiez ma marchandise. »

Marshall se pencha un peu, lui faisant sentir le 22.

« Et pourquoi on ferait ça ?

– Appelez ça de la courtoisie professionnelle, rétorqua le dealer sans broncher.

– J'y penserai. »

Marshall fit signe à Will. Ils se dirigèrent vers le garde du corps.

Tout en accomplissant son travail, Marshall avait l'esprit partagé en deux. D'un côté, il voyait les nuques, les muscles tendus, les gouttes de sueur. De l'autre, il se voyait au bord de la piscine du Caesar, le regard plongé sur la page des sports, tandis qu'une charmante serveuse vêtue d'une tunique romaine s'approchait de lui pour lui apporter un whisky. Il sentait même le soleil lui chauffer le torse.

Tout se passa très vite.

Le garde du corps laissa Will prendre une de ses mains, la descendre dans son dos, puis choisit ce moment-là pour faire volte-face tout en se baissant. Will glapit tandis que le garde renversait la prise, forçant son adversaire, plus petit, à tomber à genoux.

Marshall n'hésita pas une seconde. D'un clignement d'œil, il se concentra à nouveau sur le moment présent et pressa la détente, deux fois. Les trous qu'il avait percés dans le canon étouffèrent le bruit, changeant le rugissement habituel en un crissement intermittent accompagné d'un son humide. Le visage du garde du corps se décomposa et il tomba au sol.

Jack savait que le silence ne durerait que quelques secondes. Avant que quiconque se mette à hurler, il aboya : « Pas un geste ! Ne bougez pas, et on ne tirera pas. »

Marshall porta la main gauche à son visage et essuya les gouttes de sang qui avaient giclé sur sa peau. Il secoua la tête. La panique éclata dans le ventre de Jack, mais il la réprima. Ses mains étaient moites sur le 45. *Nom de Dieu !* Ils auraient déjà dû être dehors et s'évanouir comme des fantômes. De l'argent facile. Les richards n'auraient rien pu dire et le dealer aurait laissé tomber.

Puis son regard se posa sur Bobby. Son frère était paralysé, une main au visage. La partie de sa peau qui n'était pas dissimulée par le masque était blanche comme un linge. La culpabilité le disputait à la panique. Il avait promis au gosse que ce serait un job facile, que personne ne serait blessé. Maintenant, un corps gisait par terre et ils allaient tous être accusés de meurtre.

Pas de panique.

Jack parcourut le salon du regard, cherchant avec espoir quelque chose qui ferait la différence, une échappatoire pour sortir de ce merdier. Il ne vit que les joujoux d'une classe sociale à laquelle il n'avait jamais appartenu. Des coussins en soie et du champagne. Tout cela coûtait un fric fou. Ses doigts se contractèrent sur la crosse.

« Vous deux, dit-il en faisant signe à Will et Bobby. Prenez les mallettes et sortez d'ici. Partez devant, comme on a dit. »

Marshall lui lança un regard froid, mais il l'ignora. Il avait l'esprit en ébullition. Les hommes les plus dangereux étaient sous contrôle. Les dealers étaient ligotés et le garde du corps n'était plus ce qu'on pouvait appeler un problème. Les autres, des poules mouillées. Marshall et lui pouvaient s'en charger seuls. Il fallait qu'il éloigne Bobby d'ici. Pas question de faire prendre à son petit frère le risque d'une condamnation pour meurtre.

« Allez-y. On se voit plus tard. »

Bobby ne fit pas un mouvement. Il fixait les éclaboussures de sang et le désastre au sol. Jack fit une grimace, puis, l'arme toujours pointée sur la bande de riches, il s'approcha et posa une main sur l'épaule de son frère.

« Fais-moi confiance », lui dit-il doucement.

Bobby le regarda. Il cligna des yeux puis hocha la tête. Il se pencha pour attraper la poignée de la mallette. Will les rejoignit et, le regard neutre, lui tendit les liens en plastique.

« C'est toi le boss.

– On se voit dans une heure. »

Will acquiesça, saisit la mallette contenant la drogue et se dirigea vers l'escalier. Bobby lui emboîta le pas. Il s'arrêta dans l'embrasure de la porte pour jeter un dernier regard en arrière. Jack lui fit un signe et le regarda partir. Il fit volte-face.

« Vous autres, visage contre le mur et cherchez pas à jouer les héros. On vous attache et ensuite on fout le camp. Vous restez calmes et dans deux minutes, vous dégusterez le meilleur cocktail de votre vie. »

Will dévalait l'escalier, trois marches à la fois, Bobby sur les talons. La mallette, qui cognait contre sa cuisse, était plus lourde que ce qu'il aurait imaginé. Son cœur battait si fort et si vite que ses battements ressemblaient plutôt à un grondement incessant. La musique se faisait de plus en plus forte à mesure qu'ils descendaient.

Ils avaient tué un mec. Nom de Dieu, ils avaient tué un mec.

Au bas des escaliers, Will ralentit l'allure et retira son masque. Bobby fit de même, l'enfouissant dans sa poche. Le videur était là où ils l'avaient laissé, étalé par terre, à côté de son tabouret. Bobby l'enjamba et ils se retrouvèrent dans l'allée. La musique s'estompa quand la porte se referma dans un claquement.

Ses mains étaient secouées de tremblements.

« Nom de Dieu.

– Je sais. »

Will lâcha un soupir. Ils se dirigèrent vers le sud, s'éloignant de la Ford volée dans laquelle ils étaient arrivés.

« Quel connard, ce garde du corps.

– Qu'est-ce qui s'est passé, bordel ?

– Il n'a pas écouté.

– Mais bordel, mec !

– C'est le boulot. Ça arrive.

– Ah ouais, c'est comme ça ? »

Bobby avait envie de crier. Il ne se rappelait pas la dernière fois où il avait eu envie de crier de cette manière, d'ouvrir la bouche et de lâcher un hurlement.

« C'est comme ça. »

Will tourna à gauche en direction d'un quai de chargement.

« Ça ne peut pas être aussi simple.

– Si.

– Attends », fit Bobby en s'arrêtant.

Il jeta un regard autour de lui, ne reconnut pas l'allée.

« C'est pas le bon chemin. La Chrysler est par là.

– Je sais. »

L'éclair de lumière fut ce que Bobby remarqua en premier. Un flash blanc. Puis il entendit le son. Il haleta, laissa tomber la mallette, porta ses mains à sa poitrine, y rencontra une matière humide et visqueuse. Le sol. Il voyait encore le bitume crasseux après l'éblouissement dû au flingue. Il s'approchait du sol couvert de verre brisé. Ses genoux touchèrent le bitume et le monde vacilla. Il tomba en arrière, ne comprenant toujours pas. Il voyait les pièces du puzzle, mais ne parvenait pas à les assembler, jusqu'à ce que Will l'enjambe en rangeant son arme pour s'emparer de la mallette que Bobby avait portée.

Non ! Non !

Un instant, Will resta là, le regard baissé sur Bobby, sa silhouette se découpant sur le ciel. Puis il dirigea sa main vers son oreille, tira quelque chose de derrière. Une cigarette. Il alluma son briquet d'un claquement sec. La flamme s'agitait nerveusement à travers la fumée. La lueur brûlait les yeux de Bobby.

Je suis un dur, pensa-t-il. Puis il ferma les paupières.

MAI 2006

2

Tom Reed n'arrivait pas à dormir. À cause de la pluie et à cause des acronymes.

Il ne pleuvait pas vraiment. Le bruit provenait d'un appareil posé sur la table de nuit d'Anna. D'ailleurs, ça n'avait pas grand-chose à voir avec le bruit de la pluie, ça tenait plutôt du grésillement. Elle prétendait que ça l'aidait à s'endormir, et lui, ça ne le dérangeait pas, même si un sourire moqueur lui venait aux lèvres quand elle allumait l'appareil alors qu'il pleuvait réellement au-dehors. La pluie d'une machine pour masquer le bruit de la pluie battant contre la fenêtre, tout comme les épais rideaux pour bloquer la lumière du jour et un réveil qui s'allumait pour reproduire le lever du soleil. Ils en avaient ri, des années auparavant. Ils avaient perdu la bataille contre la boboïtude, sans vraiment mener le combat, d'ailleurs.

Mais ce n'était pas la pluie le vrai problème. Non, c'était les acronymes.

TC, TGD, IIU, DC, FIV, ICSI.

Au début, ils étaient drôles, un peu précieux. TC voulait dire tentative de conception. TGD, test de grossesse à domicile. Anna avait rencontré une impressionnante communauté en ligne, des milliers de femmes qui partageaient leurs histoires sur des sites de fécondité, mettant en ligne les détails les plus intimes de leur vie, analysant les courbes de température, la qualité de leur mucus utérin, comme des oracles lisant dans des feuilles de thé. Ces discussions sur le Net avaient semblé faire du bien à Anna, lui apportant quelque chose que lui ne pouvait pas lui procurer. Les premiers acronymes étaient venus de là.

Les autres avaient été employés par les médecins, et ils n'avaient rien de drôle ni de précieux. Ils étaient cruels et coûteux. Tom roula sur le côté, veillant à ne pas la déranger. Avant, ils dormaient l'un contre l'autre, le dos d'Anna réchauffait son torse, l'odeur de ses cheveux lui chatouillait les narines. Leurs deux corps s'emboîtaient aussi parfaitement que deux pièces de Lego. Parfois, il avait l'impression que cette harmonie faisait partie du passé.

IIU : insémination intra-utérine.

Il essaya de ramener ses pensées vers le travail, vers sa banalité ennuyeuse et typique. Il visualisa son bureau, sept mètres sur neuf, le plafond bas, la table de travail en acier modulable, l'étroite fenêtre à travers laquelle les façades miroitantes des gratte-ciel du quartier lui renvoyaient son image. Mais cela l'amena à penser à la réunion de bilan de 9 h 30 qu'il allait manquer une fois de plus. Il se demanda combien d'e-mails l'attendraient quand il regagnerait son bureau.

FIV : fécondation *in vitro*.

La lumière que laissait filtrer le rideau brillait d'un éclat argenté. Le réveil indiquait 4 h 12. Peu de raisons justifiaient d'être réveillé à 4 h 12 du matin. Quand il avait 20 ans, oui. Un samedi soir, Anna, lui et la fine équipe, des bougies qui brillaient, la bière éclusée, Leonard Cohen en fond sonore, un dernier joint qui tournait tandis que les gens s'endormaient contre l'épaule de leur voisin sur des canapés de récup. À 20 ans, 4 h 12, c'était normal.

À 35, en revanche, 4 h 12, c'était l'heure où l'on dormait du sommeil du juste. Il n'y avait qu'une raison pour qu'une personne de son âge ne soit pas dans les bras de Morphée à 4 h 12.

DDS : délai de deux semaines.

Et ça prenait fin aujourd'hui.

Anna sentit le lit craquer et s'enfonça dans le matelas quand Tom roula sur le côté. Il laissa échapper de faibles gémissements et frotta son nez contre l'oreiller. Comment pouvait-il dormir ? Ses pensées à elle étaient si pesantes qu'elle n'entendait plus la bande-son. Comment faisait-il pour y rester sourd ? Pour ne pas répondre alors qu'il lui semblait avoir parlé à voix haute ?

Ça y est. Cette fois c'est la bonne.

Je vais être mère.

Je vous en prie, mon Dieu, faites que ça arrive.

Et puis :

Je connais cette sensation de crampe.

Faites que ce ne soit pas mes règles.

Je ne pourrais pas recommencer.

Le plus difficile à vivre pour elle avec la FIV, c'était que, pendant un temps au moins, elle était indiscutablement enceinte. Les ovules prélevés avaient été couplés aux spermatozoïdes de Tom. Lors de son dernier cycle, ils avaient même fait une injection intracytoplasmique, injectant à chaque ovule un seul spermatozoïde. Sur les cinq ovules prélevés, trois avaient été fécondés. Trois embryons microscopiques. Des bébés.

Parce que c'était leur quatrième FIV, les médecins les avaient tous implantés. Ce qui signifiait que non seulement elle était enceinte, mais qu'en plus, elle l'était trois fois. Des bébés vivants se trouvaient dans son ventre. Mais ils ne le resteraient que s'ils s'accrochaient à la paroi de son utérus. S'ils ne survivaient pas, ce serait sa faute.

Stop, pensa-t-elle. Son mantra habituel. Elle savait que ce n'était la faute de personne. Ce n'était pas comme si elle n'avait pas tout essayé : les régimes, l'exercice, les positions postcoïtales, les vitamines, les hormones, la prière. Mais rien de tout cela ne comptait face à la voix dans sa tête, celle qui lui murmurait que toutes les femmes y arrivaient, que c'était la chose la plus naturelle du monde. Qu'échouer à procréer, c'était comme échouer à respirer. Les femmes enfantaient. C'est ce qui faisait d'elles des femmes.

Stop. Cette fois, c'est la bonne. Tu vas être mère.
Je vous en prie, Seigneur, faites que ça marche.

Peu après 6 heures, Tom abandonna. Il se leva et gagna la salle de bains sur la pointe des pieds, faisant craquer le parquet. Il tourna le robinet d'eau chaude de la douche et écouta WBEZ, la radio locale de Chicago, pendant que l'eau chauffait. Informations concernant la guerre, mise en accusation d'un directeur général des télécoms, publicité pour l'émission matinale de la radio, promesse de Steve Edwards de revenir sur les nouvelles mesures fiscales envisagées par le gouverneur de l'État et interview d'un poète du coin. C'était normal, confortable, ces bruits familiers qui s'échappaient du bon vieux petit poste radio, le crachotement de la douche, le petit goût aigre dans la bouche.

Mais aujourd'hui pourrait être le dernier jour de ton ancienne vie. Il sourit tandis qu'il se versait du shampoing sur les cheveux.

Après quoi il se sécha rapidement et noua une serviette autour de ses hanches. Dans la chambre, Anna était étendue sur le dos, la couverture remontée sous le menton, les mains posées sur son ventre, les yeux rivés sur le ventilateur immobile au plafond.

« Comment tu te sens ?

– Grosse. »

Il rit.

« C'est bien, non ?

– Je crois. »

Elle repoussa les couvertures et essaya de s'asseoir. Dans un grognement, elle se rallongea.

« Ça va ? »

Elle hocha la tête, prit la main qu'il lui tendait pour l'aider à se relever.

« Juste quelques crampes.

– Des crampes ? »

Elle en avait toujours, et très douloureuses, au moment de ses règles. Il détestait ce genre d'information, ainsi que d'avoir à connaître sa température corporelle, à deux décimales près. Il vit qu'elle avait peur et posa une main rassurante sur son épaule.

« Ce sont les hormones. »

Anna soupira avant d'acquiescer.

« Tu as raison », fit-elle. Elle se leva lentement et se dirigea vers la salle de bains. « Je vais te dire une chose, me piquer tous les jours, ça ne me manquera pas. »

Il attendit d'entendre l'eau couler pour enfiler son pantalon et le pull gris en cachemire qu'elle lui avait offert pour Noël deux ans plus tôt. Il brancha la bouilloire, mit des œufs à frire dans une poêle, du pain à griller. Il laissa le tout et déverrouilla la porte d'entrée, descendit l'escalier et sortit dans l'air frais et piquant d'une matinée de printemps. Une légère brume persistait, mais ce début de journée s'annonçait enso-leillé. Il ramassa le journal, se retourna, tomba nez à nez avec Bill Samuelson qui le dévisageait et manqua tomber de la véranda.

« Bon Dieu ! fit Tom en portant une main sur son cœur qui battait à cent à l'heure. Vous m'avez fait peur.

– Ça m'étonne pas. »

Leur locataire tira une bouffée de sa cigarette, cracha un brin de tabac et reprit : « Vous ne regardez jamais autour de vous ? »

Sa voix était basse et profonde, un doux contraste par rapport à son humeur de chiottes habituelle.

« Je suis juste un peu tendu ce matin, j'imagine. »

Tom se balançait d'un pied sur l'autre, le ciment était froid sous ses pieds nus. Il mourait d'envie de tirer une taffe, mais y renonça. Il se rappela qu'il avait arrêté de fumer.

« La nuit a été longue. »

C'était le genre de commentaire qui appelait généralement les gens à demander : « Ah bon ? Qu'est-ce qu'il y a ? » Mais Bill se contenta de détourner le regard. Depuis qu'il louait le rez-de-chaussée de leur maison qui comprenait deux apparte-ments, ils s'étaient à peine parlé. Il restait tout seul, ne recevait jamais de visite, disparaissait durant de longues périodes. Les rares fois où ils s'étaient croisés, il se montrait toujours à la limite de la grossièreté. Mais le chèque de son loyer trouvait tous les mois le chemin de leur boîte aux lettres et c'était tout ce qui lui importait.

De retour dans la cuisine, il jeta le *Tribune* sur le comptoir, versa le thé, retourna les œufs et s'efforça d'éloigner les acronymes de son esprit.

Tout allait bien se passer. Le ciel était bleu, le printemps s'installait et elle était enceinte. À la lumière du jour, tout était différent. Qui ne serait pas nerveux à 4 heures du matin ? C'est une heure horrible quand on est le seul à ne pas trouver le sommeil.

Elle inclina le dossier du siège passager de trente bons degrés pour soulager la pression sur son ventre. Ses crampes la faisaient un peu moins souffrir, mais ses seins étaient terriblement douloureux. Elle avait dû esquiver le câlin matinal de Tom et elle savait que ça l'avait contrarié.

Ce qui était compréhensible. Tout à fait normal : elle lui avait servi une fausse excuse. Mais pour l'instant, elle ne pouvait penser qu'à une chose. Et tous les symptômes physiques étaient les bienvenus. Elle se sentait différente des autres fois.

C'était l'heure de pointe et les trottoirs étaient noirs de monde, de femmes et d'hommes en tenue de travail décontractée. Une vie décontractée. Son portable sonna et elle se pencha pour l'attraper au fond de son sac, grimaçant au balancement de sa poitrine. Elle l'ouvrit, regarda le numéro de l'appelant, secoua la tête et repoussa le téléphone sans répondre.

« Qui c'était ?

– Le boulot. »

Il leva la tête.

« Je les rappellerai plus tard », dit-elle.

Elle pouvait sentir sur elle le poids de son regard.

« C'est juste un coup de fil, reprit-elle. N'essaye pas d'y voir autre chose. »

La clinique faisait partie d'un banal complexe immobilier. Des piliers orange, des murs ternes, un parking trop petit. Tom trouva une place pour la Pontiac et fit le tour de la voiture pour aider Anna à en descendre. Le fond de l'air était frais, mais le soleil parut bien agréable à la jeune femme.

Même à 8 h 45, la salle d'attente était bondée. Anna signa la feuille d'arrivée et s'assit. Tom avait sorti son Blackberry et appuyait sur des touches, les lèvres pincées. Elle ressentit une brusque montée de colère – les e-mails pouvaient attendre ! – mais l'attribua aux hormones.

Elle prit un magazine sur la table, un *People* qui datait de trois semaines. Sur la couverture, on faisait encore allusion au braquage dont avait été victime la Star. Quand c'était arrivé, les tabloïds en avaient fait leurs choux gras et elle avait suivi l'histoire avec ce frisson de voyeurisme qui nous envahit quand une chose horrible se déroule sous notre fenêtre. Mais aujourd'hui, alors qu'elle tournait les pages et regardait les photos – la Star qui levait une main pour se protéger des photographes, des flics à la mine sombre plantés devant une boîte de nuit, le portrait du garde du corps abattu –, elle avait l'esprit ailleurs.

Lorsqu'elle était enfant, l'attente de Noël lui était insupportable. L'attente, l'anticipation, c'était trop pour elle. Elle avait même créé une danse spéciale « décompte de Noël », qui consistait en gros à s'agiter dans tous les sens, comme secouée de spasmes, devant le sapin, les bras et les jambes battant l'air, étourdie par l'impatience. Ses parents avaient trouvé ça délirant. Ce matin-là, tandis qu'elle attendait qu'on vienne la chercher, elle se mit à penser à cette période. *Je devrais peut-être inventer une danse spéciale que j'intitulerais « décompte avant de savoir si je suis enceinte » ?*

Finalement, une infirmière en blouse bleue les conduisit jusqu'à la salle d'examen. Une affiche placardée au mur détaillait son anatomie : utérus, trompes de Fallope, ovaires et le reste de la machinerie, le tout en couleurs pastel et soigneusement légendé.

« Comment vous sentez-vous ? demanda l'infirmière occupée à rassembler son matériel.

– Bien. J'ai eu mal au ventre, mais ça va mieux. »

L'infirmière hocha la tête. « Vous pouvez relever votre manche ? »

Après deux semaines à se faire elle-même des injections de progestérone, une prise de sang, c'était du gâteau. Anna contempla le liquide sombre remplir le tube.

« Bien, fit l'infirmière quand elle eut fini. Vous pouvez téléphoner pour connaître vos résultats aux environs de midi. Des questions ?

– Est-ce que ce serait vraiment inutile et idiot de faire un test de grossesse à domicile ? Même si je sais que les hormones vont le fausser. »

L'infirmière lâcha un petit rire. « Patience, ma belle. Encore deux petites heures. »

Noël ne lui avait jamais paru aussi loin.

Tom regarda sa montre, cligna des yeux. Merde. Il avait prévenu Daniel qu'il serait en retard, mais là il poussait le bouchon.

« Tu peux me déposer sur le chemin de ton boulot ?

– Je n'y vais pas. »

Il hésita un instant avant de dire :

« Tu as souvent été absente au travail ces derniers temps, chérie.

– Je suis incapable de m'asseoir à mon bureau et de faire semblant de m'intéresser à des budgets et des délais, d'accord ? Pas aujourd'hui. »

Il soupira, fit cliqueter les clés. Il visualisa son bureau, le voyant rouge des messages en attente qui clignotait. Puis il vit l'expression dans son regard.

« D'accord », dit-il.

Ils roulèrent dans le centre-ville et garèrent la Pontiac dans un parking souterrain avant de prendre l'ascenseur pour Millenium Park. Le ciel était dégagé et le beau temps avait fait sortir les gens : des étudiants étaient allongés sur les bancs, des touristes prenaient des photos, des enfants en bas âge pataugeaient dans la fontaine. Il commanda un café pour lui et un jus d'orange pour elle, et ils s'installèrent sur les marches, à observer les gens. Tom fit un geste avec son gobelet pour désigner une fille aux cheveux violets et au nez percé d'un anneau.

« Elle. »

Anna suivit son regard.

« C'est un grand chef. Son rêve, c'est d'ouvrir un restaurant qui s'appellerait L'Obscur. Les serveurs porteraient de l'ombre à paupières noire et, sur le menu, il n'y aurait que des cigarettes, du vin rouge et du cochon de lait frais. »

Il partit d'un éclat de rire.

« Et lui ? demanda-t-il en désignant un énorme type moulé dans un T-shirt des Bulls.

– Une queue de trente centimètres. Il demande à sa copine de l'appeler Johnson Bleu Acier. Et si c'était négatif ? »

Il la regarda. Il regarda sa femme, cette femme qu'il connaissait depuis toujours. Le vent fit voleter des mèches auburn autour de son visage et, d'une main, elle les écarta de ses yeux.

« Ce ne sera pas négatif.

– Mais si ça l'est ?

– Alors, on essaiera encore. »

Elle laissa échapper un bruit qui n'avait rien d'un rire.

« On est endettés jusqu'au cou.

– C'est le cas de tout le monde.

– Tout le monde ne lâche pas quinze mille dollars dans une FIV. »

Il prit une gorgée de café froid.

« Tout ce temps. Tous ces rendez-vous avec les médecins. Toutes ces injections. Mon Dieu, tout cet argent, fit-elle en secouant la tête. Si c'est négatif, tout ça n'aura servi à rien. »

Elle plissa les yeux et il suivit son regard vers une femme qui tenait la main d'une petite fille. Les cheveux de l'enfant étaient si blonds qu'ils en paraissaient presque blancs. Elle portait une robe à pois. Toutes deux avaient l'air de sortir tout droit d'une carte de vœux. Anna les observa, des petites pattes-d'oie se formèrent au coin de ses yeux. Quand étaient-elles apparues ?

« À rien », répéta-t-elle.

À rien, se dit-il. Elle avait raison, il le savait. Ce truc que les autres faisaient si naturellement leur avait coûté énormément, et pas seulement d'un point de vue financier. Au cours des deux dernières années, quelque chose avait changé entre eux. Au début, essayer d'avoir un enfant avait été amusant, ça avait relancé leur vie sexuelle. Après un temps, alors que rien ne se passait, les calendriers et les thermomètres avaient fait leur apparition. Trois jours par mois, ils faisaient un véritable baisathon. Des visions de lui pareil à un derrick de pétrole fait de chair, pompant insatiablement et joyeusement, lui traversaient l'esprit. Le reste du mois, il n'y avait de toute évidence aucune raison de s'accoupler. Enfin, les acronymes étaient entrés dans leur vie.

Quelque part en cours de route, les choses entre eux avaient changé. Il l'aimait et savait qu'elle l'aimait toujours. Mais désormais leur amour tenait plus de la vieille habitude. Les restes de quelque chose.

« Ça va aller, dit-il d'un ton plus convaincu qu'il ne l'était réellement. Tout ira bien. »

Elle leva la tête et le regarda. Il s'écoula un long moment avant qu'elle tourne de nouveau les yeux vers le parc. Ils patientèrent en silence. Lorsque son téléphone indiqua 11 h 58, elle dit :

« J'ai peur.

– Tu veux que je le fasse ? »

Anna prit une profonde inspiration et secoua la tête.

« C'est le matin de Noël. »

Elle commença à composer le numéro avant qu'il puisse lui demander ce qu'elle voulait dire. Tom sentait le froid des marches à travers son pantalon, son pouls battre tandis qu'il l'écoutait donner son nom à l'infirmière. Mise en attente, elle garda le silence et leurs regards se croisèrent. Ils pensaient tous les deux la même chose, concentraient leurs espoirs.

Puis il entendit que l'infirmière reprenait le téléphone et, sans comprendre ses paroles, il saisit le ton. Plus encore, il lut sur le visage d'Anna, tandis qu'il se décomposait, que ce à quoi elle se raccrochait venait de s'effondrer. Il vit les yeux de sa femme s'emplir de larmes silencieuses. Tom Reed ajouta alors à la liste un acronyme de son cru.

FCTI : foirage complet et totalement irréparable.

3

« OH, MA PUCE ! SOUPIRA SARA. Je suis vraiment navrée. »

Petite dernière de la famille, Sara avait toujours été la plus branchée, la rebelle qui fréquentait les boîtes de nuit et sortait avec des acteurs. Mais là, elle s'exprimait d'un ton maternel.

C'est peut-être parce que, elle, elle est mère, pensa Anna avant de se reprendre : *Arrête ça !*

« Qu'est-ce que tu vas faire ? »

Anna secoua la tête, puis soupira dans le combiné.

« Je n'en sais rien.

– Vous allez réessayer ?

– Je ne crois pas que nous en ayons les moyens. On est plutôt serrés.

– Qu'est-ce que Tom en dit ?

– Il ne lâche rien. Il me console en m'assurant que tout ira bien. Comme si, en ignorant les choses, elles cessaient d'exister. »

Elle était allongée sur son lit, le regard tourné vers le plafond, une main jouant avec le bord frangé du dessus-de-lit. La vie évoluait si lentement qu'on remarquait à peine les changements. À une certaine époque, ils parlaient de tout.

« Nous n'aurions pas dû recommencer cette fois, reprit-elle en faisant tourner un bouton de cuivre entre ses doigts. Je me disais, encore un essai, juste un. J'étais sûre que ça marcherait. »

À l'autre bout du fil, il y eut une pause, puis :

« Je pourrais vous prêter...

– Non, la coupa Anna. Merci, mais non.

– Mais...

– Non, chérie. »

Sa sœur avait un bon boulot en tant que monteuse dans une société de postproduction, mais son salaire n'était pas du genre à attirer l'attention de Donald Trump. Et en plus, une bonne partie de ce salaire était destinée à la crèche. Élever seule un enfant n'était pas donné.

Oui, mais au moins, elle a... Stop !

« Tu veux que je vienne ?

– Non. Je vais ouvrir une bouteille de vin, prendre un bain et m'écrouler. Je ferais tout aussi bien de boire, hein ? »

Elle perçut l'amertume dans sa propre voix, détesta ce côté dramatique.

« Écoute, ça va, reprit-elle. On va trouver une solution. Si ça doit arriver, ça arrivera. »

Sara saisit l'allusion et changea de sujet.

« Tu es toujours d'accord pour mercredi ?

– Absolument !

– Je pourrais appeler une baby-sitter, si tu veux.

– Non, je veux venir. J'adore me balader avec Julian.

– Tu es sûre ?

– Oui. »

Elle desserra les dents, reprit une voix normale.

« Je vais bien, frangine. Je te le jure, fit-elle avant de prendre une inspiration. Écoute, je vais y aller. Ne t'inquiète pas pour moi, OK ?

– Hé, c'est mon boulot ! C'est gratuit ! »

Anna se força à rire avant de lui dire au revoir. Elle raccrocha le téléphone sans fil et le jeta sur le lit à côté d'elle. Elle fixa le plafond. Les pales du ventilateur étaient couvertes de poussière. Elle avait l'impression de l'avoir nettoyé il n'y avait pas si longtemps. C'était par des petits riens complètement idiots qu'on se rendait compte du temps qui passait.

Elle sentit les larmes monter, posa les mains sur ses yeux. Elle ne voulait pas pleurer. Ses seins étaient douloureux et son corps bouffi, chaque sanglot la ferait souffrir. Et en plus, elle avait déjà trop pleuré, trop souvent.

Donc, ils n'auraient pas d'enfants. Et alors ? Des tas de personnes n'en avaient pas. Et puis, leur vie était quand même comblée. Tom et elle pourraient passer plus de temps ensemble. Prendre un abonnement à l'année pour le théâtre Steppenwolf, rembourser leur emprunt, voyager. Ce n'était pas comme si le monde manquait d'enfants.

Elle roula sur le côté, tira un oreiller sur sa poitrine et sanglota en silence, comme elle savait le faire.

Lorsque l'alarme incendie se mit à hurler, Tom était, une fois encore, en train de lire dans le bureau, pendant qu'elle était, une fois encore, enfermée dans la chambre. Une même maison, deux mondes différents. Chacun d'eux avait son échappatoire.

Il fut si surpris par la soudaineté de l'alarme que ses pieds retombèrent du bureau où il les avait posés. La chaise se balança dangereusement en arrière. Plus qu'à toute autre chose, il associait ce son à la cuisine. Anna était une grande cuisinière, mais leur ventilation ne valait rien, et chaque fois qu'elle faisait frire quelque chose, la cuisine était enfumée et l'alarme se déclenchait.

Pourtant, au dîner, il s'était contenté d'un plat préparé réchauffé au micro-ondes et dégusté tout seul. Les restes de son pot-au-feu gisaient, froids, dans l'assiette, à côté d'un roman qui reposait à plat parce que la tranche avait craqué.

Une fois la panique passée, il se rendit compte que le bruit était différent, étouffé. Comme s'il provenait de derrière les murs. Tout en se disant cela, il comprit qu'il devait provenir de l'appartement de leur locataire. La ventilation du rez-de-chaussée ne valait pas mieux que la leur.

Tom se rassit, se pinça l'arête du nez. Étouffé ou non, le hurlement n'arrangeait pas sa migraine. Une de ces saloperies persistantes qui grossissait derrière ses globes oculaires.

Lorsqu'il les bougeait, il sentait une tension sur ses nerfs optiques, la nausée montait et il n'avait envie que d'une chose : fermer les yeux. Et pendant qu'il y était, il voulait les rouvrir sur un monde différent. Il se trouverait ailleurs, dans un endroit chaud, parcouru d'une brise agréable, où l'attendrait un hamac. L'odeur de l'océan emplirait ses narines. Parfois, il voyait Anna étendue à ses côtés. L'ancienne Anna, et l'ancien Tom, jeunes et amoureux. Avant que leurs rêves redeviennent un fardeau.

Il soupira, prit une gorgée de bourbon et retourna à son livre, un roman sur une vingtaine d'expatriés américains vivant à Budapest. Ces gosses cherchaient à savoir qui ils étaient, mais surtout à saisir la chance de leur vie. Ils étaient jeunes et beaux. Et leur jeunesse était une réelle douleur pour Tom. Non pas parce qu'il ne se souvenait plus d'avoir eu cet âge, mais parce qu'il n'arrivait pas à croire qu'il ne l'avait plus. Dans son for intérieur, quand il pensait à lui en tant que personne, il avait dans les 25 ans. Il était à la croisée des chemins entre liberté et responsabilité. Assez vieux pour savoir qui il était et ce qu'il voulait, mais suffisamment jeune aussi pour ne rien devoir à personne et ne pas avoir besoin de se lever deux fois par nuit pour pisser. Le bel âge.

Il planta ses coudes de chaque côté du livre et frotta ses yeux douloureux. 25 ans... Washington, l'appartement dans Adams Morgan, un studio situé au deuxième étage, au-dessus d'un bar-restaurant. À ce moment-là, il rêvait encore de devenir écrivain, étudiait le soir, entouré de l'odeur des hamburgers qui montait par la fenêtre ouverte. Anna avait son propre appartement, mais dormait chez lui la plupart du temps. Une année, ils avaient organisé une fête pour Halloween et elle s'était présentée déguisée en peinture abstraite, vêtue uniquement d'un Bikini couleur chair, des vagues ondoyantes de peinture fluo sur le corps. Lorsqu'ils avaient fait l'amour ce soir-là, la peinture avait barbouillé les draps, y formant des sortes de fleurs, et ça l'avait amusée. Elle avait rejeté la tête en arrière et s'était esclaffée. Un grand rire généreux. Puis elle avait passé ses bras couverts de peinture autour de Tom et lui avait peint le corps.

Il prit une autre gorgée de bourbon.

Un coup hésitant fut frappé à la porte.

« Ouais », fit-il.

Anna entra. Elle portait un pyjama en coton jaune et était démaquillée. Elle avait les yeux bouffis.

« Tu as entendu ça ? »

L'alarme incendie était tout ce qu'il y avait de plus audible, mais il ravala sa remarque cinglante et se contenta de hocher la tête.

« C'est celle de Bill, je crois.

– Ça fait un moment que ça sonne.

– Une minute ou deux, c'est tout. »

En disant cela, il se rendit compte qu'il ne s'agissait pas de la sonnerie d'un réveil, que ce n'était pas une chose qu'on pouvait ignorer. Il se leva.

« Je pense que tu as raison. »

Il passa devant elle, posant au passage la main sur sa hanche.

Elle lui décocha un sourire fatigué.

« Tu veux que je vienne ?

– Non. Retourne te coucher. »

Il traversa le couloir au parquet grinçant jusqu'à la cuisine et prit les clés au fond du placard. Anna et lui étaient tombés amoureux de l'appartement dès qu'ils l'avaient vu. Un immeuble d'un étage en brique, presque centenaire, dans le quartier de Lincoln Park, aux abords du fleuve. Le coin était super, sûr et familial. L'arrière de la maison donnait sur un parc dans lequel ils s'étaient imaginé jouer avec leurs enfants.

Évidemment, le bâtiment coûtait deux cent mille dollars de plus que ce qu'ils avaient prévu de débourser. Louer le rez-de-chaussée leur permettait de combler plus ou moins les remboursements. *Plus ou moins : le mal du XXIᵉ siècle.* Tom ouvrit la porte d'entrée et descendit l'escalier. *Hypothéquer le présent pour s'offrir le futur.*

L'odeur de la fumée le tira de sa rêverie. Merde ! Il se précipita en bas, criant par-dessus son épaule : « Anna ! »

La porte du vestibule était coincée et il dut tirer de toutes ses forces pour l'ouvrir. Il entendit des pas derrière lui, mais ne s'arrêta pas et s'avança dans l'étroite entrée. Un filet gris s'échappait de sous la porte de l'appartement de Bill Samuelson. Merde, merde, merde ! Tom frappa à la porte, se sentant stupide. Comment ce type pourrait-il entendre des coups frappés à la porte, alors qu'il n'entendait pas l'alarme incendie ? Il se débattit avec les clés, en essaya une puis une autre avant de déverrouiller la porte. Il s'efforça de se rappeler tout ce qu'il avait appris sur le feu. *Touche la porte*, se dit-il, *pour voir si les flammes sont de l'autre côté et si, en ouvrant, tu ne vas pas leur donner de l'oxygène.* Le bois était frais. Anna arriva derrière lui.

Tom tourna le bouton et entrebâilla la porte. La pièce principale n'était qu'un brouillard de fumée, semblable à une salle après un concert de rock. L'alarme hurlait, insufflant un sentiment de panique de plus en plus oppressant.

« Y a quelqu'un ? »

Il ne voyait aucune flamme. Il ouvrit la porte en grand et pénétra dans l'appartement. La pièce était spartiate. Elle ne contenait qu'une chauffeuse en piteux état et un énorme poste de télévision trônant sur un meuble en aggloméré. Un halo jaune s'accrochait à l'unique lampe de la pièce.

Ce décor rappela à Tom qu'il se trouvait dans l'appartement d'un autre homme, mais il repoussa cette pensée. C'était *sa* maison, *son* immeuble. Il n'allait pas le laisser cramer sous prétexte de respecter les bonnes manières. D'un pas rapide, il traversa l'entrée. La fumée se faisait plus épaisse et plus noire. Il plaqua le bord de son T-shirt contre sa bouche, respirant l'air chaud à travers.

La hotte de la cuisine laissait filtrer des tunnels de lumière vacillante. Alerté par son instinct vital, Tom sentit la chaleur avant de voir les flammes, tandis qu'il s'approchait de la cuisinière. Les flammes s'enroulaient autour d'une bouilloire noircie et, l'espace d'un quart de seconde, il imagina que la bouilloire était elle-même en train de brûler. Puis il se rendit compte que le feu provenait du brûleur sur lequel elle était posée. Il bondit en avant, tourna le bouton pour arrêter le gaz, sentant la vague de chaleur lui lécher l'avant-bras. Rien ne se passa. Il comprit alors que le gaz n'était pas la source de l'incendie, que le feu provenait à la fois de ce qu'il y avait autour et en dessous de l'anneau de métal. Des mois d'éclaboussures de graisse nourrissaient une fumée noire. Le mur derrière la cuisinière était de la même couleur.

« Merde, fit Anna derrière lui. Est-ce qu'il a un extincteur ? »

Tom ouvrit d'un geste brusque le placard sous l'évier. Il y avait moins de fumée. Il trouva des produits d'entretien, deux bouteilles d'alcool à moitié vides, mais rien d'utile. Il se releva. Une tasse était posée sur l'égouttoir, à côté d'un pot de café décaféiné. Il pourrait la remplir d'eau... non, mieux. Le tuyau du robinet. Tom s'avança vers l'évier, tourna le robinet et s'empara du pommeau.

« Non ! hurla Anna par-dessus l'alarme. C'est un feu de graisse. »

Feu de graisse, feu de graisse, feu de graisse. Vrai. L'eau ne ferait qu'éclabousser la graisse, projeter des particules incandescentes dans toutes les directions. Qu'est-ce qu'on pouvait bien utiliser pour éteindre un feu de graisse ?

Anna répondit à la question à sa place. Elle passa devant lui pour ouvrir les placards situés en hauteur. De la soupe en boîte, des pâtes, un paquet de cookies acheté aux scouts. Du thé, du café. Des épices avec l'étiquette du prix encore collée sur le sachet. Un paquet de cinq kilos de farine, des lettres bleues sur un papier blanc, dont le haut était refermé par une bande adhésive. Elle sortit la farine du placard, faisant s'entrechoquer des bouteilles en verre sur le comptoir. Les flammes avaient gagné le second brûleur. Elle retira l'adhésif et ouvrit le paquet avant de se pencher vers le feu. Elle versa la farine du sac comme elle aurait vidé un seau d'eau. Une avalanche de poudre blanche s'abattit sur la cuisinière, se déposa sur les murs et le plan de travail. Les flammes grésillèrent au contact de la farine avant de mourir, enterrées sous une montagne blanche. Des particules s'élevèrent dans la chaleur, tournoyant et dansant comme des grains de poussière.

Tom poussa un soupir sonore, se rendant compte qu'il avait retenu sa respiration. Le monde lui sembla soudain étrange, le temps suspendu, comme un flottement : le moment qui vient juste après l'instant de panique, quand les choses reviennent à la normale. Ils se dévisagèrent quelques secondes puis Tom lâcha :

« Bien joué.

– Quoi ? » hurla-t-elle.

Tom repéra le boîtier de l'alarme au-dessus de la porte de la cuisine. Il tendit le bras pour l'atteindre et arracher les piles. Le hurlement mourut dans un murmure. Il se tourna vers elle.

« J'ai dit : bien joué ! »

Il la regarda et se fendit d'un sourire en ajoutant :

« Anna Casper ! »

Elle tenait le sac vide entre ses mains, son visage et ses cheveux étaient recouverts de poudre blanche. L'espace d'un instant, elle parut perplexe puis elle vit ses bras couverts de farine et se mit à rire.

Il l'imita et, balayant la fumée d'un mouvement du bras, il s'avança vers la cuisinière, se préparant à mesurer l'étendue des dégâts. Comme il s'y attendait, le feu était resté cantonné à la gazinière, Dieu merci. Elle était bousillée, de même que le micro-ondes situé au-dessus. Le mur derrière aurait besoin d'un bon nettoyage et la cuisine entière d'un coup de pinceau. Rien d'étonnant à cela.

En revanche, ce qui l'étonna le plus, ce fut de voir, au milieu des monticules de farine semblables à des sommets enneigés, cinq liasses de billets de cent dollars.

Lorsqu'il prononça son nom, Anna venait juste de pivoter vers le robinet pour nettoyer ses mains recouvertes de farine.

Elle lui tournait le dos et le calme qui perçait dans le ton de sa voix l'effraya.

Elle fit volte-face, le vit planté devant la cuisinière, se dit qu'il avait peut-être été brûlé ou alors que le feu avait causé plus de dégâts qu'ils n'avaient cru. Puis elle regarda dans la direction qu'indiquait le doigt de Tom.

Des liasses de billets reposaient dans la farine.

L'absurdité de la chose la choqua. L'argent, c'était le genre de chose qu'on gardait avec soin, dans un portefeuille. Un billet d'un dollar sur le trottoir attirait le regard comme s'il était éclairé par un projecteur. Voir des liasses de billets, le vert délavé enfariné, le portrait joufflu de Benjamin Franklin leur faisant face... C'était comme un électrochoc.

« Putain. »

Elle fit un pas vers lui. Tous deux baissèrent les yeux. Son esprit fonctionnait à plein régime, essayant de relier des données qui ne semblaient pas appartenir au même programme informatique. Il y avait eu un feu de graisse. Ils avaient versé de la farine dessus pour l'éteindre. Maintenant, des milliers de dollars étaient posés sur la farine. Alchimie.

Elle tendit le bras et s'empara d'une des liasses. Elle était douce et usée, et aussi plus lourde qu'elle ne l'aurait imaginé. Elle fit courir son pouce sur le bord, faisant voltiger un peu de farine. Cent billets de cent. Dix mille dollars. C'était plus de cash qu'elle n'en avait jamais eu entre les mains. Quasiment deux mois de salaire. Avec les autres liasses de billets, dix mois de travail. Dix mois de journées de douze heures, de messagerie vocale, de nuits sans sommeil, de combats acharnés dans les salles de conférences. Dix mois contenus dans un sac de farine utilisé pour éteindre un feu. Elle fut saisie par cette pensée et se mit à rassembler le reste de l'argent, les doigts soudainement avides.

« Qu'est-ce que tu fais ? »

Elle tenait vingt mille dollars dans une main, trente mille dans l'autre.

« Au cas où le feu reprendrait. »

Et c'était la vérité. Ç'avait été sa première intention, ramasser l'argent et le poser sur le comptoir. Mais elle se rendit compte qu'elle n'avait aucune envie de s'en séparer. Elle leva le regard sur Tom, vit ses yeux écarquillés, ses lèvres entrouvertes, signifiant l'étonnement. Après douze, treize ans passés ensemble, elle pouvait lire sur son visage les pensées qui l'animaient et, à cet instant, c'étaient les mêmes qui traversaient son esprit à elle. Les mêmes questions. Et une autre pensée la frappa.

« La gazinière était allumée quand nous sommes entrés.

– Oui. J'imagine que c'est comme ça que le feu a pris. »

Il marqua une pause, comprenant où elle voulait en venir.

« Il est peut-être sorti en oubliant de l'éteindre ? »

Elle montra du doigt la tasse et le pot de café.

« Il se préparait un café et il est parti ?

– Il a peut-être reçu un coup de fil, un truc urgent qui l'a obligé à quitter la maison en catastrophe. »

Elle hocha la tête, s'approcha du comptoir et posa l'argent. « Peut-être. » Un pincement glacé lui enserra le cœur.

« Mais peut-être qu'on devrait quand même jeter un œil.

– Jeter un œil pour... »

Il s'arrêta. Il regarda vers le couloir qui menait aux deux chambres. Pendant un instant, ils échangèrent un regard, sans ciller. L'éventualité sous-entendue flotta entre eux. Puis Tom s'avança vers la fenêtre qu'il ouvrit.

« Il faut évacuer la fumée de toute façon. »

L'excuse était mince, mais au moins pouvaient-ils s'y raccrocher. Ils commencèrent par la chambre d'amis. La porte était ouverte même si la pièce était plongée dans l'obscurité. Elle hésita un instant puis appuya sur l'interrupteur. La lumière provenant du plafond leur révéla un banc de musculation et un jeu de disques en fonte, une radio portative et un cendrier en métal débordant de mégots. Bizarrement, sa première réaction fut de penser qu'ils lui avaient demandé de ne pas fumer dans la maison, de sortir s'il voulait en griller une. C'était à peu près les seules fois où ils le voyaient, lorsqu'il traînait sous la véranda pour fumer. Mais visiblement, il ne se contentait pas de ses sorties pour cloper. Tom ouvrit la fenêtre et ils empruntèrent le couloir pour gagner la chambre principale.

Elle sut avant même que Tom allume la lumière. En vérité, elle savait déjà dans la cuisine. Aussi, lorsque la réalité s'imposa à elle, elle ne bondit pas, ne hurla pas, ne fit aucune de ces choses que les femmes sans défense font dans les films.

La chambre était aussi dépouillée que le reste de l'appartement. Une petite commode. Une table de nuit accueillant une lampe de chevet, un livre de poche, un réveil, un cendrier plein à ras bord, un tube de médicament. Un matelas pour deux personnes posé sur un sommier à ressorts, sans tête de lit, des couvertures décolorées par le temps. Et Bill Samuelson, la peau blanchâtre, les lèvres serrées, recroquevillé sur le côté et se tenant le ventre comme s'il avait des brûlures d'estomac.

La seule fois où Anna avait vu un mort, c'était aux funérailles de son grand-père. Elle avait 11 ans et se rappelait n'avoir rien ressenti du tout tandis qu'elle suivait sa mère pour s'approcher du cercueil. Non, ce n'était pas vrai : sa mère pleurait, ce qu'Anna avait rarement vu, et cela lui avait déchiré le cœur. Mais pour l'homme dans le cercueil recouvert de velours, celui aux joues trop rouges et à l'expression de marbre, pour celui-là, elle n'avait rien ressenti. Ce n'était pas son grand-père. Son grand-père était un homme jovial, un joueur de cartes, un buveur de scotch, un raconteur de blagues. L'homme dans le cercueil était juste... absent.

« Mon Dieu ! » lâcha Tom à voix basse.

Ils restèrent un moment sur le seuil, comme si la mort exerçait un champ de force magnétique, remplissait l'espace. Le corps sur le lit n'avait pas l'air exactement en paix mais calme. Résigné. C'était le mot : il avait l'air résigné, comme un homme prêt à recevoir sa punition. Anna contempla la scène, dans l'air moite chargé de graisse et de fumée, et écouta le tic-tac régulier du réveil. *Tic-tac, tic-tac, tic-tac.* Mesurant son temps et celui de Tom. Leurs deux vies soumises au même battement idiot.

Lorsqu'elle entra dans la chambre, le plancher craqua comme un gros rire dans une église. Elle s'immobilisa, puis reprit sa marche. Elle tendit lentement un bras devant elle. La poitrine de Bill restait immobile, elle voyait parfaitement qu'il ne respirait pas, mais il lui fallait s'en assurer, elle avait besoin de le sentir pour s'en convaincre. La peau de son bras était fraîche. Pas froide. Il n'y avait pas si longtemps, il était encore vivant. Une heure, peut-être ? Était-ce tout ce qui séparait leurs deux mondes, le sien et celui de Bill ? Une heure ?

Tic-tac, tic-tac, tic-tac.

« J'imagine que nous devrions appeler quelqu'un. »

La voix de Tom lui sembla venir de très loin.

Elle retira sa main du corps et hocha la tête.

Dans la cuisine, le gros de la fumée s'était échappé par la fenêtre, remplacé par la fraîcheur d'une brise printanière. L'argent était sur le plan de travail, là où elle l'avait laissé, à côté du téléphone.

« Comment crois-tu que c'est arrivé ?

— Je n'en sais rien, répondit Tom en secouant la tête. Crise cardiaque ? Attaque cérébrale ?

— Il n'avait pas l'air si vieux.

— Mon oncle en a eu une à 42 ans. Bill était sûrement plus âgé que ça. »

Elle attrapa une des liasses de billets, la tapota d'un air absent sur le comptoir.

« Tu dois avoir raison. Peut-être qu'il était malade. »

Il acquiesça d'un mouvement lent.

« Il y a un tube de médicament sur sa table de nuit.

— Mon Dieu ! fit-elle tandis qu'un frisson la parcourait. Il est mort tout seul. Sans famille, sans amis. Pas même un médecin. Tout seul dans sa chambre.

— Triste façon de partir. »

Tom alignait les liasses de billets les unes avec les autres.

« Mais, j'en sais rien, reprit-il. C'est peut-être ainsi qu'il aurait voulu finir. Ça correspond à sa façon de vivre. Comme un ermite. »

Ils restèrent silencieux, leurs regards rivés sur le plan de travail, l'argent et le téléphone. La brise qui entrait par la fenêtre portait avec elle l'annonce d'un orage, une senteur printanière chargée d'électricité. Une idée était en train de germer dans l'esprit d'Anna, s'épanouissant doucement tandis qu'elle y réfléchissait. Elle ne l'entretenait pas, non, mais ne la rejetait pas non plus. Elle la laissait juste se développer. Elle ramena une mèche de cheveux derrière son oreille.

« C'est comme ces histoires qu'on lit dans les journaux.

– Lesquelles ?

– Tu sais. Du genre "Histoires de l'étrange". Le type qui vivait tout seul dans un motel. Les voisins qui expliquent que c'était un homme tranquille qui ne recevait jamais de visiteurs. Un jour, ils sentent une odeur bizarre, alors ils forcent la porte et trouvent un livret bancaire indiquant un compte d'un million de dollars. »

Il lâcha un rire.

« Et une centaine de sachets de macaronis au fromage déshydratés.

– Et dix-sept chats. »

Ça avait quelque chose de morbide, de plaisanter dans la cuisine d'un mort. Mais ça faisait du bien aussi. Ça lui rappelait qu'elle était en vie, qu'elle résistait au tic-tac incessant.

« La police va prendre l'argent », fit Tom.

Elle leva les yeux, surprise. Ils se fixèrent du regard et elle comprit que la même idée avait pris forme dans son esprit à lui aussi.

« Il doit avoir une famille.

– Quelle famille ? Ce type n'a jamais reçu une visite. Il n'allait jamais bosser non plus, il n'avait pas d'amis qui venaient le voir. Bon Dieu, chaque fois qu'on lui disait bonjour, il nous aboyait dessus.

– C'est vrai », approuva-t-elle.

Elle avait le sentiment de devoir argumenter, même si une part d'elle-même n'en avait aucune envie.

« Mais quand même.

– Tu as peut-être raison, accorda Tom avec un haussement d'épaules. »

Il n'en attrapa pas le téléphone pour autant.

Elle poussa un soupir, fit courir son doigt sur une liasse de billets. Sur le plan de travail, il y avait de quoi rembourser toutes leurs dettes, les factures des cartes de crédit, les soins médicaux. Assez pour relâcher la pression, desserrer ce nœud dont ils refusaient d'admettre la réalité qui les oppressait chaque fois qu'ils recevaient une enveloppe sur laquelle était inscrit « À payer ».

Assez pour leur permettre de faire une nouvelle tentative. Rejouer à cette sorte de loterie qu'était devenue sa grossesse.

Cet argent n'est pas à toi. Ce ne serait pas bien.

À qui est cet argent ? Pourquoi pas à moi ? Pourquoi est-ce que ce serait mal ?

Anna balaya la cuisine du regard. Il y régnait un beau bazar : la cuisinière noircie et carbonisée, les murs brûlés, la farine répandue partout, les portes des placards grandes ouvertes dévoilant nourriture, ustensiles et vaisselle. Des choses dont Bill Samuelson n'aurait plus besoin. Puis elle vit autre chose. La bouche soudainement sèche, elle appela Tom avec difficulté. Le ton de sa voix avait changé.

Il tourna les yeux vers elle. « Hein ? » fit-il. Puis il porta le regard vers l'endroit qu'elle lui indiquait : le placard dans lequel elle avait pris la farine et où se trouvait un autre sac de farine ainsi qu'un énorme paquet de sucre en poudre et des boîtes en désordre.

Huit liasses dans la farine.

Six dans le sucre.

Sept empilées sous un centimètre de sel, emplissant la boîte comme si celle-ci avait été faite pour elles.

Une dans un paquet de Maïzena.

Les cookies avaient eu droit à trente mille dollars.

Au début, ils fouillaient avec précaution, mais à mesure qu'ils trouvaient de nouvelles liasses, ils accéléraient la cadence, s'agitant et créant un brouillard ressemblant à ce qu'on pouvait voir depuis la vitre d'un train lancé à vive allure. Ils déchiraient les paquets et les fouillaient, en retiraient des liasses de billets dont chacune correspondait à deux mois de salaire. À la fin, ils riaient à gorge déployée, faisaient la course, chacun d'eux essayant d'ouvrir les boîtes plus vite, d'en trouver toujours plus : deux liasses dans un paquet de Frosties, deux autres parmi des Golden Grahams. Une autre dans un paquet de barres de céréales. Deux dans une boîte de porridge, sur le dessus.

Trente-sept en tout. Trente-sept liasses de dix mille dollars. Trois cent soixante-dix mille dollars en tout.

Ils les empilèrent sur le plan de travail. Les billets étaient recouverts de farine, de sucre, de restes de porridge. Une fortune formant une pyramide branlante. Anna la contempla. Quasiment cinq années de salaire brut. Bon Dieu, plus de huit de salaire net. Plus des deux tiers de la somme qu'ils avaient déboursée pour la maison étaient empilés sur le comptoir d'une cuisine, au milieu d'une mer de papiers éparpillés et de nourriture gâchée, de couvercles et de monceaux de sucre. Elle s'aperçut qu'elle était en train de sourire et résista à l'envie de défaire les liasses et de lancer les billets en l'air.

« As-tu déjà...

– Tu plaisantes ? »

Il secoua la tête, un sourire halluciné identique au sien sur les lèvres.

« Non, je n'ai même jamais eu plus d'une fois ou deux un billet de cent entre les mains.

– Si les flics trouvent ça, ils vont le prendre, dit-elle. Ça finira avec les autres pièces à conviction.

– Ou dans la cagnotte du maire pour sa campagne. »

Il se redressa et regarda vers l'entrée avant d'ajouter :

« Mais on doit les appeler.

– Je sais, acquiesça-t-elle. Mais...

– Ouais. »

Ils gardèrent le silence, les yeux fixés sur l'argent. *Marrant*, pensait-elle. Dans un film, ça aurait été dix millions. Une somme ridicule. Trois cent soixante-dix mille dollars, c'était beaucoup, pas de doute. Mais ce n'était pas complètement en dehors du domaine de leur expérience. Ils avaient de bons boulots, chacun rapportant dans les soixante-dix mille. Avant d'acheter la maison, de se lancer dans le traitement contre la stérilité, ils vivaient relativement bien. Ils mettaient de l'argent de côté et s'offraient à l'occasion un dîner à deux cents dollars, un voyage annuel, en Espagne ou aux Bahamas. Le fait que ce soit une somme concrète et rationnelle rendait la chose à la fois plus réelle et plus imaginaire. Tout comme la contempler rassemblée en un seul endroit, comme un trésor de pirate oublié et attendant d'être trouvé.

« Je ne suis pas une voleuse.

— Moi non plus, répliqua-t-il. Mais on pourra toujours le rendre, non ? S'il s'avère qu'il a une famille.

— Est-ce qu'on n'aura pas d'ennuis ?

— Rien ne nous oblige à en parler, on pourra le déposer sur le seuil de leur porte.

— Un coup de sonnette. Ding dong, voilà une petite fortune. » Elle se frotta le menton.

« Et si c'était de l'argent volé ?

— Volé ? À qui ?

— Je ne sais pas. Il l'a peut-être détourné ou un truc du genre.

— C'est possible, fit-il avant de marquer une pause. Mais même si c'est le cas, ce n'est pas comme si la ville entière allait mener une battue pour retrouver le véritable propriétaire. Ça se passera comme pour les voitures embarquées par la fourrière, ou les maisons saisies par hypothèque. Ils font probablement passer une annonce de deux lignes quelque part et lorsque personne ne les réclame, elles disparaissent simplement. »

Un souffle d'air frais entra par la fenêtre et Anna croisa les bras sur sa poitrine.

« C'est comme lorsqu'on trouve un billet de vingt sur le trottoir. Si tu vois quelqu'un regarder par terre, tu le lui tends, mais personne ne s'attend à ce que tu ailles le déposer à la police.

– On devra être prudents, dit-il. On ne peut pas le déposer sur notre compte en banque. Ils gardent des traces.

– Bien sûr. On ne devrait sans doute pas non plus le garder chez nous. »

Elle nota qu'ils étaient passés du *si* au *comment*. Elle se demanda si elle devait s'en sentir coupable et préféra ne pas y penser.

« Il faudrait le déposer dans un coffre ou un truc du genre.

– Le garder en liquide. Garder nos emplois, continuer à payer les factures par chèque. »

Il acquiesça, les yeux rivés sur la montagne d'argent. Elle fit de même, suivant du regard le bord des billets, la forme géométrique que prenait leur liberté, le vert délavé, les marques de sueur et les plis laissés par le temps. La maison était calme, plongée dans un silence parfois rompu par le souffle du vent et le bruit de leur respiration. Et le faible mais imperturbable tic-tac en provenance de la chambre.

Lorsqu'elle leva les yeux, leurs regards se croisèrent et elle comprit qu'ils avaient fini de discuter.

Il la laissa dans la cuisine pour qu'elle commence à tout remettre en place pendant qu'il montait chercher quelque chose pour ranger l'argent, pour ranger trois cent soixante-dix mille dollars. Nom de Dieu. Il avait envie de ricaner. Pas de rire, non, de ricaner, comme un enfant ou un fou. C'était dingue. Tout ça.

Dans le placard de l'entrée, il trouva son sac de sport. Il ouvrit la fermeture Éclair et le renversa, faisant tomber shorts et baskets. Il se pencha pour les ramasser, y renonça et les remit dans le placard à grands coups de pied. Il ne s'était jamais senti aussi vivant, partagé entre la peur et un sentiment de liberté. Se tenant à la rampe dont il devinait chacune des rugosités, il dévala les marches trois par trois. Il goûtait l'air qu'il respirait.

Dans la cuisine, tandis qu'Anna utilisait pelle et balayette pour ramasser la nourriture répandue sur le comptoir et sur le sol, Tom empilait l'argent dans le sac. Chaque liasse était aussi usagée qu'une vieille couverture. Graissés par des centaines de portefeuilles, les billets empestaient la sueur des milliers de mains qui les avaient manipulés. Quand il eut fini, Tom referma le sac.

« C'est lourd, dit-il. Je ne me rendais pas compte que l'argent pesait autant. »

Elle s'appuya sur le balai.

« Où va-t-on le mettre ? Pour l'instant, je veux dire.

– Peut-être dans l'armoire de la chambre, sous des couvertures ?

– Je ne sais pas. En le laissant chez nous...

– Pourquoi ne pas le planquer au sous-sol ? Comme ça, s'ils le trouvent, ils croiront que c'est lui qui l'avait caché là. »

Il la vit faire la grimace.

« Je disais ça comme ça.

– Non, tu as raison, répliqua-t-elle, mais elle ne semblait pas convaincue.

– Le vide sanitaire, dit-il. Je pourrais retirer le panneau d'entretien et le coincer dedans. Ils ne le trouveront que s'ils fouillent la maison de fond en comble. Et s'ils cherchent avec un soin pareil, c'est qu'ils savent qu'il y a de l'argent. Et alors mieux vaut qu'ils le trouvent. »

Elle se mordit la lèvre, hocha la tête.

Le temps qu'il descende cacher le sac et remonte, elle avait presque fini. Les paquets et les boîtes avaient disparu, les portes des placards étaient refermées, le porridge, le sucre et les céréales avaient été déblayés. Il parcourut la pièce du regard. « Et pour la gazinière ? »

Des montagnes de farine étaient encore répandues sur la gazinière et recouvraient le plan de travail adjacent.

« Il faut que ça fasse comme si nous étions descendus, répondit-elle, comme si nous avions éteint le feu, trouvé le corps et appelé la police. On ne se serait pas arrêtés pour nettoyer la farine, pas vrai ? »

L'idée était excellente. C'était une des choses qu'il aimait chez elle, une des premières raisons pour lesquelles il était tombé amoureux. Il avait tendance à prendre les problèmes à bras-le-corps, à foncer pour les résoudre. Mais Anna pouvait, en les envisageant sous un angle différent, trouver une solution surprenante. Il fit un pas vers elle et l'attira à lui. Elle lui rendit son baiser passionné, les bras autour de sa taille, ses hanches se frottant aux siennes, sa langue à la fois douce et agile, et il sentit le désir l'envahir, attentif à chaque sensation : la pression et la chaleur de son corps, la brise fraîche dans son cou, la morsure de ses dents sur ses lèvres. Ils restèrent enlacés un long moment.

« Est-ce que tout ça n'est pas insensé ? demanda-t-elle la tête enfouie contre son épaule. Est-ce que nous sommes fous ?

– Je ne sais pas. Oui. »

Il poussa un soupir puis reprit :

« Il n'est pas trop tard. On peut encore remettre l'argent en place.

– C'est ce que tu veux ?

– Et toi ?

– Trois cent soixante-dix mille dollars, murmura-t-elle, comme une incantation. Trois cent soixante-dix mille dollars.

– Moi non plus. »

Anna n'avait encore jamais rencontré d'inspecteur et ne savait pas à quoi s'attendre. Jusque-là, elle était plutôt impressionnée. L'inspecteur Halden avait un regard bienveillant et un joli costume. C'était rare de voir des hommes en costume. À cela s'ajoutait un calme tranquille qui laissait supposer qu'il avait été témoin de tout ce que la vie peut imposer à un homme. Il émanait de lui une incontestable impression d'autorité. Elle se prit à l'apprécier, à avoir confiance en lui.

Les premiers policiers sur les lieux étaient des agents en uniforme dans une voiture de patrouille bleue. Ils avaient sonné à la porte dix minutes après que Tom avait raccroché le téléphone. Le bruit de la sonnette lui avait mis le cœur au bord des lèvres. Alors qu'elle ouvrait la porte, elle s'imaginait qu'ils liraient sur son visage comme dans un livre, qu'ils les cloueraient, Tom et elle, au sol et leur passeraient les menottes. Mais ils s'étaient montrés charmants. Ils l'avaient appelée « m'dame » et, après que Tom et elle leur eurent montré le corps de Bill Samuelson, le plus jeune avait discuté avec eux dans la cuisine pendant que son collègue réclamait un inspecteur au central.

Halden entra dans la pièce d'un pas assuré, comme un directeur général dans une salle de conseil.

« Inspecteur Christopher Halden », se présenta-t-il en leur serrant la main.

Il leur tendit une carte de visite sur laquelle était imprimé un *clipart* représentant la silhouette des immeubles de la ville se profilant sur l'horizon. Il resta dans la cuisine et se balança d'avant en arrière sur ses talons. Ses yeux se posèrent sur le plan de travail, la gazinière abîmée, le mur carbonisé.

« J'imagine que vous avez passé une sacrée nuit.

— Vous pouvez le dire, acquiesça Tom.

— Vous allez bien, tous les deux ?

— Quelques trucs ont cramé.

— Vous voulez me montrer où il est. »

Ils le suivirent dans le couloir, s'arrêtant tous les deux à l'embrasure de la porte tandis que Halden entrait dans la chambre. Il ne tressaillit pas, n'hésita pas non plus, et Anna se demanda combien d'années de pratique il fallait pour en arriver là. Combien de corps devait-on voir ? Qu'est-ce que ça faisait d'exercer un métier qui vous obligeait à passer vos journées à buter sur des cadavres ?

Halden se tint à côté du lit, les mains dans les poches et les épaules bien droites. Il balaya la pièce de ce même regard attentionné.

« Vous avez vérifié les serrures ?

— Pour quoi faire ? demanda Anna.

– En fait, madame Reed, répondit l'inspecteur en la regardant, je parlais aux officiers.

– Oh. Pardon. »

Elle sentit les gouttes de sueur sous ses aisselles et derrière ses cuisses.

« Pas de signe d'effraction, répondit le plus âgé des flics. Les serrures sont en bon état. Les fenêtres sont ouvertes...

– Nous les avons ouvertes pour faire sortir la fumée, intervint Tom. Avant de le trouver.

– ... mais les moustiquaires sont intactes, continua le policier. »

Halden hocha la tête. Il prit un stylo dans sa poche intérieure, s'en servit pour toucher les objets posés sur la table de nuit.

« Vous le connaissiez bien ? »

Anna regarda Tom et haussa les épaules.

« Pas vraiment. Il a répondu à l'annonce qu'on avait passée, il y a quoi, six mois ?

– Que faisait-il ?

– Je ne sais pas trop. Il était assez réservé.

– Vous ne lui avez pas posé la question ? »

Elle secoua la tête. « Il nous a payé deux mois de loyer d'avance. »

Halden enfila un gant en latex et s'accroupit devant la table de nuit. Il alluma la lampe, saisit le tube de médicament.

« A-t-il jamais fait mention d'une maladie dont il souffrait ?

– Non. Mais on ne lui a jamais vraiment parlé.

– On ne le voyait que de temps en temps, ajouta Tom. En général, quand il fumait sous la véranda. Ce sont des médicaments pour quoi ? »

L'inspecteur ne répondit pas, il se contenta de prendre une lampe torche dans sa poche, de l'allumer. Il s'allongea sous le lit, balaya de son faisceau le plancher. Son arme était accrochée haut sur sa ceinture et Anna sentit son regard attiré par elle, comme hypnotisée. Après un moment, il se releva, prit les mains de Samuelson et les examina avec soin sous la lumière.

« Il avait des amis ? Une famille ? Quelqu'un qui lui rendait visite régulièrement ?

— Pas à notre connaissance », fit Tom en se passant une main sur la nuque.

Halden éteignit la lampe torche et s'éloigna vers la salle de bains. Anna avait l'impression que son pouls était devenu incroyablement bruyant. Ses mains tremblaient. *Relax. Tom et toi êtes des gens bien. Vous n'avez rien à craindre.* Elle entendit le bruit de l'armoire à pharmacie qu'on ouvrait, imagina Halden en train de fouiller à l'intérieur, entre les flacons d'aspirine et les tubes de dentifrice. Après un moment, il revint dans la chambre, s'arrêta au pied du lit. Il fit passer sa langue contre l'intérieur de sa joue, faisant rouler une bosse sous la peau. Il resta immobile un long moment puis retira d'un coup sec le gant de sa main.

« OK, fit-il avant de se tourner vers les agents. Dites au photographe de mitrailler la chambre, appelez la morgue pour que M. Samuelson soit examiné par le médecin légiste.

— Vous voulez les scientifiques ? »

Il secoua la tête.

« Le photographe, c'est tout. Et emballez-moi ces médocs. »

Puis, avec un sourire à Anna : « Vous m'avez l'air un peu secouée, madame Reed. Allons discuter dans l'autre pièce. »

Ils retraversèrent le couloir. L'air s'était rafraîchi, aussi ferma-t-elle la fenêtre. Les vitres vibrèrent dans leur vieux cadre.

« Il s'est passé quoi, selon vous ? » demanda-t-elle.

Halden pencha la tête sur le côté.

« Eh bien, rien n'indique que quelqu'un soit entré par effraction, il n'y a pas de traces de lutte, pas de blessure sur son corps ni sur ses mains. Ce tube de médicament n'a pas d'étiquette. En général, ça signifie que ce sont de simples antalgiques. Mon hypothèse, c'est qu'il avait des problèmes de santé, voulait quelque chose pour calmer la douleur et en a pris un peu trop. Mais l'autopsie nous confirmera tout ça.

– C'est tellement bizarre.

– Quoi donc ?

– Juste que... expliqua Anna en désignant l'autre bout du couloir d'un mouvement de bras. Vous savez, qu'il soit mort. Qu'un homme soit mort dans cette pièce, en dessous de chez nous. »

L'inspecteur hocha la tête.

« Il ne semble pas qu'il ait souffert. Croyez-moi, j'ai vu bien pire.

– Et maintenant, que va-t-il se passer ? demanda Tom en s'appuyant contre le comptoir.

– Eh bien, on va l'emmener à la morgue. Nous allons tenter de retrouver sa famille. Si vous savez quoi que ce soit qui pourrait nous aider... A-t-il donné des références pour l'appartement ? Y avait-il un garant ? »

Tom secoua la tête en signe de négation.

« Et son loyer ? Vous avez des chèques refusés ?

– Non.

– Il payait toujours en chèques de banque », ajouta Anna avant de se figer.

Imbécile, imbécile, imbécile.

« En chèques de banque ? releva l'inspecteur en haussant un sourcil. Pourquoi n'utilisait-il pas un chéquier personnel ? »

Parce qu'il gardait son argent en liasses de dix mille dollars. Liasses que nous avons enfouies dans un vieux sac de sport et cachées au sous-sol.

Son cœur battait à tout rompre, mais elle se força à secouer la tête aussi calmement que possible.

« On ne lui a jamais demandé. »

Tout en parlant, elle se dit qu'elle était en train de mentir à un policier. Elle eut la sensation d'être déconnectée de la réalité, d'observer la scène comme s'il s'agissait d'une autre personne, comme si elle avait franchi un cap.

L'inspecteur maintint son regard un moment, l'air un peu intrigué. Puis il haussa les épaules et se retourna.

« J'ai de la paperasse à remplir et le photographe va avoir besoin d'une bonne demi-heure, ensuite nous pourrons enlever le corps. »

Il jeta un œil à la gazinière.

« Au fait, vous avez eu raison de ne pas verser de l'eau sur le feu, mais si ça se reproduisait, vous devriez plutôt vous servir de bicarbonate de soude, pas de farine.

– Pourquoi ?

– Croyez-le ou non, c'est explosif.

– Vraiment ? »

Halden opina du chef, puis ouvrit son calepin et se mit à rédiger ses notes.

« Ouais. Vous avez eu de la chance avec la farine. »

Elle se retint de justesse de sourire. Le regard rivé à celui de Tom, elle vit qu'il pensait la même chose, alors qu'un rire nerveux ne demandait qu'à sortir de leur gorge. Finalement, sans détacher ses yeux de ceux de son mari, goûtant chaque mot, savourant le lien qui les unissait, comme autrefois, elle dit : « Oui, inspecteur, vous avez parfaitement raison, nous avons eu de la chance. »

4

Assis sur un tabouret à l'extrémité du bar, Jack Witkowski pouvait surveiller par l'étroite fenêtre la maison de l'autre côté de la rue. Les stores étaient baissés et la lueur bleue qui s'échappait à travers les lames s'était évanouie quelque cinq minutes plus tôt.

« Vous en reprenez un, les gars ? »

La nana qui servait au bar affichait l'air las des femmes qui se teignent les cheveux depuis trop d'années déjà. Jack secoua la tête, mais Marshall répondit :

« C'est bon pour moi, chérie, mais remets-lui ça.

– J'ai pas dit que j'en voulais un autre.

– T'as pas besoin de le dire.

– Tu peux m'expliquer, bordel ?

– Tu étais en train de penser à Bobby, encore. »

Marshall leva son whisky, le tint un instant sous son nez avant de poursuivre :

« Un verre, ça aidera.

– Alors, bois-le toi-même ! »

Marshall secoua la tête, reposa le verre, regarda par la fenêtre.

« Tu as quelque chose à me dire ? »

Jack se rendait parfaitement compte qu'il aboyait plus qu'il ne parlait, qu'il était de mauvais poil et que s'il en avait après Marshall pour la mort de Bobby, ce n'était que parce qu'il était à portée de main. Mais il s'en foutait. Trois semaines et la douleur était toujours aussi vive. Le pire, c'était que, lorsqu'il pensait à Bobby – et il y pensait tout le temps, bordel ! –, il finissait toujours par se remémorer leur dernière conversation, dans la voiture, quand il avait assuré à Bobby que tout irait bien, qu'il était un vrai dur.

Sauf qu'il n'en était pas un, qu'il ne l'avait jamais été. C'était un voleur poids plume embarqué dans un boulot de poids lourd parce que son grand frère le lui avait demandé. Maintenant, Bobby était mort, descendu dans une ruelle sombre dans laquelle il n'avait rien à faire, et Jack restait seul avec le souvenir coupable d'être celui qui l'avait entraîné là-dedans.

La serveuse revint, posa un petit verre de tequila et une bouteille de bière devant lui. Marshall lui tendit un billet de dix coincé entre deux doigts.

« C'est pour moi. »

Elle prit le billet et s'en retourna à son livre, à l'autre bout du bar.

Jack ne prononça pas un mot, se contentant d'observer le reflet du néon rouge sur le verre brun. Le bar empestait le tabac froid et le café brûlé. Marshall tapota le bord de son verre avant de le repousser.

« Je sais que ça ne t'aidera pas beaucoup, mais je suis désolé de la façon dont les choses se sont déroulées. Bobby était un chouette môme. »

Jack garda le silence.

« Mais les flics sont en train de retourner toute la ville. Will nous a baisés. Quand ils trouveront le corps de Bobby, tu sais que le premier truc qu'ils feront, c'est chercher avec qui il traînait. Et tu arrives tout en haut de la liste. Et moi aussi. Sûr que c'est dur qu'il soit mort, mais on a pas le temps de se lamenter. C'était un brave garçon, mais pas un pro, et c'est ce qui l'a tué. C'est la vie.

– Écoute-moi bien, rétorqua Jack avant de s'enfiler le verre de tequila pure, sans sel ni citron. Si tu redis ce genre de conneries ou si tu manques encore une fois de respect à mon frère, toi et moi, faudra qu'on règle ça aux poings. »

Puis, se tournant de côté :

« Maintenant, tu veux parler de professionnalisme ? Allons-y ! On était censés sortir de la boîte tous les quatre ensemble. Tu crois que Will aurait tenté quelque chose s'il nous avait eus tous les trois en face de lui ?

– Le garde du corps...

– Le garde du corps était pas censé bouger. T'en assurer, c'était ton boulot. »

Marshall secoua la tête.

« Les choses se passent pas toujours comme prévu, mec. Ça fait partie du métier. Tu le sais. En plus, c'est pas moi qui ai envoyé Bobby seul avec Will. »

Jack attrapa le goulot de la bouteille avec une telle force qu'il l'entendit presque craquer.

« Va te faire foutre.

– Ce que je veux dire...

– J'ai compris ce que tu voulais dire, putain ! »

Il lampa une gorgée de bière. Elle avait un goût infect. Il se dit qu'il pourrait faire volte-face et écraser la bouteille sur le crâne de Marshall, mais une petite voix lui soufflait que ce dernier n'avait pas tort, qu'il y avait toujours des risques. Simplement, Bobby n'était pas censé en faire les frais.

Il pensa à Will Tuttle, à sa voix doucereuse et à son caractère de connard fini, à la cigarette de la victoire qu'il coinçait derrière son oreille. Cette pensée le remplit de rage. Marshall avait raison. Ce n'était pas sa faute ni celle de Jack, pas vraiment. C'était Will qui avait appuyé sur la détente.

Dans les enceintes, Mick Jagger chantait que le temps était de son côté, ouais bébé. Marshall restait silencieux. Jack descendit sa bière. Il fixait du regard le vieux bar usé en essayant de se représenter le visage de son frère. C'était plus difficile que ça n'aurait dû l'être. Tout semblait fragmenté : un éclat de rire ici, un sourire là. Des anniversaires et des moments passés dans la voiture. La fois où il avait convaincu Maria Salvatore, celle qui habitait en bas de leur rue, de les branler tous les deux, alors que Bobby, 14 ans, avait ce regard partagé entre la peur et l'enthousiasme impatient. Mais surtout, il repensait à Bobby tenant le flingue qu'on venait de lui mettre entre les mains et assurant qu'il était un dur.

Marshall fit craquer ses doigts et se racla la gorge. Lorsqu'il parla, ce fut d'une voix plus légère, clairement dans le but de changer de sujet.

« Y a un truc que j'ai toujours voulu savoir.

— Ouais.

— Comment deux Polacks qui s'appellent Witkowski se retrouvent avec des prénoms comme Jack et Bobby ?

— Ma mère. »

Jack se fendit d'un sourire. Il se la rappelait dans le petit jardin de derrière en train de fredonner tandis qu'elle étendait le linge. Il revit les plantes dans des pots et la peinture qui s'écaillait dans le garage.

« C'était une grande fan des frères Kennedy. Le rêve américain. On vient d'une famille polonaise sans le sou, on travaille dur, on bosse bien à l'école et on finit comme eux. »

Puis avec un grognement, Jack ajouta : « Bobby disait qu'elle avait raison. On était tous les deux devenus des criminels grand style. »

Marshall lâcha un rire. « Je suis désolé, mec. Et quand on mettra la main sur Will, il sera encore plus désolé que moi. »

Jack acquiesça, prit une inspiration. Il se pencha de nouveau pour regarder par la fenêtre. « La lumière est éteinte depuis un moment. T'es prêt ? »

Son estomac se noua. Un sentiment familier.

« Au boulot. »

Cette fois, lorsque Marshall reposa son verre de whisky, il était vide.

La maison était dotée d'un vestibule comprenant deux portes. L'une menait à l'étage, l'autre à l'appartement du rez-de-chaussée. Jack lança par-dessus son épaule un coup d'œil à

Marshall appuyé contre un réverbère, une cigarette éteinte coincée entre deux doigts. Son partenaire fit un léger mouvement de la tête et Jack se dirigea vers les boîtes aux lettres, sortit ses clés et joua avec, jusqu'à ce qu'un couple entre deux âges passe devant la maison, discutant et ne se rendant compte de rien. Quand il leva de nouveau la tête, trente secondes plus tard, Marshall lui fit signe que la voie était libre.

Jack aimait les verrous à bouton. Les serrures de la plupart des portes pouvaient être forcées en moins d'une minute. Les gens se sentaient en sécurité lorsqu'ils avaient tourné un verrou. Ils se mettaient au lit, persuadés que les monstres ne pourraient pas entrer. Tandis qu'il ouvrait la porte, Marshall se glissa derrière lui. Ils mesuraient leurs pas, posaient la pointe des pieds sur le bord des marches pour minimiser le bruit tandis qu'ils grimpaient à l'étage.

Le gamin avait un paillasson sur lequel on lisait : « Bienvenue chez moi ! » Marshall le désigna et émit un grognement puis sortit de sa poche arrière un rouleau aplati de ruban adhésif noir et en tira un bout. Jack s'agenouilla devant la porte, glissa délicatement dans la serrure un entraîneur qu'il fit tourner en tâtonnant, tout en relevant les goupilles à l'aide de son crochet. Lorsque le barillet tourna des quelques degrés attendus, il se redressa, puis finit de faire tourner le verrou.

L'appartement était typique de Chicago : une construction en pierre grise sur un terrain d'une surface standard. La porte ouvrait sur un large salon, le mobilier était à peine visible dans la faible lueur qui filtrait à travers les rideaux. Il y avait un léger creux sur le canapé, là où le gamin s'était assis pour regarder la télé sans se douter que deux hommes l'observaient depuis le bar de l'autre côté de la rue. Jack avança de quelques pas, marqua un arrêt. Il tendit l'oreille. Il régnait un silence de mort. Le type devait être endormi, se sentant en sécurité. Après tout, il avait verrouillé sa porte.

Ils s'engagèrent tous les deux dans le couloir, aussi silencieux que des ombres. La chambre était plongée dans l'obscurité.

Jack prit une seconde pour penser à Bobby, sentit la colère, puis la haine monter en lui.

D'un mouvement brusque, il ouvrit la porte de la chambre et tous deux se précipitèrent à l'intérieur. Dans un bruit sec, Marshall alluma la lampe torche. Un disque de lumière brillante fendit alors les ténèbres, faisant apparaître les draps enchevêtrés, le bord de la tête de lit, le type se redressant brusquement, les yeux comme des soucoupes. Plutôt beau gosse, la petite vingtaine. Il leva instinctivement un bras pour tenter de se protéger de la lumière. Jack attrapa la main levée et la tourna avec force tout en tirant dessus. Le type jaillit du lit, la bouche grande ouverte qui se referma quand Jack abattit la paume de sa main sur sa nuque. Ils le tenaient. Ils le prirent fermement par les épaules et purent sentir la douceur et la chaleur de sa peau. Ils le firent valdinguer pour le coller face contre sol. Marshall se laissa tomber sur lui, les genoux coincés sur ses clavicules tandis qu'il enroulait le ruban adhésif, tour après tour, pour couvrir sa bouche, aplatissant ses cheveux qui prirent une drôle de forme.

En un instant, tout était terminé. Il ne restait rien d'autre que le sifflement de la respiration nasale paniquée du garçon qui tournait la tête d'un côté et de l'autre. Les pupilles dilatées dans la nuit, il regardait les deux hommes en clignant des yeux sans les reconnaître tout en essayant de dire quelque chose. Mais sous le ruban adhésif, les mots s'étouffaient et il avait l'air d'un petit garçon, terrorisé, sans défense. L'espace d'un instant, Jack hésita.

Puis il repensa à son frère, mort dans une ruelle minable. Il hocha la tête en direction de Marshall qui tendit le bras pour le coincer sur l'épaule du môme. Jack prit une inspiration puis leva le pied droit avant de l'abattre aussi fort qu'il pouvait. Le talon de sa chaussure s'écrasa sur les doigts du gamin qui se raidit d'un coup, les veines de sa nuque saillirent tandis qu'il hurlait derrière le ruban. Jack releva le pied et l'abattit de nouveau. Hurlements étouffés et craquement d'os. À chaque coup, la peau et les muscles étaient un peu plus déchirés par le talon, les tendons déchiquetés. Le gamin se débattit, mais Marshall le tenait aussi fermement que dans un étau. Pied levé une nouvelle fois. S'abattant de nouveau. Les doigts s'agitaient comme des vers de terre après un orage, la chair était en lambeaux, des fragments d'os blancs saillaient dans des angles improbables.

Quand il vit que l'un des doigts était sur le point de se détacher, Jack s'arrêta. Haletant, il se passa une main dans les cheveux et se laissa tomber sur un genou. Le gamin était toujours conscient, à hurler si fort qu'il devait avoir les poumons au bord des lèvres. Ses yeux étaient écarquillés et injectés de sang et de la morve s'écoulait de son nez.

« Salut, Ray, fit Jack. On est des amis de ton oncle Will. Et on aimerait beaucoup savoir où il se trouve. »

5

IL FLOTTAIT À LA FRONTIÈRE du royaume des songes ; le monde était brouillé. Il sentit un frottement contre lui. Il glissait, son corps présent, son esprit ailleurs, en proie à de multiples sensations. Peau légèrement effleurée par une autre peau, de la nuque jusqu'aux chevilles. Il sentait l'odeur d'Anna, une touche de musc, vaporeuse et agréable. L'air de la nuit était doux et cela faisait plusieurs heures qu'il avait rejeté les couvertures au loin. Le drap était aussi soyeux qu'un bain moussant.

Tom marmonna dans son sommeil. Il se dit qu'il allait ouvrir les yeux, mais ne le fit pas. Le dos d'Anna, lové contre son torse, maintenait entre leurs peaux un contact aussi délicieux qu'un pas de danse, chaud et comblé quand elle bougeait, frais et incertain quand elle s'éloignait. La pression et la courbure de ses fesses. Une chaleur monta en lui, familière et oubliée. Il ignorait l'heure qu'il était. Il n'avait pas ouvert les yeux pour vérifier. Mais il lui sembla qu'il était tard, quelque part parmi les heures perdues de la nuit, au moment où le monde disparaît. Elle bougea encore, se nichant contre lui et, cette fois, le râle qui s'échappa de sa gorge n'avait rien d'ensommeillé. Il sentit son slip se tendre, la raideur contre les courbes d'Anna.

Tom ouvrit les yeux.

Anna avait le visage tourné vers le plafond, les traits dans la pénombre, les pupilles reflétant la faible lumière. Il la vit sourire, puis elle se pressa de nouveau, écrasant ses fesses contre lui.

Il réagit machinalement, glissa un bras autour d'elle, prit dans sa main son sein, chaud à travers le fin T-shirt dans lequel elle dormait, le téton dur sous la ferme caresse de son pouce. Il l'entendit gémir et cela suffit à le ramener totalement à la réalité. Les vieilles habitudes reprirent le dessus : il consulta mentalement le calendrier. S'ils parvenaient à concevoir un enfant cette nuit, une bonne étoile guiderait les rois mages jusqu'à leur appartement.

Il cligna des yeux, gémit tandis qu'elle continuait à se frotter contre lui et lui dit : « Chérie, ce n'est pas le moment, ça ne marchera pas. »

Sa voix était lourde et épaisse à cause du sommeil.

Dans la pénombre de la chambre, il la vit lui lancer ce sourire étincelant, montrant des dents parfaites, avant de l'entendre murmurer : « Chut... »

Tourné contre le matelas, il l'enveloppait de son bras. Elle posa ses lèvres sur sa nuque, son menton, ses joues. Puis, le souffle humide, elle chuchota à son oreille : « Je sais. »

Elle le repoussa sur le dos, fit glisser sa cuisse mince par-dessus la hanche de Tom, son corps pareil à une apparition fantasmagorique dans la pénombre. Elle se courba, souleva son T-shirt, révélant la pâleur de sa peau et un triangle sombre de poils pubiens. Ses doigts tirèrent sur son slip, sa main était électrique. Ce qu'il pouvait imaginer de mieux jusqu'à ce qu'il sente le contact mouillé et se glisse en elle.

Il grogna et se redressa brusquement, gardant les mains posées sur la courbe des hanches d'Anna. Oubliés les calendriers, les emplois du temps réglés comme du papier à musique et les jours d'ovulation optimale.

Quand enfin ils furent rassasiés, quand elle s'écroula contre son torse trempé de sueur et qu'il put sentir les battements de son cœur pareils à un fragile oisillon pris au piège, il s'exclama : « Waouh ! »

Elle étouffa un rire.

« Ouais, répondit-elle.

– J'insiste, waouh ! »

Il serra les paupières puis les rouvrit, cligna les yeux.

« Nom de Dieu ! »

Il avait la tête légère, les bras puissants. Le contour des rideaux ressortait, dessiné par une lumière blanche. L'aube s'était levée pendant qu'ils faisaient l'amour.

« Ça fait longtemps.

– Tu plaisantes ? »

Anna frotta son nez contre lui, déposant des baisers sur son épaule.

« Nous avons fait l'amour plus souvent cette année que lorsque nous nous sommes connus !

– Oui. Mais tu sais ce que je veux dire. »

Elle marqua une hésitation et, l'espace d'une seconde, il craignit de l'avoir blessée. Puis elle sourit, d'un sourire qui avait quelque chose de narquois.

« Oui, fit-elle en posant sa tête contre son épaule, lâchant un bâillement. C'était bien.

– Oui, c'était bien », répéta-t-il.

Le bras autour de son épaule, il s'enfonça dans le sommeil.

Il se réveilla, l'avant-bras posé sur ses yeux pour se protéger de la lumière. Avant toute autre chose, ce fut le souvenir d'Anna à califourchon sur lui qui lui revint. Il sourit. Il bâilla, s'étira, fit craquer ses épaules. Il se tourna du côté d'Anna. La place était vide, les draps en désordre.

Tom se leva, éteignit d'un coup sec le diffuseur de bruit de mer sur la table de nuit, s'assit sur le bord du lit, les pieds sur le sol. 11 heures. Ça ne lui arrivait pas souvent de dormir aussi tard. Mais bon, il voulait bien échanger deux heures de sommeil matinal contre pareil réveil. En plus, ce n'était pas toutes les nuits qu'on trouvait trois cent soixante-dix mille dollars et un cadavre.

Cette pensée le frappa de plein fouet et ses yeux finirent de s'ouvrir en grand. Bon Dieu. Les événements de cette nuit étaient-ils bien réels ? Il se leva, enfila son jean de la veille, ouvrit la porte de la chambre et glissa un œil dans le couloir.

En général, le week-end, il la trouvait le matin dans le salon avec une tasse de café et une pile d'enveloppes, un stylo glissé derrière l'oreille. Cela faisait partie de leurs conventions : il nettoyait la salle de bains, elle s'occupait des factures. Mais le canapé était désert.

« Chérie ? »

Ils avaient prévu de transformer la chambre d'amis en chambre d'enfant, mais tous les livres leur conseillaient de ne pas le faire trop longtemps à l'avance. Cela augmentait la pression et vous rappelait sans cesse ce que vous désiriez le plus au monde et que vous ne pouviez avoir. Conseil avisé sans doute, mais qui avait eu pour résultat de transformer la pièce en débarras, où ils avaient entreposé divers objets, toutes sortes de boîtes et d'albums photo. Tout cela signifiait bien que la chambre en était à un stade transitoire... et leur rappelait de toute façon à quoi elle était destinée.

Anna ne s'y trouvait pas. Aux fourneaux non plus, ni à la table de la cuisine. *Elle est peut-être allée chercher des bagels*, pensa Tom.

Il ouvrit le tiroir, fourragea à l'intérieur. Le trousseau de secours avait disparu. Il descendit les escaliers menant à l'entrée de la maison. La porte de l'appartement du rez-de-chaussée était ouverte et l'air empestait encore des relents acides de fumée.

« Anna ? »

De l'autre pièce lui parvint un faible « Je suis là ».

Elle était assise sur la commode, vêtue d'un T-shirt de l'université de Columbia et d'un caleçon, une jambe repliée sous elle. Ses cheveux étaient détachés et elle jouait avec une mèche qu'elle entortillait autour de son doigt. Elle lui lança un sourire peu convaincant.

« Salut.

– Salut, répondit-il en croisant les bras et en s'appuyant à l'embrasure de la porte. Qu'est-ce que tu fais là ? »

Elle marqua une hésitation.

« Je pensais à lui, c'est tout.

– Tu pensais à lui ?

– Je ne sais pas. Pas à lui vraiment. Plutôt au fait qu'il est mort. Au fait que quelqu'un est mort juste ici, fit-elle avec un geste du bras en direction du lit. C'est bizarre, tu ne trouves pas ? »

Il hocha la tête. Attendit.

« C'est vrai, quoi, on ne le connaissait pas. Et maintenant, il est parti. Hier, il était en vie, et maintenant, il est juste... parti. »

Elle enroula ses bras autour d'elle avant de poursuivre :

« Peut-être que c'était un homme bien et qu'on ne l'a jamais su.

– Peut-être que c'était un vrai connard », dit-il.

Elle lui jeta un regard furieux, mais il se contenta de hausser les épaules.

« Il n'aurait sûrement pas fini comme ça s'il avait tout fait pour se montrer sympa.

– J'imagine que non. Simplement, je me sens bizarre à cause de tout ça. »

L'expression dans son regard laissait clairement entendre qu'elle ne faisait pas uniquement allusion à la mort de Bill. Il regarda le lit, les draps froissés. La veille, ils avaient demandé à la police s'ils allaient emporter les draps et l'un deux s'était esclaffé et avait répondu par la négative en lui assurant que Bill n'en aurait plus besoin.

Quand ils avaient pris l'argent, l'adrénaline et la folie de leur acte avaient maintenu Tom à flot. En un instant, il avait compris ce que cela représentait pour les années à venir, pour la réalisation de leurs rêves. Le temps et l'espoir semblaient s'être matérialisés dans des bouts de papier. Ce n'était pas de l'argent qu'ils voulaient, c'était la vie. Qui n'en aurait pas voulu davantage ? Maintenant, alors qu'ils étaient assis dans la chambre abandonnée, tout cela leur semblait bien moins évident.

Puis il eut une idée. Il sentit un sourire étirer ses lèvres.

« Quoi ? demanda-t-elle en levant la tête, lui renvoyant son sourire, curieuse.

– Je sais comment nous remonter le moral. »

« Je peux ouvrir les yeux ?

– Pas encore. »

Tom se pencha en avant, tendit un billet de vingt au chauffeur.

« Gardez la monnaie, lui dit-il en ouvrant la portière avant de passer son bras sous celui d'Anna. Doucement, sors de la voiture. »

Il fit un pas sur le trottoir, la guidant à côté de lui, puis il la fit tourner vers le sud, face à l'alignement des vitrines étincelantes. Samedi après-midi. Michigan Avenue était noire de monde. De l'autre côté de la rue, un beau jeune homme était en train de danser au son d'une radiocassette. Derrière lui, une pancarte annonçait : « ÉTUDIANT DANSE POUR QUELQUES DOLLARS. » Une foule de touristes l'entourait, prenant des photos et tapant des mains.

« OK. Tu peux regarder. »

Anna retira ses mains de devant ses yeux, regarda la kyrielle de magasins.

« Le Mile[1] ? fit-elle en levant la tête. On va faire les boutiques ?

– Oooh oui ! »

Elle s'esclaffa.

« Tu crois que c'est bien ?

– Pourquoi pas ?

– Et si on apprend qu'il a une famille ?

– Alors, on leur rendra l'argent. Mais je crois qu'on a droit à deux ou trois mille dollars. Considérons cela comme nos honoraires pour avoir trouvé l'argent. »

---

1. Nom donné à Michigan Avenue, la principale rue commerçante de Chicago. (N.d.T.)

Elle mit une main au-dessus de ses yeux pour se protéger du soleil et regarda la rangée de boutiques. Il voyait les pensées se précipiter dans son esprit, tandis qu'elle prenait une décision. Elle se tourna vers lui.

« Une question.

– Quoi ?

– Par où on commence ? »

L'expérience était surréaliste. Ils avaient cinq mille dollars en poche et l'intention avouée de les dépenser. Sortir les premiers billets fut difficile. L'instinct revenant au galop, Tom se demanda ce qui le prenait de lâcher six cents dollars dans une veste en cuir pour Anna, trois cents dans une paire de lunettes pour lui. Mais lorsqu'il déposa cinq billets à la caisse pour payer deux paires de chaussures à talons, il avait tout compris. Et lorsque, sourire ravageur aux lèvres, Anna se pencha à l'extérieur d'une cabine d'essayage Neiman Marcus, vêtue d'une robe de cocktail Carolina Herrera à mille deux cents dollars, il se sentit comme un poisson dans l'eau. Elle lui fit un geste aguicheur de la main, l'invitant à la rejoindre. Il s'avança dans la pièce exiguë et referma la porte derrière lui. Et, tandis qu'ils faisaient l'amour contre le miroir, ils s'efforcèrent de réprimer leurs rires, puis leurs gémissements.

Après quoi, chargés comme des mules, ils gagnèrent State Street. Il y avait une attente d'une demi-heure au Artwood Café, mais il glissa cinquante dollars à l'hôtesse et, avant même qu'ils s'en rendent compte, ils étaient installés à une table de choix dans un coin de la terrasse. Il s'apprêtait à commander une bière, y réfléchit à deux fois et demanda : « Vous avez du champagne ? »

L'air doux embaumait le printemps, le soleil scintillait sur les vitres des taxis qui passaient et sur les flûtes à champagne. Il lâcha un soupir, ferma les yeux et inspira à fond.

« C'est ça la vie.

– Je pourrais m'y habituer. »

Il partit d'un éclat de rire.

« Ne t'y habitue pas trop. À ce rythme-là, on pourrait griller quatre cent mille dollars très vite. »

Elle lui fit un clin d'œil par-dessus sa flûte. Ils commandèrent et mangèrent, discutant de tout et de rien. Après avoir avalé la dernière bouchée de son saumon et bu sa dernière gorgée de champagne, Tom se cala dans son siège, une cheville posée sur son genou.

« Dans des moments comme celui-là, je regrette d'avoir arrêté de fumer.

— Des moments où tu claques cinq mille dollars en deux heures ?

— Si je n'avais pas un sou en poche, ce serait mieux ? »

Il se passa une main dans les cheveux.

« Tu as envie d'en parler ?

— Non, je trouve ça **bien que** tu aies arrêté de fumer.

— Petite maligne. »

Elle enroula ses spaghettis autour de sa fourchette, piqua une crevette, mit le tout dans sa bouche et mâcha lentement. Elle haussa les épaules.

« Parler de quoi ?

— Je veux juste m'assurer que tout va bien pour toi.

— Je me sens plutôt bien à l'instant même. Quand une femme fait des folies dans les magasins, elle se sent toujours bien. »

Elle reposa sa fourchette dans son assiette, s'essuya les coins de la bouche avec sa serviette.

« C'était chouette. Mais ce n'est pas pour cette raison que j'ai voulu garder cet argent.

— Je sais. Je me suis juste dit que ça nous permettrait de relâcher la pression.

— Je suis contente que tu l'aies fait. Mais... »

Anna se pencha en avant, posa sa main sur la sienne.

« Tom, je veux qu'on essaye encore une fois.

— Pour le bébé ?

— Pas un *bébé*, un *enfant*. Les gens disent qu'ils veulent un bébé comme si c'était un animal de compagnie. Moi, je veux la totale. Je veux qu'on élève un enfant ensemble. »

Elle marqua une pause :

« Pas toi ?

– Bien sûr que si. C'est juste que... »

Il haussa les épaules, regarda à l'extérieur, vers la rue.

« J'en sais rien. Ça a été dur. Je veux dire, c'est pas que je
ne veuille pas d'enfant. J'en veux un. C'est juste que ça me
paraît si difficile pour l'instant. Les piqûres, l'attente, les
rendez-vous. Plus...

– Quoi ? »

Il hésita. Il vit deux flics sortir d'une épicerie, des cafés
dans les mains. L'un deux dit quelque chose qui fit rire l'autre.

« Qu'est-ce que c'est ? »

Il se tourna pour la regarder. Elle clignait des yeux dans
le soleil, ses cheveux brillaient comme de l'or et il sentit une
vague d'amour pour elle déferler en lui. C'était l'un de ces
moments où il prenait pleinement conscience de la chance
qu'il avait. Non, rien n'était jamais définitivement acquis.

« Ça va te paraître débile, mais j'ai pris mon pied aujour-
d'hui. Et la nuit dernière aussi. C'était comme avant.

– Quand on a fait l'amour ?

– Oui, mais pas seulement. Je veux dire tout. Le sentiment
qu'on est sur le même bateau, que nous sommes complices.
Contre le reste du monde. »

Il s'esclaffa : « Complices, au sens propre du terme. »

La main d'Anna était chaude contre la sienne et il dessina
le contour de son index du bout du doigt.

« J'imagine que tous les deux, on en a marre de ces trucs
de stérilité. Et si on laissait tomber la FIV. Si on pensait à
l'adoption ? »

Elle ouvrit la bouche, la referma.

« Nous en avons déjà parlé. Après tout ce que nous avons
traversé...

– Il y a un tas de gamins dans le monde...

– Non, et tu le sais, répliqua-t-elle. Il y a des enfants plus
âgés, mais pas de bébés. La procédure peut prendre une éternité, si jamais elle aboutit. Et pendant ce temps, les chances

qu'il me reste de tomber enceinte diminuent. Et je ne veux pas faire comme tant d'autres femmes, adopter à l'étranger. C'est imposer trop de pression aux enfants quand ils grandissent. »

Il jouait avec sa cuiller.

« Je n'ai simplement pas envie de te perdre dans toute cette histoire.

– Je comprends ce que tu veux dire, je t'assure, dit-elle en lui pressant la main. Mais les choses sont différentes, maintenant. Notre problème, c'était surtout l'argent.

– Tu crois ?

– Regarde les choses en face. Nous en sommes à trois crédits, bientôt quatre. Notre maison est hypothéquée, nous travaillons soixante heures par semaine. Ajoute à ça les frais du traitement contre la stérilité. Oui, l'argent est notre plus gros problème. »

Il balança la tête d'avant en arrière. Elle marquait un point. À chaque fois que les choses avaient foiré, à chaque nouveau protocole, à chaque visite à la clinique, une partie de lui-même tapait mentalement sur les touches d'une calculatrice. Désormais, ça ne serait plus une source d'inquiétude. Ils pourraient payer leurs factures, se donner un peu de répit et avoir encore trois cent mille dollars en poche, assez pour faire autant de tentatives qu'il faudrait. Ça aiderait, c'est sûr.

« Ce n'est pas qu'une question d'argent. Ce qui me manque, fit-il, c'est nous.

– Je sais, répondit-elle avec un haussement d'épaules. Je sais, mais maintenant ce sera différent si nous le décidons. Maintenant, nous n'aurons à nous inquiéter de rien. Pas de factures, pas de regret à nous dire que c'est du gâchis. Et puis, ajouta-t-elle en se penchant vers lui, imagine-toi en train de tenir un enfant dans tes bras. Notre enfant. Le tien et le mien. Tu imagines à quel point elle sera belle ?

– Elle ? répéta-t-il avec un sourire. Je croyais qu'on s'était déjà mis d'accord là-dessus. Tu auras un garçon.

– Hors de question. Tu seras complètement gaga avec une petite fille et j'aimerais te voir te faire embobiner. Maintenant, fit-elle en s'adossant à son siège, paye l'addition. Je veux rentrer à la maison et essayer ma nouvelle robe.

– Et je finirai par te la retirer une nouvelle fois. »

Anna arqua un sourcil.

« Pourquoi crois-tu que je veuille la mettre ? »

6

C'ÉTAIT UNE HONDA CIVIC, un modèle datant d'une dizaine d'années, noire, et pour laquelle un passage au Lavomatic n'aurait pas été du luxe. Elle était identique aux cinq ou six autres voitures garées dans la rue, ce qui était précisément la raison pour laquelle ils l'avaient choisie. Jack avait fait le guet pendant que Marshall la fauchait dans un parking du quartier de Lake. Le parking était une véritable œuvre d'art, avec sa façade peinte de sorte à figurer la calandre d'une voiture. La Honda était garée en plein milieu de ce qu'aurait été le radiateur.

Jack saisit son café, but une dernière gorgée froide puis jeta le gobelet vide sur la banquette arrière avant de se tortiller sur son siège, à la recherche d'une position plus confortable. Trois heures passées assis dans une voiture à observer M. et Mme Tout-le-Monde sortir d'un pas pressé pour se rendre au boulot, c'était le tour de rein assuré pour n'importe qui.

« Toujours pas de signe de Will. »

Marshall tapota l'extrémité d'une cigarette éteinte contre sa cuisse. Il ne fumait pas, mais avait toujours un paquet avec lui. Selon lui, ça pouvait être utile, un moyen tout trouvé d'approcher les gens, d'engager la conversation avec une nana.

« Tu crois pas que le petit con nous aurait raconté des bobards ?

– Non.

– J'imagine que tu as raison. Avec le numéro que tu lui as joué, il aurait balancé Jésus. »

Marshall plissa le visage comme s'il souffrait le martyre, percha sa voix : « Oh, mon Dieu, oh, mon Dieu ! Pas mon autre main ! Je vous dirai où il est, mais pas mon autre main, je vous en supplie ! »

Il respira bruyamment.

« Quel cinéma. De toute façon, tu lui as fait sa fête. Même après qu'il nous a dit ce qu'on voulait savoir.

– Il fallait qu'on soit sûr. »

Jack ressentit la nausée le submerger. Il revit le garçon tel qu'ils l'avaient abandonné : les bras en croix, face contre terre, une mare de sang s'écoulant de sa nuque et noircissant le plancher comme une bouche à incendie oubliée sur le bitume. Il repoussa cette image, un exercice mental qui devenait toujours plus facile. Ce gamin n'avait pas été le premier.

« Pauvre Ray. Pas de bol qu'il ait été le neveu de Will.

– Ouais, fit Jack en fermant les yeux avant de les frotter du bout des doigts. Pauvre Ray.

– C'est marrant, la vie. Tu vas bosser, tu te demandes quelle nouvelle voiture tu vas acheter, si tu vas rester avec ta nana ou t'en dégoter une autre et bing ! le destin te frappe de plein fouet.

– Le destin ? répéta Jack avec un haussement d'épaules. C'était pas le destin. C'était nous. C'est nous qui l'avons fait.

– Sûr. Les messagers du destin, continua Marshall en faisant tourner la cigarette entre ses doigts. Dis-moi un truc : combien de mecs as-tu descendus ?

– Un certain nombre.

– Tu te souviens de la deuxième fois ?

– Hein ?

– J'ai une théorie : la première fois, tu t'en souviens toute ta vie. C'est comme perdre sa virginité. Je me rappelle très bien ma première fois. Julia Buckley. J'avais 15 ans, elle 14, c'était au sous-sol, chez ses parents. Ils avaient un vieux tapis orange et nous avons baisé dessus. »

Il marqua une pause avant de reprendre : « Le truc, c'est que la deuxième fois que nous avons baisé, j'arrive pas à m'en souvenir. Ça avait déjà perdu le goût de la nouveauté. »

Jack fit passer sa langue entre ses dents et sa lèvre, se tournant un peu sur son siège.

« Je me souviens de ma deuxième fois.

– La deuxième fois où tu as tué ou la deuxième fois où tu as baisé ?

– Les deux.

– Hum, fit Marshall en regardant par la vitre et en parlant d'une voix lente. Tu as remarqué comme aucun d'entre eux n'arrive à croire ce qui est en train de lui arriver ? Prends le plus coriace des durs à cuire, il y croira pas. C'est comme se faire renverser par un bus. N'importe qui peut se faire faucher par un bus à n'importe quel moment. Les bus, ils se foutent de ce que tu penses, se foutent que tu sois pas prêt. Ils vont juste du point A au point B. »

Il fit un mouvement du menton vers le pare-brise.

« Voilà la voisine. »

Jack suivit son regard vers le bâtiment en brique à un étage qui se trouvait trente-cinq mètres plus loin. Une femme sortait par la porte menant à l'appartement du premier. Lorsqu'ils étaient arrivés, la première chose qu'il avait faite avait été de se rendre dans l'entrée de la maison et de regarder les boîtes aux lettres. Celle de l'appartement du rez-de-chaussée indiquait Bill Samuelson, Bill qui ressemblait assez à Will pour qu'on y réponde quand on vous appelait ainsi. D'après la seconde, l'autre appartement était habité par Tom et Anna Reed. Un type, Tom sans doute, avait quitté les lieux un peu plus tôt, le regard dissimulé derrière des lunettes de soleil de rock-star.

Ils observèrent la femme fermer la porte et redescendre la rue. Son jean taille basse la moulait et dessinait les contours de son petit cul. Elle grimpa dans une Pontiac d'un modèle récent et démarra.

Jack tendit le bras en arrière et attrapa le fusil qu'il donna à Marshall.

Anna n'en revenait pas de la facilité avec laquelle elle s'y était habituée. L'argent. Ça ne faisait que deux jours qu'ils l'avaient trouvé et tout lui paraissait déjà différent.

Comme son travail, par exemple. Après toutes ses absences dues aux rendez-vous à l'hôpital, il aurait été de bon ton qu'elle arrive aujourd'hui de bonne heure. Histoire d'essayer d'avancer dans la montagne d'e-mails qu'elle avait reçus. De passer de la pommade à son chef. De bavasser avec les clients, leur faire sentir qu'ils étaient impliqués dans le processus, tout en les empêchant de saloper le travail.

À une époque, elle adorait ça. Elle aimait les heures passées au bureau, l'exaltation qui régnait dans une agence de pub du centre-ville. Ça lui plaisait de porter des bottes à talons hauts et de travailler au quarante et unième étage, d'avoir des repas gratuits et de prendre une bière le vendredi après-midi. Mais ces derniers temps, tout ça lui avait semblé si... futile. Travailler soixante heures par semaine pour accoucher d'une pub – que le public zapperait sans état d'âme. Et ce matin, elle ne pouvait tout simplement pas s'y résoudre. Aussi, après le départ de Tom, avait-elle appelé le bureau pour dire que les traitements l'avaient lessivée. Puis elle avait enfilé son jean préféré, était descendue au sous-sol et avait pioché dans leur argent. Huit liasses.

Leur argent. Ça aussi, c'était drôle. Elle n'y pensait déjà plus comme à l'argent de Bill. Depuis le moment où elle avait menti à l'inspecteur, c'était devenu le leur. Des images lui venaient à l'esprit : l'emprunt pour la maison remboursé, une petite fille dans ses bras et un autre bébé en route, un voyage annuel en Caroline du Sud pour jouer dans les vagues. Rien d'extraordinaire, pas de vie bling-bling ou de soirées dignes des stars de cinéma. Une famille, c'est tout, et la sécurité qui va avec pour en profiter. C'était tout ce dont elle avait toujours réellement rêvé.

Elle pressa le clignotant, tourna dans Lincoln Avenue. C'était une matinée de printemps douce et agréable. Le long des rues avoisinantes, les arbres avaient soudainement retrouvé leur feuillage vert, le soleil jouait de ses reflets sur les baies vitrées. Une journée parfaite pour faire l'école buissonnière. Elle décida de s'offrir un bon déjeuner. Peut-être même qu'elle appellerait sa sœur pour lui proposer de se joindre à elle.

Mais d'abord, les courses. Elle s'arrêta au pressing, fit le plein d'essence, se rendit à la quincaillerie pour acheter produits d'entretien et chiffons. Puis elle prit vers l'est pour gagner la banlieue.

C'était un quartier banal, une zone frappée par la crise – poubelles entassées, hommes affalés contre les murs, magasins qui proposaient encens et extensions de cheveux – coincée entre deux quartiers prospères. Elle ne venait pas souvent se balader par là. Le coin n'était pas à proprement parler dangereux, mais il n'attirait pas les touristes. Aujourd'hui, cependant, elle trouva exactement ce qu'elle cherchait dans Clarke Street.

Elle s'arrêta devant un parcmètre, regarda autour d'elle pour s'assurer que personne ne l'observait. Un taxi vide était garé deux emplacements plus loin. Un piéton, qui attendait que le feu passe au rouge pour traverser, jeta un œil de son côté puis sur un panneau d'affichage vantant les mérites d'une compagnie de téléphones portables. Anna plissa les yeux mais l'homme ne regarda pas de nouveau dans sa direction. Au bas de la rue, le métro aérien passa dans un bruit de ferraille, faisant glisser une ombre tremblotante sur les pierres grises.

Elle n'avait pas mis le pied dans un bureau de change depuis une dizaine d'années. La dernière fois, Sara n'habitait pas encore en ville. Elle était venue leur rendre visite en compagnie de son copain du moment. Aucun des deux n'avait pensé à déposer leur chèque de salaire avant de prendre l'avion. Un réel problème puisqu'ils avaient prévu d'en dépenser une bonne moitié à faire la fête. C'est Tom qui avait eu l'idée du bureau de change.

Ce n'était pas le même, mais allez faire la différence ! Enseigne tape-à-l'œil, lino délavé et néons trop lumineux à l'intérieur, comptoir surmonté d'une vitre en Plexiglas de deux centimètres d'épaisseur. Des gens qui faisaient la queue en traînant les pieds et qui semblaient vouloir être n'importe où ailleurs plutôt qu'ici. Une caméra de surveillance en circuit fermé était accrochée au mur du fond, ce qui la rendit nerveuse. Elle sortit des lunettes de soleil de son sac et les mit sur son nez.

Il lui fallut cinq minutes pour parvenir au comptoir où une femme, qui s'ennuyait visiblement comme un rat mort, fit éclater une bulle de chewing-gum avant de demander à Anna ce qu'elle désirait.

« Je voudrais un chèque de banque, s'il vous plaît, fit Anna en tirant une enveloppe de son sac. À l'ordre de Citibank.

– Quel montant. »

L'intonation de la caissière ne permettait pas de dire s'il s'agissait d'une question ou pas.

Anna jeta un coup d'œil par-dessus son épaule avant de dire :

« Quinze mille quatre cent douze dollars et cinquante-sept cents.

– C'est ça, chérie. »

La caissière roula des yeux, puis, avec un signe à l'attention du client derrière Anna, elle annonça :

« Suivant.

– Attendez, fit Anna sans bouger. Il y a un problème ?

– À part vous qui êtes folle ?

– Pourquoi dites-vous ça ?

– Vous êtes sérieuse ? demanda la caissière en la fixant. Vous voulez un chèque de banque de quinze mille quatre cent douze dollars ?

– Et cinquante-sept cents.

– Et vous comptez payer comment ? »

Anna plongea la main dans son sac, saisit une liasse et demie de billets de cent. Elle les déposa sur le comptoir et sourit devant l'expression ébahie de la femme.

Le fusil était un Remington Tactical 870 avec une poignée pistolet et chargé de balles magnum de sept centimètres cinq.

Marshall l'aimait. À cette distance, il pourrait faire un trou de la taille d'un poing dans la porte et éviscérer quiconque se trouvait derrière. Évidemment, tirer à l'intérieur du vestibule les laisserait tous les deux à moitié sourds pendant deux heures.

Jack frappa, et ils observèrent le judas de la porte de « Bill Samuelson ». Les secondes s'égrenèrent. Il flottait une légère odeur de brûlé. Jack frappa une nouvelle fois puis se balança d'un pied sur l'autre.

« Il n'est pas là. »

Une légère déception transperçait dans sa voix, ce qui agaça Marshall. Professionnellement parlant, que Will ne soit pas là était une bonne chose. Ça leur laisserait du temps pour fouiller l'appartement et mettre la main sur l'argent s'il s'y trouvait. Filer un coup de main pour régler son compte à Will ne lui déplaisait pas – ce mec l'avait volé lui aussi – mais il y avait des priorités dans la vie. Il leva son arme.

« Le verrou, c'est quel genre ? »

Trente secondes plus tard, la porte s'ouvrait en grand. Le salon était pauvrement meublé : une lampe, un fauteuil et une télévision sur un imposant meuble télé. Marshall entra dans le premier couloir. Derrière lui, il entendit Jack refermer la porte.

L'appartement donnait une nette sensation de vide, mais Marshall se mouvait quand même avec précaution. La chambre était pourvue d'un sommier à ressorts et d'un matelas. Les draps étaient froissés comme si on y avait récemment dormi. La deuxième pièce avait été transformée en salle de sport avec un cendrier débordant de mégots et un banc de muscu. Une petite salle de bains, lumières éteintes, des toilettes qui auraient eu bien besoin d'être nettoyées. Dans la cuisine, le haut de la gazinière était cramé et le mur noirci. La fumée et l'odeur de brûlé venaient de là apparemment. Une porte dans le fond menait à une étroite cage d'escalier.

« On dirait qu'il a mis les voiles. »

Jack ne répondit pas. Il retourna dans le couloir, entra dans la chambre qui servait de salle de sport et scruta la pièce.

Il attrapa un des mégots, l'inspecta, laissant des traces sur ses gants en latex.

« Faut être un vrai connard pour fumer pendant qu'on fait du sport ?

– Le genre de Will. »

Le chasseur en lui pouvait sentir les traces de Will dans ces lieux. Il pouvait le voir soulever les poids, faire une pause pour s'allumer une clope. L'homme devait être nerveux, effrayé. Sentir une pression constante, vivre avec la sensation d'être épié, suivi. Il laissa le fusil pendre au bout de son bras, vérifia les poids sur le banc. Soixante. Ridicule.

« Pourquoi est-ce qu'il n'a pas quitté la ville ?

– J'en sais rien, dit Jack. Il a peut-être cru qu'on partirait les premiers. »

Marshall hocha la tête. Si Will pensait qu'ils n'avaient aucun moyen de lui mettre la main dessus, alors se terrer quelque temps n'était pas une mauvaise idée. Sans le fric et avec les flics de Chicago qui faisaient des heures sup pour leur mettre la main dessus, quitter la ville était la meilleure solution. Leur coup avait fait la une de tous les canards, feuilles de chou ou journaux sérieux.

« Fais chier, lâcha Jack en jetant son 45.

– Ça va nous prendre un bon moment pour fouiller cette piaule, fit Marshall avec un haussement d'épaules. Avec un peu de chance, il va se pointer, et vous deux, vous pourrez avoir une petite conversation. »

En quelques heures, elle se rendit dans cinq bureaux de change différents. Cela lui paraissait plus sûr de procéder ainsi. Enfin, elle s'arrêta à la clinique où la réceptionniste fut plus que surprise de la voir régler la totalité de ses frais.

Ils y avaient pensé la nuit précédente, assis dans la cuisine à siroter leur vin.

« Ça pourrait marcher, avait dit Tom. Des chèques de banque, c'est ça la solution. Si on ne dépose jamais l'argent, si on ne le déclare pas, le gouvernement ne saura pas qu'il doit le chercher. »

Puis Anna avait eu l'idée des bureaux de change. Les chèques de banque serviraient à régler la clinique et les frais médicaux, mais ils pouvaient payer directement leurs autres factures *via* les bureaux de change.

Ce matin, ils avaient presque soixante-dix mille dollars de factures à payer. À midi, ils n'étaient plus endettés.

C'était une sensation étrange et merveilleuse. Même dans leurs rêves les plus fous, ils n'avaient pu imaginer pouvoir rembourser toutes leurs dettes avant des années. Ils s'étaient résignés à ce fardeau qu'ils traînaient derrière eux. Et soudain, ils étaient libres ! C'était comme perdre cinq kilos d'un coup. Anna ressentait une satisfaction radieuse l'envahir. Elle en souriait de bonheur, hochait la tête et claquait des doigts en mesure, tandis que les Mountain Goats chantaient depuis le lecteur CD.

Anna se gara dans leur rue, balança son sac à main par-dessus son épaule et saisit le sac de courses de l'autre main. Les feuilles frémissaient dans un dégradé de vert au-dessus de sa tête, l'air doux charriait des effluves de poussière et de chaleur. Elle descendit la rue, respirant à pleins poumons, profitant de ce jour béni des dieux. Elle gravit les marches de son perron d'un pas léger, fredonna, tout en ouvrant la porte d'entrée. Il lui semblait retrouver des sensations qu'elle n'éprouvait plus depuis des années, depuis ce temps où le boulot n'était encore qu'un boulot, où l'avenir n'était que promesses. Elle avait le sentiment simple et merveilleux que tout, absolument tout, allait bien se passer.

Elle sortit les clés de son sac et s'apprêta à ouvrir la porte menant à l'étage. Elle s'arrêta. Il était inutile de monter les produits de nettoyage, elle ferait tout aussi bien de les laisser directement dans l'appartement du rez-de-chaussée. Anna fit un pas vers la porte de Bill Samuelson et glissa la clé dans la serrure.

Fredonnant toujours, elle entra dans le salon et referma la porte derrière elle. La pièce sentait la fumée, même si l'odeur était moins prononcée qu'avant. Elle posa les courses puis se dirigea vers la fenêtre, la déverrouilla et la releva dans un crissement. C'était mieux. Elle se dirigea vers le couloir avec l'intention de faire de même dans la cuisine et jeta inconsciemment un coup d'œil autour d'elle.

La porte de la chambre était fermée. Bizarre. Elle ne se rappelait pas l'avoir fermée en partant l'autre jour. Ils avaient peut-être laissé une fenêtre ouverte et un courant d'air l'aurait fait claquer. Anna tourna la poignée, poussa la porte.

Tous les tiroirs étaient sortis de la commode et les portes du placard étaient grandes ouvertes. Le matelas était posé de travers sur le sommier. Un frisson de terreur lui parcourut l'échine.

« Tom ? »

Était-il rentré plus tôt pour commencer à nettoyer l'appartement ? Elle fit quelques pas dans la pièce, avançant prudemment comme si le sol allait s'ouvrir sous elle.

« Chéri ? »

Anna fit un autre pas hésitant, parfaitement consciente à présent de sa respiration, du poids de son sac sur son épaule, de la pression de ses bottes sur ses orteils. Une odeur infecte régnait dans la pièce, une odeur de pourriture. Ses narines frémirent. Ça provenait de la salle de bains.

Lentement, elle coula un regard dans le coin. Les spots du miroir étaient allumés, la pièce baignée d'une lumière blanche. En dessous, le petit placard était grand ouvert, révélant les restes solitaires de toute une vie : désodorisant, ventouse, bougie à moitié consumée. Les battants de l'armoire à pharmacie étaient ouverts, leurs miroirs de façade reflétant des fragments de la pièce. Des flacons avaient été renversés, le dentifrice et la brosse à dents jetés à terre. On aurait dit qu'un ouragan avait traversé la pièce.

L'odeur était pire ici. Il lui fallut un moment pour comprendre, puis elle remarqua les toilettes. Beurk. Pourquoi Tom serait-il parti comme ça, sans tirer la chasse d'eau ?

Tout à coup, une pensée la frappa. Le désordre, la porte de la chambre fermée, les toilettes... Seigneur, les toilettes avaient été utilisées par quelqu'un. Quelqu'un, pas Tom. Les muscles de sa nuque se raidirent, la peur l'envahit. Elle porta une main à sa bouche pour la couvrir. Se rendant compte que son dos était à découvert, elle fit soudain volte-face, convaincue d'une présence derrière elle.

La chambre était vide.

Il fallait qu'elle sorte. Et vite. Mais si ce quelqu'un se cachait encore dans l'appartement ? Ses tempes l'élançaient et la sueur coulait sous ses aisselles. Allait-elle oser prendre le risque de courir jusqu'à la porte d'entrée ? Elle était entrée en fredonnant, avait appelé Tom à voix haute. Si quelqu'un était là, il ne pouvait ignorer sa présence, ni l'endroit exact où elle se trouvait. L'intrus pouvait être tapi dans le couloir à présent, un homme maigre avec de longs doigts très sales, un couteau dans une main, l'autre sur la fermeture d'un pantalon en haillons, à se caresser doucement...

Reprends-toi ! Reprends-toi ! Bon sang, Anna, reprends-toi !

Elle n'avait pas le choix, il fallait sortir d'ici, et vite. Porte d'entrée ou de derrière ? Porte d'entrée, par où elle était arrivée. Si le cambrioleur était toujours là, il devait tenter de s'éclipser par-derrière et s'éloignait d'elle. OK. C'était simple alors. *Sors tes clés. Bien. Garde-les bien serrées pour pouvoir le frapper avec s'il le faut. Une idée stupide, sans doute. Bien. Maintenant, retourne-toi et avance, reprends le chemin par lequel tu es venue. Pas de panique. Ne cours pas, ne prends pas le risque de t'étaler. Sors d'ici en marchant, c'est tout. Comme si de rien n'était. Allez, fais demi-tour et sors d'ici le plus naturellement du monde.*

Anna Reed fit un bond vers la porte, se précipita dans le couloir et piqua un sprint jusqu'à la porte d'entrée, le cœur battant si fort qu'elle crut que ses côtes allaient se briser.

À travers le pare-brise, Jack observa la femme qu'ils avaient aperçue plus tôt. Elle venait juste d'ouvrir à la volée la porte de l'appartement de Will Tuttle, puis celle de l'entrée et fonçait à présent dans la rue, comme si elle avait le diable à ses trousses.

« J'imagine qu'elle s'est rendu compte qu'on est passé par là, dit sèchement Marshall. Qu'est-ce qu'elle allait foutre chez Will à ton avis ?

— Aucune idée, répondit Jack.

— Tu penses qu'elle est dans le coup ? »

Il écarta les mains, garda le silence.

« Heureusement que tu l'as vue arriver, poursuivit Marshall en posant la mallette sur ses genoux. Elle aurait pu nous surprendre... »

Jack démarra, jeta un œil par-dessus son épaule puis engagea la Civic dans la rue. Cette bonne femme allait appeler la police. Mieux valait mettre les voiles. Marshall souleva les crochets de la mallette dans un petit bruit et l'ouvrit. Des rangées de petits paquets bien en ordre et des flacons de médicaments étaient rassemblés comme les pièces d'un puzzle.

« Qu'est-ce que tu veux faire de cette merde ?

— Faut trouver quelqu'un pour l'écouler.

— Peut-être Mikey Cook ?

— Tu lui fais confiance ?

— Je le laisserais pas baiser ma sœur, mais il est réglo. »

Jack hocha la tête.

« OK. On s'en débarrassera quand tout sera fini. »

Ils roulèrent en silence pendant un moment puis Marshall reprit la parole.

« Will va avoir la trouille maintenant.

— Ouais, fit Jack en mettant le clignotant avant de tourner vers le sud. Il va falloir garder l'œil ouvert. Et s'assurer qu'il foute pas le camp. »

Il s'efforçait de garder un ton et un visage calmes, mais à l'intérieur, il bouillait de rage. *Tu ne perds rien pour attendre, Will. J'arrive. Je viens pour toi et pour mon fric et rien ne m'arrêtera.*

Rien.

7

UNE VOITURE DE POLICE était garée devant chez lui.

Tom n'était pas au bureau lorsqu'Anna avait appelé. Il avait vécu une matinée exécrable : à 9 h 30, il avait compris qu'il devrait se contenter d'un en-cas rapide entre deux dossiers, avant de se résigner à se passer de déjeuner. Une matinée à regretter d'avoir accepté un job consistant à rédiger de simples rapports techniques au lieu de réaliser son rêve de devenir écrivain. Le vice-président s'était chargé de foutre en l'air sa journée et celle de son équipe en changeant d'avis quant au projet qu'ils étaient censés rendre la semaine suivante. Les conneries habituelles. Un mec à l'ego surdimensionné faisait son petit caprice sous forme de « réflexion tournée vers l'avenir » et de « nouvelle direction à prendre ». Une fantaisie qui, au passage, mettait à la poubelle dix semaines de travail. Après une réunion de ce genre, le voyant rouge qui clignotait sur le répondeur téléphonique ne lui mettait pas franchement du baume au cœur.

Lorsqu'il avait entendu le message, ç'avait été pire que tout. Anna était paniquée, à bout de souffle. Tout ce qu'il réussit à comprendre, c'était que quelqu'un avait pénétré chez eux, et qu'il lui fallait rentrer immédiatement. Il resta planté, le téléphone dans une main, les lèvres serrées, le regard fixé sur la rue tout en bas, observant les taxis jaunes pas plus gros que des boîtes d'allumettes et les gens pareils à des fourmis.

Il réfléchissait aux complications que cela allait générer au bureau tout en se demandant ce qu'elle pouvait bien foutre à la maison en plein milieu de la journée. Il fonçait déjà dans la rue, hélait un taxi, proposait au chauffeur le double de ce que valait la course s'il se grouillait.

Il passa le trajet à prier pour que tout aille bien. Mais une voiture de police était garée devant chez lui. Tom jeta deux billets au chauffeur et sortit d'un bond de la voiture. Il courut tout droit à sa porte d'entrée, piétinant le parterre de pensées que leur voisin venait de planter, grimpant les marches deux par deux.

« Anna ? »

Il allait ouvrir la porte de leur appartement quand il s'aperçut que celle du rez-de-chaussée était entrouverte. Il la poussa, jeta un regard à l'intérieur.

« Anna ?

– Tom ? »

La voix venait du fond du couloir et fut accompagnée de pas bruyants. Elle était là. Elle jeta ses bras autour de son cou, le serrant fort, ses cheveux lui couvrant le visage. Quelque chose dans le cœur de Tom se détendit comme si un poing invisible, dont il n'avait pas eu conscience jusque-là, avait enfin relâché son cœur.

« Tu n'as rien ?

– Non. Non, je vais bien. C'est juste... expliqua-t-elle en reniflant. Il y avait quelqu'un. Ici. J'ai eu si peur...

– Calme-toi, chérie. C'est fini. »

Il la serra contre lui, caressa ses cheveux.

« Tout va bien. Raconte-moi ce qu'il s'est passé. »

Elle recula d'un pas, prit une profonde inspiration.

« J'ai décidé de ne pas aller travailler. De faire quelques courses, m'occuper des factures. » Elle lui lança un regard chargé de sous-entendus. « Tu sais, comme on avait dit. »

Ils en avaient parlé, pourtant, il n'avait pas voulu qu'elle manque un jour de plus au travail. Les bureaux de change étaient ouverts vingt-quatre heures sur vingt-quatre. Mais ça n'avait plus d'importance. Il hocha la tête.

« Quand je suis rentrée à la maison, j'ai voulu laisser des affaires ici. Je suis allée dans la chambre. Les tiroirs étaient renversés, les portes du placard ouvertes. Tout était par terre. »

Elle le regarda droit dans les yeux.

« Tom, on a tout fouillé. »

Le poing se déplaça de son cœur à son ventre, il sentit son estomac se tordre.

« Tu veux dire que...

— Je ne sais pas de qui il s'agit, mais ce type cherchait quelque chose. »

Il se rendit compte qu'il avait la bouche grande ouverte. Il la referma.

« Ce n'était sans doute qu'un cambrioleur », la rassura-t-il. Puis, devant son air incrédule, il ajouta :

« Il devait chercher des bijoux, de l'argent, ce genre de truc.

— Il n'a pas pris la télé ni le...

— Il n'a pas eu le temps de la prendre. Tu l'as sans doute surpris. »

Elle allait protester, mais s'arrêta net tandis que des pas se faisaient entendre au bout du couloir. C'était un policier, grand et baraqué dans son gilet pare-balles.

« Vous êtes son mari ?

— Oui. Tom Reed, se présenta-t-il en tendant la main.

— Al Abramson. »

Ils échangèrent une poignée de main puis, les doigts posés sur la crosse de son pistolet, le policier se tourna vers Anna :

« Nous avons vérifié tout l'appartement, madame, ainsi que votre domicile et le sous-sol. Il n'y a personne ici.

— Merci, mon Dieu, soupira Anna.

— Vous avez une idée de qui a pu faire ça ?

— Non. Et toi, Tom ? »

Il secoua la tête.

« Bien, fit Abramson. Vu l'état des lieux, je pense qu'il s'agissait de junkies. Ils ont ouvert l'armoire à pharmacie. C'est courant. Ils sont en manque, ont besoin d'un fixe et essayent n'importe quoi. Si j'étais vous, je ne m'en ferais pas. Ils ne reviendront pas.

– Et pour le... » fit Anna en désignant la salle de bains.

Abramson secoua la tête.

« Ces types sont des bêtes. Au moins, cette fois, ils ont utilisé les toilettes. Parfois, ils font ça directement sur la moquette du salon. »

Sa radio grésilla et il s'excusa avant de s'enfoncer dans le couloir pour répondre.

« Ils ont fait quoi ? demanda Tom en levant la tête vers Anna.

– Euh... Tu n'as pas besoin de le savoir.

– Tu es sûre que tu vas bien ?

– Oui. Je suis juste un peu secouée. »

Il la prit une nouvelle fois dans ses bras, respirant son odeur.

« Anna, nous devrions peut-être leur en parler ?

– Non.

– Mais si...

– Non, fit-elle en se dégageant. C'est notre enfant. Je n'abandonne pas, pas sans une raison valable. »

Le retour d'Abramson lui évita de répondre.

« Désolé de vous interrompre. Je ne savais pas : il y a eu un incident ici l'autre nuit.

– Oui, répondit Tom. Notre locataire est décédé. C'était son appartement. »

Le flic hocha la tête, pas plus intéressé que ça.

« Le central m'informait qu'un inspecteur est en route. Halden.

– Nous l'avons rencontré. Mais c'est un inspecteur de la brigade criminelle, non ? Que vient-il faire ici ? »

Abramson haussa les épaules.

« Vous n'aurez qu'à lui poser la question. En attendant, vous voulez bien faire le tour pour vous assurer que rien ne manque. Il faut que je sache pour mon rapport.

– Nous ne connaissions pas très bien notre locataire, expliqua Anna. Je ne saurais dire s'il manque quelque chose.

– Bien. Contentez-vous de jeter un œil, au cas où un détail attirerait votre attention. »

Ils acquiescèrent, commencèrent à déambuler dans la pièce. Tom se dit que, à moins que le frigo ait disparu, il y avait peu de chances qu'il remarque quoi que ce soit, mais au moins, ça lui laissait du temps pour réfléchir.

Il avait soutenu à Anna qu'il s'agissait d'un simple cambrioleur pour la rassurer. Sa manière de gérer la situation. Mais au fond de lui-même, il s'interrogeait. Ils n'avaient jamais été cambriolés auparavant. Lincoln Square était un quartier tranquille. Et tandis qu'il inspectait les placards grands ouverts, les tiroirs renversés, les briques de soupe et les boîtes de pâtes dont le contenu était éparpillé sur le plan de travail, il ne pouvait s'empêcher de penser que la fouille était plutôt poussée pour des junkies.

Peut-être qu'ils sont entrés ici plutôt que chez toi parce que c'est au rez-de-chaussée. Peut-être que la pièce est sens dessus dessous parce qu'ils cherchaient du liquide. Peut-être la fouille a-t-elle été minutieuse parce qu'ils étaient désespérés. Il n'y a aucune raison de penser qu'il y a autre chose.

Sauf bien sûr, que des raisons, il y en avait. Des centaines de milliers, même.

L'inspecteur Halden rassura Anna quant au bien-fondé de payer des impôts. Image de la justice en costume gris à fines rayures, il prit le contrôle de la situation à peine franchi le seuil de la porte. Les autres policiers s'en remirent à lui. Halden s'entretint avec eux, hochant la tête et posant des questions. Puis il s'accroupit devant la porte d'entrée, brandit une lampe torche sur le verrou et fit de même de l'autre côté.

« Re-bonjour, dit-il tandis qu'ils se serraient la main. L'agent Abramson m'a fait son rapport, mais je veux bien que vous me racontiez ce qui s'est passé, madame Reed.

– Anna, je vous en prie.

– Anna. J'aimerais entendre votre version. »

Ils étaient à présent tous trois assis à la table de la cuisine devant une tasse de café. Les autres policiers étaient partis. Elle lui parla des courses qu'elle avait faites – laissant de côté le remboursement de soixante-dix mille dollars de dettes –, lui dit être rentrée à la maison pour la trouver mise à sac. L'odeur affreuse dans la salle de bains, cette humiliation supplémentaire. La peur qui l'avait étreinte quand elle avait pensé que l'homme pouvait être encore sur les lieux. Puis sa course folle, au cours de laquelle elle avait abandonné derrière elle sac à main et portable, pour appeler les secours depuis le supermarché du coin. Halden prenait parfois des notes. Il se tenait droit. Il avait l'air d'un gars bien, comme les agents sur les affiches de recrutement de la police. Le regard d'Anna ne cessait de se poser sur le revolver collé à sa hanche, un objet d'un noir mat qui la faisait frissonner. Quand elle eut fini de raconter son histoire, il hocha la tête et dit :

« Lorsque vous êtes arrivée, la porte était fermée à clé ?

– Oui.

– Vous en êtes sûre ? »

Elle réfléchit, se rappela avoir posé les sacs de course pour attraper ses clés.

« Oui.

– Et les fenêtres étaient fermées et verrouillées également ? »

Elle acquiesça. Puis, comprenant où il voulait en venir :

« Oui. Alors, comment ont-ils...

– Aucune des portes ne montre des signes d'effraction. À mon avis, soit ils avaient les clés, soit ils ont utilisé du matériel spécialisé.

– Qui pourrait avoir les clés ?

– Un ami ? proposa Halden en rivant son regard au sien. Dites-moi, vous rappelez-vous quoi que ce soit d'autre concernant votre locataire ? »

Elle fit mine d'y réfléchir quelques instants.

« Je suis désolée. Nous ne le connaissions vraiment pas.

– Vous avez dit l'autre nuit ne pas savoir ce qu'il faisait pour gagner sa vie.

– C'est exact.

– Avez-vous jamais remarqué s'il allait travailler ? »

Elle y réfléchit.

« Je n'en sais rien.

– Pourquoi cette question ? intervint Tom. Vous pensez que celui qui est entré ici a quelque chose à voir avec lui ? »

Nom de Dieu ! Regarde où tu mets les pieds.

Halden secoua la tête d'un mouvement évasif.

« Difficile à dire. »

Il posa soigneusement son stylo en haut de son carnet, puis, les mains croisées, il se pencha en avant.

« Habituellement, nous ne divulguons pas ce genre d'informations sur des affaires en cours, mais étant donné les circonstances, il y a une chose que je dois vous dire. Votre locataire, l'homme que vous connaissiez en tant que Bill Samuelson, s'appelait en réalité Will Tuttle. Ses empreintes digitales étaient dans nos fichiers. »

Il marqua une pause.

« Je ne vais pas vous raconter d'histoires. Tuttle était un délinquant.

– Comment ça, un délinquant ? demanda Tom.

– Il a été arrêté pour agression. Il a pris deux ans pour vol à main armée. Il a été interrogé en plusieurs autres occasions et a été cité dans une affaire de trafic de drogue en Californie. »

Halden se renfonça dans son siège, étira ses mains avant de reprendre : « Cela dit, il n'était pas recherché au moment de sa mort. Le simple fait d'avoir un casier ne signifie pas qu'il était toujours un criminel. C'est pour ça que je posais la question au sujet de son travail. »

Anna entendait le tic-tac de l'horloge accrochée au mur et sentait son propre pouls battre plus fort encore. L'argent. Ils avaient fait fausse route. L'homme n'était pas un reclus excentrique refusant de faire confiance aux banques. Il s'agissait d'argent volé, pas d'un détournement de fonds comme ils l'avaient imaginé. Will Tuttle n'était pas un escroc en col blanc. Il n'avait pas fraudé les impôts ou extorqué l'argent des retraités. C'était un homme dangereux qui travaillait avec des malfrats de son acabit. Elle croisa le regard de Tom, lut les mêmes pensées sur son visage.

Il fallait qu'ils éloignent Halden. Plus il restait ici, plus grands étaient les risques qu'ils fassent une gaffe. Elle craignait que Tom ne lâche le morceau et avoue la vérité à l'inspecteur.

Se ressaisissant, elle prêta à nouveau attention à Halden.

« ... une overdose, disait l'inspecteur. L'ordonnance ? Un médicament appelé Fentanyl, un antalgique très puissant. Normalement, il est disponible en comprimés, mais là, c'est un conditionnement qui se vend sous le manteau.

– Ce serait un suicide ?

– Non. Il croyait sans doute pouvoir gérer seul ses prises d'OxyContin. Mais dans son cas, la dose était assez puissante pour provoquer l'arrêt du cœur. Il avait une maladie cardiaque. Lorsque les gens s'en rendent compte, il est généralement trop tard. Cela dit, fit-il en prenant une gorgée de café, il devait connaître des gens pour mettre la main sur ce genre de drogue. Des dealers, d'autres junkies. Il est très probable que l'un d'entre eux ait su où il habitait.

– Et qu'il ait décidé de venir voir si Samuelson – je veux dire Tuttle – avait chez lui des médocs à voler, ajouta Tom.

– Exactement, acquiesça l'inspecteur. C'est ce que je pense. »

Anna croisa les bras, se rencogna dans son siège. Elle détourna le regard. Il fallait faire comprendre à l'inspecteur qu'il était temps pour lui de s'en aller. Mais Tom continuait à alimenter la conversation.

« Qu'est-ce que vous comptez faire maintenant ?

– Comment ça ?

– Pour attraper celui qui est venu ici, je veux dire. Peut-être qu'avec les empreintes... »

Halden se fendit d'un sourire, secoua la tête.

« Si vous le désirez, je peux faire venir une équipe. Ils mettront l'appartement sens dessus dessous, saliront vos beaux murs blancs. Mais si ça vous aide à mieux dormir...

— C'est inutile, c'est ça ?

— Ce type saurait se servir de matériel spécialisé pour ouvrir une porte, mais ne mettrait pas de gants ? Et même s'il avait les clés, ajouta Halden avec un haussement d'épaules. Vous croyez qu'ils ne regardent pas la télé eux aussi ?

— Alors, est-ce qu'on doit s'inquiéter ?

— Qu'ils reviennent ? Non. Ils ont eu une sacrée frousse. Surtout, ils ont sans doute trouvé ce qu'ils étaient venus chercher. »

Tom tourna les yeux vers Anna, puis tendit le bras pour couvrir sa main de la sienne.

« Bien. »

Un silence s'installa puis l'inspecteur saisit sa tasse, but une dernière gorgée et la reposa.

« Bon. Je ferais mieux d'y aller. Il va y avoir de la paperasse à remplir pour votre assurance, mais ça va s'arranger. »

Ils se levèrent, l'accompagnèrent à la porte.

« Merci encore, inspecteur, dit Anna, soulagée par son départ.

— C'est mon job. »

Puis, glissant son stylo en or dans la poche de sa veste, il ajouta : « Encore une chose. »

Tom leva la tête.

« Oui ?

— Will Tuttle était un voleur. Qui sait qui il a bien pu voler, ce qui pouvait être caché dans cet appartement. De la drogue. Peut-être des bijoux. De l'argent liquide.

— Et ? »

Halden haussa les épaules.

« Non, c'est juste que la vie réserve parfois de drôles de surprises. Et il faut être prêt à toute éventualité.

— C'est-à-dire ?

– Eh bien, ce n'est qu'une hypothèse, mais admettons que quelqu'un ait mis la main sur ce que cachait Will. Ce n'est pas lui qui va maintenant venir le réclamer, il est mort. C'est une aubaine pour celui qui a trouvé la cachette, un coup de chance, à peine du vol. »

Le regard de l'inspecteur était perçant. Anna sentit ses poumons se serrer. Elle avait la bouche sèche et la paume des mains moites. Elle le dévisagea, cherchant quelque chose à répondre.

« Je ne suis pas sûr de comprendre où vous voulez en venir. » La voix de Tom était ferme, le ton légèrement offensé. Cela redonna courage à Anna. Son complice la couvrait quand elle lâchait prise.

« Vous sous-entendez que nous lui avons pris quelque chose ? »

Halden se contenta de leur lancer de nouveau un regard entendu. Il voyait à travers elle, il savait ce qu'ils avaient fait. Il était plus malin qu'elle n'avait cru, plus malin et mieux informé. Et il savait déjà alors qu'ils étaient assis autour de la table de la cuisine pour discuter. Il savait peut-être depuis le début. Anna ressentit l'envie subite de tout avouer. Elle se força à ne pas ouvrir la bouche.

Après un moment qui leur parut interminable, l'inspecteur haussa les épaules.

« En tout cas, si vous vous rappelez quoi que ce soit d'utile, appelez-moi. Le plus tôt serait le mieux. »

Il tendit le bras pour tourner la poignée et ajouta : « Merci pour le café. »

Puis il sortit, laissant la porte se refermer derrière lui.

8

« Tu es sérieuse ?

– Oui. »

Anna s'assit au comptoir de style indien et regarda son mari avaler un bourbon glacé – quasiment sans glace.

« Tu veux toujours garder cet argent ?

– Oui. »

Tom la fixa avec cette expression qu'il affichait quand la confusion et la colère s'emparaient de son esprit. Ce n'était pas son expression la plus aimable et, au fil des années, Anna avait appris à y voir le signe annonciateur d'une engueulade inévitable. Il poussa un soupir, secoua la tête, avala une autre gorgée de bourbon.

« On n'aurait jamais dû le prendre, pour commencer. »

Une pointe d'accusation perçait dans sa voix. L'insinuation que c'était elle la fautive, que lui n'avait fait que suivre. Un instant, elle pensa lui rafraîchir les idées, n'en vit pas l'utilité. Elle préféra hausser les épaules.

« Nous n'en sommes plus là.

– Si j'avais su la vérité...

– Si nous avions su la vérité, nous aurions laissé l'argent et appelé les flics. Mais comment voulais-tu qu'on devine ? Bill était un sale type, OK, mais qui, en voyant son voisin, se dit d'un coup : bon Dieu, mais c'est un dangereux criminel ? »

Elle secoua la tête et reprit :

« Tu l'as dit toi-même, c'était un ermite. Il était plus logique de l'imaginer économiser cent après cent qu'en train de brandir un flingue sous le nez d'un caissier.

– Un caissier ? répéta Tom, incrédule. Ne sois pas si naïve. Ce fric ne vient pas d'un coffre. Je n'imagine pas qu'on puisse prendre quatre cent mille dollars à la banque du coin. Non, cet argent a été volé à quelqu'un, peut-être bien celui qui a coulé un bronze dans nos chiottes cet après-midi. Tu y penses, à ça ?

– Bien sûr.

– Et tu veux quand même le garder ?

– Arrête de jouer les bornés, j'arrêterai de jouer les naïves. » Elle s'adossa aux placards.

« Qu'est-ce que tu veux faire ? Rendre l'argent, ou ce qu'il en reste, en disant qu'on est désolés, que c'était une plaisanterie ? »

Il secoua la tête, avala le reste de son verre en une seule lampée, ouvrit la bouteille et se resservit un bourbon sans prendre la peine d'ajouter de la glace cette fois. Il reboucha la bouteille et laissa son verre sur le comptoir, se frotta le front. Le visage caché par sa main, il reprit :

« Il y a sûrement un moyen.

– Lequel ?

– Peut-être les transactions peuvent-elles être interrompues ? Ou alors, attends... L'argent des dernières cartes de crédit. On peut le récupérer avant qu'il soit débité.

– Vingt-cinq mille dollars sont allés dans les caisses de la clinique. Nous ne pouvons pas les retirer, ceux-là. Et pour le reste, tu veux vraiment prendre un nouveau crédit de cinquante mille dollars en liquide ? On était au bord de la faillite, sur le point de devoir vendre la maison. Ce sera encore pire après ça.

– Alors, oublions ce que nous avons dépensé et rendons le reste. Après tout, les flics ignorent la somme qu'il y avait au départ. »

Elle le dévisagea, les sourcils froncés.

« Tu ne penses pas que le premier flic venu aura l'idée d'aller jeter un œil du côté de nos dépenses récentes ! Et Halden n'est pas le premier flic venu.

– Oui. Mais il nous a quand même mis en garde. Il essaye de nous aider.

– Nous aider ? Il n'essayait pas de nous aider. Il allait à la pêche aux renseignements. Il espérait qu'on allait gaffer, lui dire quelque chose. C'est un flic. Tu crois que si on lui rend l'argent, il va nous rassurer et nous dire que tout est oublié ?

– Je n'imagine pas une seconde qu'on puisse aller en prison pour un truc comme ça.

– Peut-être pas. Mais combien crois-tu que nous coûtera l'avocat ? »

Anna secoua la tête avant de reprendre :

« Si on abandonne maintenant, on va finir deux fois plus endettés qu'au début. On va devoir vendre la maison, peut-être même nous déclarer en faillite personnelle. Tout ça pour quoi ? Une robe trop belle pour être portée et une paire de lunettes de soleil que tu auras perdue dans un mois. »

Il la regarda fixement.

« Quelqu'un est entré chez nous aujourd'hui. Bien sûr, je pense à nos dettes. Mais réfléchis deux secondes. »

Ses yeux étaient accusateurs. Elle lui rendit son regard.

« Pense plutôt à ça, Tom : quelqu'un est entré par effraction, a fouillé l'appartement de fond en comble et n'a rien trouvé. Il sait maintenant que l'argent n'est pas ici. Et rien ne nous relie à l'argent.

– Tu crois qu'il va laisser tomber comme ça ?

– Tu crois que si on rend l'argent aux flics il laissera tomber ? On ne va pas mettre une pancarte devant la maison : "Nous avons rendu l'argent, laissez-nous tranquilles." En plus, réfléchis, quelle raison aurait-il de croire que c'est nous qui l'avons, cet argent ? Il pense sans doute que Bill l'a planqué. Il a fouillé son appart pour vérifier et maintenant, il va chercher ailleurs. »

Il ne trouva rien à répondre. Il se pencha au-dessus du comptoir. Elle connaissait cette position. Bon Dieu, après toutes ces années, elle pouvait déchiffrer sans se tromper chacune de ses expressions ou de ses attitudes. Elle savait que cette position signifiait qu'il réfléchissait, que les émotions les plus vives qui l'animaient un peu plus tôt étaient en train de se dissiper.

« Écoute, dit-elle en décroisant ses jambes engourdies avant de glisser du tabouret pour se planter en face de lui. Je sais que c'est effrayant, mais on doit surmonter ça. »

Il lâcha un soupir. Puis, le regard posé sur son verre, il dit :

« C'est juste que je ne veux pas qu'il arrive un malheur. »

Il avait consciemment laissé de côté le « t' ». Il essayait de la protéger. C'était mignon d'une certaine façon, mais irritant aussi. Elle n'avait pas besoin d'un chevalier en armure pour le moment. Elle avait besoin d'un partenaire, de quelqu'un en mesure de résoudre le problème.

« Je sais, chéri, fit-elle en lui prenant la main. Mais il n'arrivera rien. Nous serons prudents. Nous ne dépenserons pas plus. Il faut oublier pour un moment que nous avons cet argent et vivre normalement. Il ne faut rien montrer, surtout que personne ne puisse avoir le moindre soupçon. Et si les choses ne s'arrangent pas, on pourra toujours le rendre plus tard, ça ne changera pas grand-chose. »

Il joua avec son verre de whisky, les yeux rivés sur le tourbillon doré.

« Tu vas bien ? » demanda-t-elle.

Il haussa les épaules.

« Je déteste ça. J'en ai rien à foutre de cet argent. Vraiment rien. »

Elle poussa un petit grognement dubitatif.

« Tu ne me crois pas ?

— Ce que je ne crois pas, c'est que tu aies besoin de le dire, fit-elle en posant une main sur sa joue rêche d'une barbe naissante. Je te connais, chéri. Tu es meilleur que quiconque. »

Elle lui sourit, vit les petites pattes-d'oie autour de ses yeux, les rides de son front.

« N'y pense pas comme à de l'argent. Il ne s'est jamais agi de ça.

– De quoi s'agit-il alors ? »

La question la surprit. Elle avait cru qu'ils faisaient cause commune, qu'il n'y avait qu'une seule et simple raison de prendre cet argent. La raison la plus simple du monde. L'espace d'un instant, elle le dévisagea, puis elle saisit sa main. Ses doigts étaient plus grands et plus rugueux que les siens. De son autre main, elle souleva son chemisier et posa la paume de Tom sur son ventre, le laissant sentir la chaleur qui s'en dégageait. Elle le regarda sans dire un mot.

Finalement, il hocha la tête. Un geste lent, un rien réticent.

« D'accord. »

Elle ne dormait toujours pas.

Tom était étendu sur le dos, un bras hors du lit, les draps enroulés autour des hanches. Anna était couchée sur le côté et le regardait, sa silhouette se découpant faiblement à la lueur de l'écran lumineux du réveil. Combien de soirs étaient-ils allés se coucher ensemble ? Des milliers. Bien trop de fois pour en tenir le compte. Des milliers de soirs à se brosser les dents, à se démaquiller, à parler des factures à payer, à se raconter des histoires marrantes, à faire l'amour avec passion. Elle sentait l'odeur de sa peau, de ses cheveux. Ses légers ronflements s'accentuèrent derrière le ronronnement régulier du diffuseur de bruit de pluie. Elle lui avait dit qu'elle aimait cet appareil, qu'il la berçait. Elle n'avait jamais eu le cœur de lui avouer que son principal intérêt était de couvrir ses ronflements.

Le sol était frais sous ses pieds. Elle avança avec prudence, esquivant les endroits qui grinçaient. Elle ferma la porte de la salle de bains derrière elle et fit pipi dans le noir, puis elle tira la chasse et alluma la lumière. Elle s'observa dans la glace. Elle ne portait que sa culotte et un T-shirt blanc. Ses cheveux étaient emmêlés, sa peau encore rouge de la marque laissée par l'oreiller. Elle se regarda et se regarda encore et quand elle en eut assez de réfléchir, elle prit sa robe de chambre sur la patère, éteignit la lumière et sortit silencieusement de la salle de bains.

La nuit, la maison était habitée. Les contours familiers paraissaient différents, le comptoir menaçant, la table de la cuisine et les chaises ressemblaient à un insecte pourvu de pattes enchevêtrées. Elle ouvrit sans bruit la porte de derrière.

L'escalier était vieux, uniquement éclairé par un vasistas en Plexiglas. Elle avança à pas prudents, regrettant de ne pas avoir pensé à enfiler des pantoufles. Elle pouvait deviner sous ses pieds nus le rebord des marches en bois. Plus elle descendait, plus l'obscurité s'imposait, jusqu'à ce qu'elle ferme les yeux et se laisse guider par son instinct. Un pas à la fois, doucement. Glisser le pied, avancer, trouver la marche suivante. Lorsqu'elle sentit le béton, elle ouvrit les yeux et chercha en tâtonnant l'interrupteur sur sa gauche.

Une lumière jaune et poussiéreuse combattit faiblement l'obscurité. Le chauffe-eau apparut à sa gauche, le barbecue drapé de toiles d'araignées à sa droite. Il régnait une odeur étrange, piquée d'une pointe d'adoucissant en provenance de la machine à laver. Elle avança – sous ses pieds, le sol de ciment était froid –, veillant à éviter les clous et autres détritus. Elle passa devant la chaudière, forme tentaculaire sombre, puis se dirigea vers le mur et souleva le panneau en contreplaqué qui dissimulait le vide sanitaire.

Ce n'est pas du vol. Non. Je ne le lui prends pas. Je ne suis même pas en train de lui mentir. C'est dans notre intérêt. Il a peur pour moi, il ne peut être assez fort pour nous deux. C'est à moi de le protéger, pas l'inverse.

Elle s'accroupit et tendit le bras dans l'obscurité, tâtonna à l'intérieur, rencontrant tuyaux et poussière, jusqu'à trouver la bride du sac de sport. Elle le sortit en tirant, surprise par son poids. Elle remit le panneau en place et se releva. Puis elle revint sur ses pas. Lorsqu'elle éteignit la lumière, l'obscurité l'enveloppa comme une couverture.

Il peut faire une grosse bêtise, juste pour me protéger. Il est capable de tout laisser tomber. On ne peut pas se le permettre. Il faut qu'on réfléchisse. Qu'on trouve un plan. Il faut être prudent. Ce n'est rien d'autre que de la prudence.

Elle avait un goût amer dans la bouche lorsqu'elle ouvrit la porte d'entrée. L'air était frais, chargé d'odeurs. Une camionnette passa dans leur rue à vive allure, le moteur à plein régime. Elle marqua une hésitation, soudainement consciente de ne porter qu'une robe de chambre, d'avoir les cheveux en bataille. Mais il était plus de 3 heures et il n'y avait personne sur le trottoir. Elle s'approcha de la voiture et fit ce qu'elle avait à faire, recouvrant le sac d'un tas de vêtements qu'elle avait l'intention de donner.

En revenant vers l'appartement, elle sentit une absence dans sa poitrine, un creux terrible. L'air de la nuit, à travers sa robe de chambre, fit se dresser ses tétons et courir un frisson le long de sa colonne vertébrale.

J'ai fait ce qu'il fallait, Tom. Je t'aime. Crois-moi.

Elle accéléra le pas dans l'escalier et se faufila discrètement dans sa propre maison.

9

NON. NON, NON, non. Bordel ! Non !

Jack avait les mains qui tremblaient. Il posa le journal à plat sur le bar afin de pouvoir le lire à l'aise. Comme si le problème venait du tremblement de ses doigts et pas des caractères imprimés noir sur blanc dans la *Tribune*.

Will Tuttle le dévisageait. Le cliché datait d'au moins deux ans. Will était alors dans sa période Hollywood, les cheveux enduits de gel et savamment décoiffés surplombant une expression qui disait va-te-faire-foutre : celle que tout criminel affiche lorsqu'il se fait tirer le portrait. Et à côté, un gros titre qui changeait la donne du tout au tout : UN HOMME SOUPÇONNÉ DE MEURTRE RETROUVÉ MORT DANS SON APPARTEMENT DE LINCOLN SQUARE.

L'article expliquait que Will Tuttle était considéré comme l'un des principaux suspects dans la récente affaire du braquage dont avait été victime la Star et qui avait fait deux morts. Qu'il était un criminel avec à son actif agression et vol à main armée et qu'il vivait sous une fausse identité. Que ses propriétaires, Anna et Tom Reed, entendant l'alarme incendie, étaient entrés dans son appartement et l'avaient découvert mort, visiblement victime d'une overdose. La police n'avait aucun commentaire à faire pour le moment, sinon qu'elle poursuivait activement toutes les pistes pour résoudre l'affaire du braquage.

Ils étaient en planque devant la maison depuis des jours et, pendant tout ce temps, Will était déjà mort. Mort et enterré.

Marshall prit son café et en but une gorgée. Il fit un signe à la serveuse et la remercia lorsqu'elle remplit sa tasse. Jack serra les poings, ses ongles s'enfonçant dans ses paumes. Bobby était mort et il n'y avait plus personne à qui il pouvait faire payer ça. Plus de moyen de rééquilibrer la balance. En crevant, cet enfoiré l'avait mis dans une impasse.

« Faudrait penser à foutre le camp », lâcha Marshall.

Jack attrapa le journal sur le comptoir, le froissa jusqu'à en faire une boule, puis l'envoya dans la poubelle à l'autre bout du bar. Un routier, deux tabourets plus loin, le fixa d'un regard dur. Jack lui rendit la pareille.

« T'as un problème ? »

L'homme secoua vivement la tête, reporta son attention sur ses œufs. Jack ne détourna le regard que lorsque la fourchette du routier se mit à trembler.

Marshall se racla la gorge.

« Tu m'écoutes ?

– Une overdose, nom de Dieu ! Il s'en est gentiment allé comme s'il faisait un petit somme.

– Tu as eu ce que tu voulais, œil pour œil. Son neveu a sacrément morflé.

– Ça ne suffit pas.

– Tu veux aller pisser sur sa tombe ? demanda Marshall avec un haussement d'épaules. Pas de souci. On laissera à cette ordure un beau cadeau pour son repos éternel. Mais après ça, on se sépare. »

Jack se frotta les yeux. Des étoiles pourpres dansèrent sous ses paupières.

« Ils ne parlent pas du fric dans le journal.

– Ils ne vont certainement pas communiquer ce genre d'info.

– Peut-être. Mais s'il avait été là-bas, on l'aurait trouvé.

– Alors, il l'a planqué ailleurs. C'est une grande ville. »

Jack but une gorgée froide et amère de son café. Il essaya de réfléchir à ce qu'il savait de Will. Pas grand-chose, en fait. Ils avaient monté quelques coups ensemble, mais le type était plutôt discret. S'il avait refilé l'argent à un de ses potes, Jack ne voyait pas comment il pourrait mettre la main dessus. Pire encore, le fric pouvait être planqué dans un coffre. Un souvenir de Bobby lui revint en mémoire. Cette nuit-là, alors qu'il regardait la mallette, ses yeux s'étaient embrasés d'émerveillement. Son frère était mort pour ce blé.

« Je ne pars pas. Pas sans l'argent.

– Quel argent ? demanda Marshall avec un haussement d'épaules. C'est fini, mec.

– On pourrait fouiller son appart encore une fois.

– Pour quoi faire ? Tu l'as dit toi-même, s'il avait été là, on l'aurait trouvé.

– Il doit y avoir quelque chose là-bas. Un truc qui nous donnera au moins une indication.

– Tu crois qu'il a laissé une carte au trésor ?

– Un carnet d'adresses, peut-être. Ou un reçu. »

L'image de son père lui traversa l'esprit. Il revit ses mains rugueuses esquissant des gestes lents tandis qu'il se penchait au-dessus d'une des maquettes d'avion sur lesquelles il passait des heures. Il se servait d'un petit morceau de balsa pour mettre la colle sur une aile. Il levait les yeux pour regarder son fils qui l'observait, lui souriait avant de lui dire, dans un anglais à l'accent prononcé : « Un pas à la fois, *synku*. Tu fais ça, tu peux faire tout. »

Marshall aspira l'air à travers ses dents, pianota des doigts sur le bar.

« J'en sais rien, Jack.

– Attends une seconde. Peut-être qu'ils étaient potes. Ou qu'ils savent qui il voyait. »

Une autre pensée le frappa, et il se passa la main sur le menton.

« Bordel de merde. C'est ça. Ils étaient chez lui. Avant nous. Avant les flics.

– Qui ça ?

– Les proprios, fit Jack tout en réfléchissant. Tom et Anna Reed. »

« Croyez-moi. Ça ne me ravit pas plus que vous. »

Christopher Halden se cala dans son fauteuil, les pieds posés sur le bureau qu'il partageait avec Karpinski, l'inspecteur qui assurait l'autre service. Le côté qu'occupait Halden était bien rangé, chaque chose parfaitement à sa place : la bannette de chemises cartonnées, le nécessaire d'écriture, la liste téléphonique des médecins légistes épinglée au mur à côté d'une photo du chalet qu'il louait au nord du Wisconsin. Karpinski, lui, était un porc. Les restes de son sandwich au thon gisaient au-dessus d'une pile branlante de paperasse.

« Comment ça a pu arriver ? Pourquoi ne nous l'avez-vous pas dit dès le début ? »

La voix d'Anna Reed n'était qu'un mince filet à travers le téléphone.

« Nous ne vous avons rien dit parce que jusqu'à présent, ça reste une hypothèse. Votre locataire, Will Tuttle, est le complice notoire d'un homme retrouvé mort près du lieu du braquage. Ce qui veut dire...

– J'ai lu la presse.

– D'accord. Donc, vous savez que le fait qu'ils aient été associés sur des affaires précédentes ne signifie pas forcément que Tuttle était impliqué dans celle-ci. Mais quelqu'un, sans doute une personne du bureau du légiste, s'est emballé et a contacté un journaliste.

– Mais ils ont cité nos noms ! Comment ont-ils pu faire ça ?

– Vos noms n'ont rien de confidentiel. Un coup de fil suffit pour apprendre que vous êtes les propriétaires. Et les détails sur la découverte du corps sont dans le rapport de police.

– Donc, ce que vous êtes en train de dire, c'est que quelqu'un a simplement...

– Ce que je dis, c'est que quelqu'un de chez nous a balancé l'info à la presse. Si je trouve le responsable, j'aurai sa tête. Mais c'est bien tout ce que je peux faire pour l'instant. »

Il réprima un soupir. Ça commençait à le fatiguer de devoir afficher cette assurance calme, de se montrer protecteur. Parfois, il avait juste envie de hurler à ses interlocuteurs d'arrêter de se plaindre. Qu'ils essayent de faire son boulot pendant ne serait-ce qu'une semaine, d'enquêter sur des cadavres refroidis depuis une vingtaine de jours, sous la chaleur écrasante du mois d'août, ou sur des mômes de 8 ans qui avaient pris une balle perdue au cours d'un règlement de comptes. Ils verraient ensuite si leurs petits problèmes leur pesaient toujours autant.

Il y eut une longue pause, puis Anna reprit la parole d'une voix nerveuse :

« Vous croyez qu'il est impliqué dans cette affaire ?

– Le braquage ? »

Halden prit son stylo, le fit tourner entre ses doigts, l'or étincelant sous les néons, et demanda :

« Pourquoi cette question ?

– Je me disais que celui qui est entré par effraction cherchait peut-être l'argent.

– De quel argent parlez-vous ?

– Celui qu'ils ont volé, dit-elle. Non ?

– Ne mettons pas la charrue avant les bœufs, d'accord ? fit Halden de la voix qu'il réservait habituellement aux membres des familles en deuil. Les hommes qui ont fait ce braquage sont des criminels patentés. On leur connaît de nombreux complices. Peu importe ce que raconte l'article, il n'y a aucune raison objective de croire que Tuttle en faisait partie. »

Elle s'apprêta à répondre, mais s'arrêta. Comme si elle avait été sur le point d'argumenter avant de se raviser.

« Oui, vous avez raison.

– Écoutez, madame Reed, si vous ne vous sentez pas en sécurité, je vous conseille de partir quelque temps. Allez dans votre famille. Ou achetez-vous un chien.

– Nous avons fait installer une alarme.

– Bien. C'est très bien. »

Il regarda sa montre. Midi vingt. S'il voulait faire quelque chose de sa journée, il allait devoir passer moins de temps au téléphone à faire du SAV.

« Maintenant, à moins qu'il n'y ait autre chose que je puisse faire pour vous...

– Non, répondit Anna Reed. Merci de m'avoir consacré un peu de votre temps. Vous nous informerez si vous découvrez quelque chose ? »

Il le lui promit et raccrocha. Pour la dixième fois de la matinée, il regarda la photo, le chalet à l'ouest de Minocqua. À l'origine, il avait été construit pour les parties de chasse, mais avec Chicago, Halden avait son compte de battues. Non, quand il aurait fait ses vingt-neuf années plus un jour, il achèterait cette bicoque au propriétaire à qui il la louait, il y emménagerait avec un chien, y apporterait un carton de livres, vingt kilos de café en grains et emmènerait peut-être aussi Marie, s'il arrivait à la convaincre que soixante-quinze pour cent du salaire d'un flic suffisait pour vivre à deux.

Il fut un temps où il avait rêvé de partir avec les honneurs, à un grade plus élevé, mais l'envie s'était dissipée avec les années. Le moindre flicard qui faisait de la lèche et savait montrer un minimum de sens politique grimpait les échelons. Ce n'était pas son truc. Pas grave. Un jour glorieux, il mettrait la forêt nationale de Chequamegon autour de lui comme on s'enfonce sous une couverture bien épaisse une nuit de février, et n'en ressortirait plus. Il se contenterait de lire, de marcher, de faire l'amour. Voire de pousser jusqu'à Iron River le samedi soir pour s'envoyer une bière ou deux.

Il referma le dossier qu'il avait étalé devant lui, le tapota contre le bureau pour aligner les feuilles à l'intérieur et le posa dans la bannette, se demandant pensivement si Will Tuttle avait pris part à ce vol. Il s'en fichait un peu. Cette affaire était une vraie merde et il était bien content qu'on ne la lui ait pas confiée. Évidemment, celui qui la résoudrait aurait droit à un pont d'or : promotion, presse, citations, toute la panoplie. Mais les braqueurs étaient des pros et personne n'avait la moindre piste. Sa main à couper qu'ils étaient en train de se dorer la pilule à Key West, à se partager les quatre cent mille dollars.

Un instant. L'argent.

Aucune information n'avait été divulguée à ce sujet. Tout ce que le public savait, c'était que la Star avait été braquée, un garde du corps et un criminel descendus. Ils ignoraient tout de l'argent volé. L'avocat à cinq cents dollars l'heure de la Star s'en était assuré. Pourtant, Anna Reed avait dit : *Ils cherchaient peut-être l'argent.*

Ce n'était peut-être rien. Le commentaire désinvolte d'un citoyen à l'imagination débordante.

Ou alors, c'était une piste.

Il se frotta le menton. Le téléphone sonna, mais il l'ignora. Il ne pouvait décemment pas remuer ciel et terre pour ça. Les inspecteurs chargés de l'affaire apprécieraient sans doute son concours, mais s'il se trompait, non seulement il perdrait du temps, mais surtout sa crédibilité en prendrait un coup. C'était une intuition, rien de plus. Une impression qu'il fallait approfondir un peu.

Halden leva les yeux vers les néons, tapotant ses lèvres de son index.

Il y avait un moyen de vérifier tout ça, bien sûr. Ce n'était pas très légal, mais personne n'était forcé de le savoir. Une fois qu'il aurait ce dont il avait besoin, il pourrait revenir en arrière et faire le boulot dans les règles. Il prit le téléphone et composa un numéro.

« Christopher Halden ? *Inspecteur* Christopher Halden ? Que me vaut l'honneur ? Tu es prêt à parier cent billets sur les Cubs ?

– Jamais de la vie, Tully. C'est notre année.

– Dieu aime les optimistes.

– C'est ce qu'on me dit toujours. Dis-moi, tu fouines encore un peu dans les affaires privées de nos concitoyens ?

– Tu t'amuses toujours avec des cadavres ?

– Il faut bien gagner sa croûte. J'aurais besoin que tu vérifies un truc pour moi.

– Laisse-moi attraper de quoi noter. »

Il y eut un bruit de chaise qui craque puis Lawrence Tully fut de retour.

« OK. Vas-y.

– Reed, dit-il en épelant. Thomas et Anna. L'adresse, c'est... »

Halden ouvrit son carnet, feuilleta les pages, lui lut l'adresse.

« Je suis curieux de savoir si M. et Mme Reed ont touché de l'argent récemment.

– Compris. Tu veux juste les généralités ou je creuse en profondeur ?

– Quelque part entre les deux.

– Pas de problème. Quand est-ce que j'aurai la demande officielle ?

– Pas de document officiel sur ce coup, Tully. »

Il y eut un silence à l'autre bout du fil.

« Je sais que ça fait un bout de temps qu'on est partenaires toi et moi, reprit Tully. Je sais que je ne suis qu'un modeste courtier en informations avec quelques amis ici et là, mais je jurerais avoir vu quelque part que, à moins que tu n'aies une assignation ou le consentement écrit d'un juge...

– Ce n'est pas pour un tribunal. »

Nouvelle pause.

« Affaire personnelle ?

– Pas exactement. Juste une intuition. Ça ne sera pas dans les rapports. »

Tully soupira.

« Tu veux dire que je bosse gratis ?

– Je t'offrirai un bon steak et ma reconnaissance éternelle.

– Le bonheur, fit Tully avant de s'éclaircir la gorge. D'accord, ça marche. C'est bien parce que c'est toi et que t'es un type bien. Donne-moi deux jours. Les affaires où je gagne rien, je les case quand je peux.

– Je te revaudrai ça.

– Ouais, ouais. Pense à moi quand tu toucheras le gros lot. »

La boîte aux lettres était vide. Étant donné le flot quotidien de prospectus, c'était étrange, mais Anna ne s'en préoccupa pas plus que ça. Elle grimpa l'escalier et ouvrit la porte de leur appartement.

Le dispositif de l'alarme nouvellement installée émit un petit bip et elle se dépêcha de composer le code. Le système l'effrayait un peu. Elle n'en avait jamais eu et même si ça semblait un jeu d'enfant, elle se disait qu'il ne faudrait pas longtemps avant qu'elle oublie de le désactiver ou qu'elle fasse un mauvais code et finisse clouée au sol dans son propre appartement par un agent de sécurité bodybuildé.

Tom avait appelé et pris rendez-vous le jour même de l'effraction. Il la protégeait, encore. Évidemment, les installateurs ne se déplaçaient que pendant les heures de bureau et, comme il fallait s'y attendre, Tom avait une réunion importante. Alors, une fois de plus, elle avait appelé sa boîte pour dire qu'elle était malade. Heureusement, elle était tombée sur le répondeur. Elle avait laissé un message. Lauren n'allait pas être contente, et après ? De toute façon, Anna avait déjà prévu de prendre son après-midi pour garder son neveu.

Elle avait ainsi passé la matinée à observer une équipe de techniciens polis découper leur mur et installer des détecteurs à leurs fenêtres. L'un d'entre eux l'avait initiée au système, lui montrant comment entrer le code, comment le changer. Tom avait exigé ce qui se faisait de mieux. Une option permettait, par exemple, d'arrêter l'alarme tout en envoyant un signal discret à la police. Quoi qu'il en soit, une fois qu'elle aurait mis l'argent en lieu sûr, ils ne risqueraient plus rien.

Cette pensée fit courir en elle un frisson de culpabilité qu'elle refoula une fois de plus. Elle se contentait simplement de faire preuve de prudence, rien d'autre. Tom serait bien sûr dans tous ses états s'il découvrait ce qu'elle avait fait. Il n'y avait cependant guère de chance qu'il s'en aperçoive puisqu'ils étaient convenus de ne plus toucher à l'argent tant que les choses ne se seraient pas calmées.

Son portable sonna. Le bureau. Elle faillit répondre, se ravisa. Puis elle composa le code, attrapa ses affaires, mit ses lunettes de soleil et se précipita dehors, refermant la porte sur le bip-bip régulier de l'alarme.

« Pourquoi on la chope pas simplement ? demanda Marshall la bouche pleine de frites. Si elle sait quelque chose, on s'en apercevra vite.

– On n'est sûrs de rien. Si ça se trouve, elle n'a rien à voir avec tout ça. »

Il attendit que la Pontiac tourne de Racine Avenue dans Wolfram Street avant de s'engager pour la suivre, à bonne distance.

« Surtout, s'il lui arrive quelque chose, les flics vont vite flairer quelque chose. C'est pas le moment de faire des vagues. Il faut qu'on soit sûr, ajouta-t-il.

– Elle s'arrête.

– J'ai vu. »

Jack mit son clignotant et gara la voiture. Dieu bénisse cette ville, son mouvement incessant. Suivre quelqu'un sans se faire remarquer était ici un jeu d'enfant. Anna Reed ne jeta même pas un œil dans leur direction tandis qu'elle refermait le coffre de sa Pontiac. Elle jeta un sac de sport sur son épaule et avança d'un pas lourd dans l'allée d'une des maisons en pierre grise. Il la regarda s'éloigner, observant le balancement de ses hanches. C'était une belle femme, il émanait d'elle cette sérénité des gens sans histoire.

« Et maintenant ?

– On observe. »

« Oh, ma pauvre petite poupée de chiffon ! »

Sara ouvrit la porte à la volée puis avança, les bras écartés devant elle. Elle portait une chemise d'homme en flanelle, souvenir d'un ancien petit ami, sans aucun doute, et ses cheveux étaient rassemblés en queue-de-cheval.

« Salut, ma puce ! »

Anna fit tomber le sac de sport et laissa Sara la prendre dans ses bras. Un jour, Tom avait remarqué que rien ne valait les étreintes de Sara. Bien qu'Anna eût ressenti sur le moment une pointe de jalousie, elle y repensait chaque fois que Sara la serrait contre elle. Sa sœur avait tout simplement une façon de prendre les gens dans ses bras qui était sans pareille, totale et absolue.

« Comment te sens-tu ? »

Elle avait posé la question dans un murmure où perçait l'inquiétude.

« Bien ! »

Avec tout ce qui s'était passé ces derniers jours, il lui fallut un moment pour comprendre que Sara faisait allusion à sa FIV ratée. En temps normal, cela aurait rouvert la blessure, mais les choses étaient différentes désormais.

« Mieux que la semaine dernière, en tout cas. »

Sa sœur recula d'un pas, lui sourit.

« Je suis contente, fit-elle en lui pressant le bras. Allez, entre. »

Anna lui emboîta le pas, sachant pertinemment ce qui allait suivre. Elle prit une profonde inspiration, serra les dents. La maison sentait le lait, les couches et le talc, les nuits passées à rassurer et câliner, les siestes à deux l'après-midi. Elle sentait l'espoir et les promesses et aussi la dépendance et l'amour. La transpiration et la lumière dorée des fins d'après-midi.

Elle sentait le bébé.

Comme à chaque fois, quelque chose se brisa en elle, s'envola au loin comme un cerf-volant dont on aurait laissé échapper la ficelle. Elle éprouvait cette sensation inévitable chaque fois qu'elle était invitée à fêter une naissance ou lorsqu'elle allait acheter des babygros pour les enfants des amis de fac perdus de vue depuis longtemps. Parfois même, la seule vision d'une femme enceinte, au visage respirant la plénitude, suffisait. Comme à son habitude, elle se réfugia dans les futilités pour cacher son malaise.

« Ta maison est toujours impeccable. »

Sara, sur le chemin de la cuisine, répondit par-dessus son épaule : « Oui, je m'enfile de l'ecstasy avec les strip-teaseurs du Spin et l'instant d'après je me transforme en Betty Crocker, la reine du gâteau. »

Elle secoua la tête.

« Tu sais, il m'arrive de me demander comment j'en suis arrivée là. »

Sa voix était lasse mais ne laissait transparaître aucune pointe de regret ni d'amertume. Anna se força à sourire.

« Pour Betty Crocker, n'exagérons rien. Au moins, elle, elle sait cuisiner. »

Un siège pour bébé suspendu à des liens élastiques était installé dans l'entrée. Elle tira dessus et le siège s'agita de haut en bas.

« Où est le petit babouin ?

– Il dort, Dieu merci ! Café ?

– Oui. »

Elle poussa un hochet en plastique et s'assit à la table. Sara se retourna, deux tasses de café dans les mains et un paquet de biscuits coincé sous le bras.

« Y a quoi dans le sac ?

– Des affaires de sport », répondit Anna.

Le mensonge sortit tout seul, sans difficulté.

« Je me suis dit que ça me ferait du bien de faire un tour à la salle de gym après. »

Sara déchira l'emballage des cookies.

« Alors, comment ça va pour de vrai ?

– Je vais bien, fit-elle en prenant une gorgée du café trop chaud. C'est plus facile à chaque fois. C'est une chose horrible à dire, non ?

– Oh, ma puce.

– Je ne sais pas. Peut-être la prochaine fois.

– Vous allez réessayer ?

– Oui. Tôt ou tard, la chance va bien finir par nous sourire, non ?

– Oui, mais je croyais... »

Sara leva la tête.

Merde ! Elle avait oublié que sa sœur était au courant de leur situation financière désastreuse.

« On peut vivre à crédit encore un temps. »

Ça sonnait faux, mais Sara n'insista pas. Elles restèrent assises dans un silence gêné pendant un moment puis Sara prit la parole.

« Allez, viens. Tu vas m'aider à m'habiller. »

Elle prit sa tasse de café et ouvrit le chemin. Anna se laissa tomber sur le lit tandis que sa sœur ouvrait son dressing.

« Ça va avec Tom ? demanda Sara d'une voix détachée.

– Bien. Mais c'est pas facile, répondit Anna en jouant avec les rebords de la couette. On s'aime, pourtant ce n'est pas toujours évident.

– À qui le dis-tu ! D'où ma règle absolue : six mois maxi pour un mec. »

Anna lâcha un petit rire.

« C'est bizarre. Plus tu aimes une personne longtemps, plus tu as du mal à dire pourquoi. »

Elle leva les yeux tandis que sa sœur sortait du dressing une robe d'un rouge éclatant au décolleté plongeant.

« Non.

– Non quoi ?

– Tu cherches une promotion canapé ?

– Si encore je dégotais un patron qui ressemble à George Clooney. »

Elle disparut une nouvelle fois dans le dressing.

« C'est important de savoir pourquoi tu l'aimes ?

– C'est juste que tu t'habitues tellement à l'idée d'aimer quelqu'un que tu oublies de l'aimer vraiment. »

Elle s'étira sur le lit pour regarder une photo sur la table de nuit : Sara et trois copines sur une banquette de bar, la tête de sa sœur renversée en arrière dans un grand éclat de rire.

« Je peux te demander quelque chose ?

– Vas-y.

– Tu es sûre que Tom a autant envie d'un bébé que toi ? »

Heureusement, Sara ne pouvait pas voir son visage.

« Je sais pas. Tout se mélange : il en veut un et il veut me faire plaisir.

– Et ça ? »

Sara tendit un bras par la porte et montra un tailleur à fines rayures.

« Bof.

– Ça te fait peur ? demanda-t-elle en rentrant son bras.

– Tu plaisantes ? »

Anna ouvrit le tiroir de la table de chevet, regarda à l'intérieur, à la fois pour passer le temps et pour satisfaire sa curiosité. Baume pour les lèvres, mouchoirs, vibromasseur en argent – d'accord, elle n'avait pas besoin de voir *ça* –, cartes postales.

« Évidemment que ça me fait peur, continua-t-elle.

– Comprends-moi bien, je pense qu'il ferait un superpapa, mais... »

Sara s'interrompit.

« Je sais, coupa Anna en examinant les cartes postales – un danseur de flamenco en noir et blanc, un motif orange et vert avocat, une volée d'oiseaux. Ça me fait peur, c'est sûr. Mais pour être honnête, je ne crois pas que ce soit le problème. Tu l'as déjà vu avec des enfants ? Il devient complètement... »

Elle se tourna pour remettre les cartes postales en place et resta bouche bée.

« Complètement quoi ?

– Pourquoi as-tu un revolver ?

– Hein ? »

Il était sous les cartes postales. Un revolver, petit, du genre de ceux que portent les flics dans les vieux films. Anna l'observa, partagée entre l'envie de le toucher et celle de s'en éloigner.

Sa sœur sortit du dressing, une chemise blanche à la main et une expression coupable sur le visage, qu'elle dissimula vite derrière une attitude agressive.

« Toujours en train de fouiller !

– Pourquoi as-tu un flingue, Sara ? »

Elle haussa les épaules.

« Un copain me l'a donné quand j'ai emménagé en ville, un flic. Il m'a dit que les femmes seules...

– Un copain flic ?

– OK, un petit copain flic.

– Et tu as gardé le revolver ?

– Sur le coup, j'ai trouvé ça romantique. Quand on a rompu, je ne savais pas quoi en faire.

– Et Julian ?

– Il est trop petit pour fouiller dans les tiroirs.

– Tu te fous de moi ? explosa-t-elle en dévisageant sa sœur, sentant la colère l'envahir. Tu sais combien de parents ont dit ça après que leurs enfants ont eu un accident ?

– N'exagérons rien. »

Anna soutint son regard, haussa les sourcils. Après un instant, Sara roula des yeux.

« OK. Je vais m'en débarrasser.

– C'est bien.

– Je veux dire, je vais le mettre hors de sa portée... »

Puis, montrant un chemisier : « Et ça ? »

Anna fit oui de la tête, jeta les cartes postales pour recouvrir le pistolet et referma le tiroir. Elle soupira et dit :

« Avec la jupe grise.

– La courte ?

– La longue. »

Sara lança le chemisier sur le lit.

« T'es pas drôle. »

Elles finirent leur café puis allèrent voir Julian. Il était étendu dans son berceau, ses petits bras potelés en croix, les cheveux en bataille. Les yeux ouverts, il fixait le mobile de formes noires et blanches au-dessus de lui. Lorsqu'il vit Anna, il gazouilla, sourit et lâcha un petit pet. De fines aiguilles vinrent se planter dans le cœur d'Anna.

« Alors, on est réveillé ! s'exclama Sara d'une voix enfantine surfaite. Regardez mon bébé ! »

Elle se pencha et l'attrapa, une main derrière sa tête.

« Tu deviens lourd, mon pépère !

– Bonjour, toi », murmura Anna.

Elle tendit un doigt que Julian enserra de son petit poing. Alors, elle sut. Ils allaient faire ce qu'il fallait. Avec l'argent, ce serait possible. C'était comme dans les contes de fées. Une lampe magique allait exaucer leurs vœux. Et elle n'en avait qu'un, de vœu.

Le placard du linge de maison ? Ouvert trop fréquemment. Sur l'armoire ? La couche de poussière était un bon signe. Mais il n'y avait pas assez de place.

Son portable sonna, elle l'ignora. Sous le lit ? Trop risqué.

Une fois Sara partie dans un tourbillon de jurons et de recommandations, Anna avait fait faire son rot à Julian et changé sa couche, nettoyant et talquant ses petites fesses. Il avait pleuré un moment, jusqu'à ce qu'elle mette un CD, *Prolonging the Magic* de Cake. Elle avait dansé dans toute la maison en le faisant sauter en rythme dans ses bras et en lui chantant que les moutons allaient au paradis et les chèvres en enfer. Elle l'avait fait gazouiller et rire, il avait balancé ses petits poings comme s'il applaudissait.

« Dix mois et déjà une star du rock ! Tu vas en briser des cœurs, bonhomme. »

Lorsqu'il en eut assez de leur duo, elle l'installa à son « bureau » : un arceau en plastique avec des jouets brillants et un siège en toile suspendu au milieu. Il frappait les objets avec un bonheur non dissimulé. Elle le traîna dans le couloir pour pouvoir garder un œil sur lui tandis qu'elle faisait les cent pas dans la maison.

Le salon n'offrait que peu de possibilités. Une penderie pour les manteaux, deux placards remplis de DVD, une étagère. Surtout, l'endroit lui paraissait trop exposé. La chambre offrait un meilleur choix. Mais elle n'y trouva pas de cachette idéale.

Fouiller ainsi la maison de sa sœur à la recherche d'une bonne planque pour dissimuler de l'argent volé n'était pas très glorieux. Elle réfléchit à la possibilité de louer un coffre, mais rejeta l'idée. D'abord, c'était trop risqué. Les caméras, la sécurité.

Les flics de service. Surtout, il lui fallait un endroit accessible à tout moment. Discret et accessible.

La cuisine offrait un certain potentiel. Pour sa sœur, faire un simple cheese-burger relevait déjà du défi. Elle avouait elle-même que ses talents culinaires se résumaient à commander ses repas. Le placard à côté de la gazinière était plein à craquer de chaussures. Deux paquets de pain blanc étaient rangés dans le four. Anna s'accroupit, regarda dans un placard qui contenait une poêle à frire, une casserole et un grand faitout. Peut-être si elle le poussait bien au fond ? Elle se pencha à l'intérieur pour voir l'espace disponible. Elle enleva les ustensiles de cuisine et remarqua, sous l'étagère, un vide suffisant pour caser le sac. Elle réussit tant bien que mal à pousser celui-ci à l'intérieur, en le tassant. C'était parfait. Une fois les casseroles remises en place, on ne le voyait plus.

Elle ouvrit le frigo, prit une canette de Coca light qu'elle ouvrit en retournant au salon. C'était une journée magnifique, qui oscillait entre printemps et été. Elle regarda la lumière du soleil se frayer un chemin à travers les arbres et les buissons et disparaître dans les ombres de l'après-midi. La rue était calme, seulement perturbée par une femme en short qui promenait son chien et par les bruits étouffés d'un chantier. Deux hommes étaient assis dans une Honda noire de l'autre côté de la rue. Alors qu'elle la regardait, la voiture démarra et s'éloigna.

L'argent serait en sécurité ici. Si jamais Sara tombait sur le sac, elle le reconnaîtrait et appellerait Anna. Il faudrait tout lui raconter, mais elle était convaincue que sa sœur comprendrait. L'important, c'est qu'il n'y avait désormais plus de preuve compromettante chez eux.

Elle s'assit en tailleur devant Julian. Il appuyait sans cesse sur un bouton qui faisait meugler une vache. Et chaque fois, il gazouillait, étonné. Elle se demanda si c'était le bruit qui le surprenait ou le fait que ce soit lui qui en était responsable. Sans doute cette dernière solution, décida-t-elle. Voilà ce qui était merveilleux avec les bébés. Tandis qu'ils découvraient le monde, on le redécouvrait avec eux. Ils étaient si fragiles, mais ils avaient pourtant une incroyable capacité à...

Bon Dieu, qu'était-elle en train de faire ?

À ce point obnubilée par le fait de trouver une cachette sûre, elle n'avait pensé à rien d'autre. Mais là, assise face à Julian, à le regarder appuyer sans relâche sur son bouton, la réalité la frappa de plein fouet. Avait-elle vraiment caché de l'argent volé dans la maison de sa sœur ? De l'argent pour lequel des hommes étaient déjà morts ?

Elle se releva, prise d'un soudain vertige. Elle courut jusqu'à la cuisine, ouvrit d'un geste brusque le placard, écarta sans ménagement poêles et casseroles puis saisit la bride du sac et le tira à l'extérieur. Non. Pas question.

Elle n'avait pas changé d'avis depuis la veille. Ainsi qu'elle l'avait dit à Tom, les chances pour que le cambrioleur remonte jusqu'à eux étaient infimes, et elle était prête à en prendre le risque. Le jeu en valait la chandelle. Mais il n'était pas question de mettre qui que ce soit d'autre en danger. À nouveau, son portable sonna. Encore effrayée par ce qu'elle avait failli faire, elle répondit sans regarder qui l'appelait.

10

EN MORDANT DANS SON SANDWICH, Tom s'étonna de ne
ressentir aucune colère. Il se sentait bien. Mieux que bien.
De bonne humeur. Enjoué.

Plutôt inattendu. La matinée avait été désastreuse. Il s'était
fait passer un savon par le patron de son patron. Politique
interne, guerre de territoires qui concernait ceux situés deux
niveaux au-dessus de lui ; malgré cela, il avait servi de bouc
émissaire. On avait remis en question le projet qu'il dirigeait
depuis des mois. Il avait dû faire face à un feu nourri de questions, d'humiliations. Daniels, son chef, qui avait pourtant
donné son aval à chaque étape, était resté assis silencieux et
grave, comme si Tom l'avait déçu.

Tout cela aurait dû le mettre sur les nerfs. Et d'une certaine façon, il l'était, mais curieusement il ne pouvait se
départir d'une espèce de légèreté. La raison en était toute
simple : au beau milieu de la réunion, il s'était rendu compte
que c'était sans importance. Que s'il le voulait, il pouvait
mettre l'album de Dropkick Murphys sur son iPod et quitter
la pièce d'un air digne, les majeurs bien dressés. C'était une
image idiote mais récurrente, qu'il avait souvent eue alors
qu'il commençait sa vie professionnelle. Un rêve de gosse,
le vieux fantasme d'avant les responsabilités. Ou de quelqu'un qui aurait un sac de sport contenant plus de trois cent
mille dollars.

Il prit une autre bouchée de son bœuf italien, mâcha avec un plaisir évident, appréciant le croustillant des piments rouges au milieu d'une onctueuse tranche de viande. Ses doigts luisaient tandis qu'il tournait les pages de son roman. Mr. Beef était une institution à Chicago, et, tant pis si le temps de trajet était incompatible avec l'heure allouée pour la pause-déjeuner, aujourd'hui, il n'en avait rien à carrer d'arriver en retard.

Au début, il avait pensé qu'Anna avait perdu la tête de vouloir garder l'argent, surtout après l'effraction. Chose curieuse, c'était l'article dans le journal reliant Will Tuttle au braquage de la Star qui avait chassé ses doutes et calmé ses aigreurs d'estomac. Oui, l'argent était volé et il supposa que, dans un monde en noir et blanc, le fait de vouloir le garder faisait de lui quelqu'un de pas très fréquentable. Mais il avait été volé à une star de cinéma qui touchait quinze millions par film, même quand il s'agissait d'un navet à propos d'un astéroïde. Sans compter toutes ces rumeurs véhiculées par la presse à propos d'un deal de drogue qui aurait mal tourné.

« Je peux ? »

Un Noir élégamment vêtu indiqua d'un geste de la main la banquette libre en face de Tom. La foule du déjeuner était en train de se disperser et d'autres places étaient disponibles mais Tom haussa les épaules.

« Je vous en prie. »

Finalement, l'argent était aussi bien dans leur poche que dans celles d'un gamin d'Hollywood ou dans celle des malfrats qui l'avaient pris pour cible.

De l'autre côté de la table, l'homme glissa précautionneusement une cravate argent entre le quatrième et le cinquième bouton de sa chemise orange.

« J'adore prendre une saucisse de temps en temps mais ça peut être salissant. Et après, c'est la chienlit. »

Tom ne répondit pas, se contenta de plonger une frite dans le ketchup et de la fourrer dans sa bouche. En général, il avait une alimentation plutôt saine mais parfois le besoin de nourriture grasse se faisait sentir.

« Oui, monsieur, continua l'homme. Et personne n'aime quand c'est la chienlit. N'ai-je pas raison ? »

Sans lever les yeux, Tom acquiesça.

« La chienlit, poursuivit l'homme, tenant son sandwich entre ses doigts effilés, ça perturbe l'esprit et un esprit perturbé est toujours faible. »

Tom posa un doigt dans la marge de son livre. L'homme n'avait pas l'air cinglé. Le costume était de qualité et hors de prix et la fine moustache sur sa peau sombre lui donnait un air grave. Il ressemblait à un entrepreneur ou à un politicien qui aurait du goût.

« Vous êtes d'accord avec moi, monsieur Reed ?

— Quoi ? Comment...

— Vous êtes d'accord qu'un esprit perturbé est un signe de faiblesse ?

— Je suis désolé. Est-ce que nous... nous connaissons ?

— Et vous savez quel est le problème avec la faiblesse ? Si vous faites preuve de faiblesse, vous êtes sans défense face à vos ennemis. Le monde se définit par des rapports de forces. Lorsque vous vous montrez fort, la violence n'est pas nécessaire. La menace est suffisante. Mais pour cela, encore faut-il qu'on ne vous considère pas comme un faible. »

L'homme mordit dans sa saucisse, mâcha lentement. Il prit sa serviette et s'essuya les doigts, méticuleusement, puis reprit : « Vous aimez votre femme, monsieur Reed ? »

Un courant glacé courut le long des cuisses de Tom. Il était à la fois effrayé et furieux, ce fut finalement la colère qui s'imposa. Il se leva en disant :

« Qui êtes-vous pour...

— Anna. Elle est adorable. »

Quatre mots. Quatre mots et le monde s'écroula sous leur poids. Comme si le restaurant s'était soudain mis à vaciller. Il se rassit, les mains tremblantes. L'argent. C'était l'argent. Bon Dieu !

« Qui êtes-vous ?

– En général, je suis trop pris pour lire autant que je le souhaiterais, répondit l'homme en ignorant sa question. Mais je voyage de temps en temps à Los Angeles pour le travail et j'aime bien prendre un livre dans l'avion. Des biographies historiques en général. Lors de mon dernier voyage, j'ai lu quelque chose au sujet de Gengis Khan. C'était très intéressant. Son empire était plus grand que celui de Rome, vous le saviez ? Gengis a parcouru le monde entier. Il a combattu toute sa vie. Les pays le craignaient tellement qu'ils rendaient les armes lorsqu'ils entendaient dire qu'il approchait. Et alors, que se passait-il ? »

Tom sentit saillir une veine de son front. Il balaya la salle du regard. La sortie n'était qu'à une dizaine de pas. Mais entre la porte et lui se tenait un homme tout en muscles dans un survêtement marron. Une assiette de frites intacte était posée devant lui. Ses mains étaient larges et menaçantes, et ses yeux rivés sur Tom.

« Je vois que vous avez remarqué André. Mais m'écoutez-vous, monsieur Reed ? »

Tom retrouva l'usage de la parole.

« Que se passait-il ?

– Rien, fit l'homme en arquant les sourcils. Rien. Les Khan accueillaient les peuples conquis dans leur empire. Bon, il y avait bien sûr quelques serments d'allégeance à faire, mais *grosso modo*, chacun continuait à vaquer à ses occupations. Mais s'ils résistaient, eh bien... Il a détruit des villes entières. Tué tous les habitants, femmes et enfants. Même le bétail. Il faisait saler les terres pour que les cultures ne repoussent pas. Vous savez pourquoi ? »

Il se pencha en avant.

« Parce que leur résistance signifiait qu'ils le prenaient pour un faible. Alors, il devait se montrer particulièrement fort lorsqu'il était victorieux. Il devait prouver que ceux qui mettaient sa réputation en doute, ce qu'il appelait son honneur, devaient se préparer à souffrir. Et pas seulement ses ennemis, mais tous ceux qui les aimaient, les aidaient ou leur offraient un abri. »

Tom était à la limite de hurler : *Prenez l'argent, je suis désolé, nous sommes désolés. Prenez l'argent et partez.* Mais après les paroles de l'homme évoquant la faiblesse, il fit de son mieux pour garder un ton égal, ne rien laisser paraître.

« Qu'est-ce que cela a à voir avec ma femme et moi ? »

L'homme en costume joignit les mains, formant un clocher. Son regard était ferme et sa voix calme.

« Il n'y a pas très longtemps, quelques hommes ont attenté à mon honneur. Comme vous l'avez compris, dans le monde dans lequel j'évolue, il n'est pas envisageable de laisser passer cela. Alors, je brûle des villes, je sale les terres. Vous voyez ce que je veux dire ? »

Tom déglutit avec difficulté, hocha la tête.

« Bien. Maintenant, je vais vous poser une question et je vous conseille de bien réfléchir avant d'y répondre. »

Et voilà. Il sentit un vide grandir en lui, un mélange de peur et d'adrénaline. D'abandon, également. Cela n'aurait pas dû être douloureux de donner une chose qui ne lui avait jamais appartenu. Pourtant, ça l'était. Cette sensation de sécurité qu'Anna et lui commençaient à apprécier allait être anéantie. Fini leur rêve d'avoir un enfant. C'est seulement là qu'il réalisa avec horreur qu'ils en avaient déjà dépensé une bonne partie. Il se rappela la façon dont cet inconnu avait prononcé le nom de sa femme, détachant chaque syllabe comme si elle lui appartenait, comme s'il pouvait en faire ce que bon lui semblait.

L'homme reprit la parole et Tom se demanda s'il avait bien compris.

« De quel côté êtes-vous ?

– Pardon ?

– Je vous ai conseillé de bien réfléchir, monsieur Reed, et vous feriez mieux de commencer dès à présent. Parce que vous avez offert un abri à mes ennemis. »

Il avait la même intonation qu'un prêtre lisant les Saintes Écritures.

« Maintenant, il se peut que vous soyez ce dont vous avez l'air. À savoir quelqu'un de bien. Mais quand bien même, vous avez recueilli mes ennemis et pour cette seule raison, je pour-rais laver mon honneur en vous punissant. Donc, je vous le demande encore une fois, de quel côté êtes-vous ? »

Tom prit une inspiration. Il essaya de trouver une réponse satisfaisante. Tout ce qui lui venait à l'esprit, c'était la vérité.

« Je ne suis... Nous ne sommes du côté de personne. Nous sommes juste... »

Il leva les mains, paumes au-dessus.

« Nous n'avons fait que louer notre appartement.

– Vous l'avez loué à Will Tuttle.

– Nous venons tout juste d'apprendre qui il était. Après sa mort, je veux dire. Il nous avait dit s'appeler Bill Samuelson. On ne le connaissait quasiment pas. Il payait son loyer tous les mois, ne faisait pas d'histoires.

– Qui d'autre connaissez-vous ?

– Comment ça ?

– Jack Witkowski. Vous le connaissez ?

– Non.

– Marshall Richards ?

– Non. Nous ne connaissons personne.

– Vous ne connaissez personne ?

– Je veux dire...

– Vous ne me paraissez pas très convaincant, monsieur Reed. »

Le dessus de ses mains le démangea et son cou le brûla.

« Je vous jure, nous ne savons rien de tout ça. Nous sommes simplement... Nous essayons d'avoir un bébé. Je suis en pause-déjeuner, nom de Dieu ! »

Tom regarda l'homme, ignorant comment il avait fait pour se retrouver dans une telle situation et surtout comment il allait s'en sortir. S'il ne s'était agi que de lui, il aurait pris ses jambes à son cou, se serait peut-être mis à hurler. Mais l'homme avait mentionné Anna.

« Écoutez, nous venons de vivre deux semaines difficiles. D'abord, il y a eu un incendie, puis notre locataire est mort, enfin, nous avons découvert que c'était un criminel. Maintenant, vous vous pointez et vous menacez ma femme ? Je ne connais pas ces personnes. Je ne sais rien de rien. Je ne suis qu'un gars... »

Il regarda sa montre avant d'ajouter : « Merde, j'ai un rendez-vous dans une demi-heure. »

Pendant un long moment, l'homme assis en face de lui se contenta de le regarder. Finalement, il se fendit d'un semblant de sourire.

« Un rendez-vous, hein ?

– Ouais, répondit Tom. Ce boulot me tue. »

L'homme gloussa, secoua la tête. Il plia sa serviette, la posa sur sa saucisse à moitié mangée. Puis, jetant un œil par-dessus son épaule : « Ce boulot le tue. »

André sourit, ses lèvres humides entourant ses dents blanches. Un éclair froid traversa Tom.

« Voilà le truc, fit l'homme en repoussant son assiette et en posant ses mains sur la table. Même si je vous crois, ça ne va pas vous mener bien loin. Parce que si vous n'êtes du côté de personne, alors, vous n'êtes pas du mien. »

Tom déglutit. Garda les yeux fixés sur l'autre côté de la table. Essaya de forcer son esprit à obéir. Finalement, il dit :

« Que puis-je faire pour vous ?

– Voilà une excellente question. Je savais que vous étiez intelligent. »

Ses doigts pianotaient doucement sur la table comme sur les touches d'un piano quand il reprit : « Sans entrer dans les détails, je vends un produit que la police n'apprécie pas. Will Tuttle était en possession d'une quantité non négligeable de ma marchandise. J'aimerais la récupérer. »

Marchandise. Les tabloïds avaient laissé entendre que la Star achetait de la drogue. Tout devenait clair. Ce type n'était pas un des voleurs. Il ne cherchait pas l'argent, il était après les hommes. Les hommes et les drogues qu'ils lui avaient dérobées.

« Maintenant, si jamais vous trouviez ce que j'ai perdu, eh bien...

– Vous sauriez de quel côté je suis.

– Exactement. »

Tom acquiesça. L'homme devait penser que la drogue se trouvait chez Will. Ce qui voulait dire que tout ce qu'il avait à faire, c'était mettre la main dessus. Un quart de seconde, il reprit espoir. Puis il se rappela l'effraction en début de semaine. L'appartement avait été fouillé. La drogue avait probablement disparu.

D'un autre côté, on lui offrait là une porte de sortie. S'il laissait entendre à l'homme qu'il pourrait récupérer sa came, il le laisserait partir. Avec un peu de chance, celui qui avait pénétré dans l'appartement n'avait pas trouvé la drogue. Il n'y avait aucun moyen de savoir combien de temps il avait passé dans l'appartement. Et Tom connaissait la maison mieux que quiconque.

« Je comprends. »

L'homme en costume hocha la tête.

« Bien. André ? »

Une fois debout, Tom s'aperçut qu'André n'était pas aussi grand qu'il l'avait imaginé. Il devait mesurer un peu moins d'un mètre quatre-vingt-cinq. Mais il se mouvait comme un boxeur et le tissu de ses manches était tendu sur ses muscles. Il chercha dans sa poche intérieure et en ressortit une fine carte de visite qu'il posa, glissée entre deux doigts, sur la table.

Tom y jeta à peine un coup d'œil. Il remarqua à peine l'homme en face de lui se lever et partir, accompagné de son acolyte. Parce que, lorsqu'André avait soulevé le pan de sa veste pour prendre la carte, il avait vu quelque chose à l'intérieur. Un holster contenant un énorme flingue noir.

Il ne se rendit pas à sa réunion.

À cause de la circulation, le taxi mit presque trente minutes pour le ramener chez lui. Trente minutes pendant lesquelles il avait regardé par la vitre, faisant tourner entre ses doigts la carte de visite. Simple et élégante. Le papier épais, de couleur crème, le numéro de téléphone en relief. Pas de nom. Trente minutes à penser à ce flingue. Arrivé chez lui, il ne prit même pas la peine de monter à l'étage pour poser son sac. Il ouvrit directement la porte de l'appartement du rez-de-chaussée et se mit au travail.

Il avait envie de tout mettre sens dessus dessous, de virer les boîtes des placards, de balancer les bouquins, de s'acharner sur le fond des tiroirs et les murs. Mais si l'appartement semblait avoir été frappé de plein fouet par une tornade, Anna penserait qu'ils avaient été cambriolés une nouvelle fois. Il devrait alors s'expliquer sur le garde du corps qui semblait n'attendre qu'une chose, que Tom réponde à côté, et sur le dealer qui connaissait le prénom de sa femme. À ce souvenir, un goût de bile lui monta dans la gorge. Il n'était pas du genre violent, mais s'il avait eu un flingue, une arme, même une batte de base-ball, il aurait...

Tu te serais fait tuer. Tu travailles dans un établissement financier. Ils vendent de la came. Combien parierais-tu sur ce coup-là ?

Il se retourna et donna un coup de pied dans le fauteuil, ressentant une douleur vive lui remonter dans la jambe. Le fauteuil se souleva, oscilla un instant, puis retomba. Il donna un nouveau coup de pied dedans, puis un autre et encore un autre puis il attrapa le dossier qu'il envoya voler au loin.

Un instant, il s'imagina en train de le dépecer et de regarder les sachets de cocaïne tomber sur le sol. Le dossier atterrit dans un bruit lourd, soulevant un nuage de poussière et révélant des mégots de cigarettes et une plaque de bois poussiéreux. Il soupira, s'assit sur le fauteuil à l'envers. Il se passa une main sur le front et ferma les yeux.

Puis il se releva et se remit au travail.

Marshall était adossé à un arbre, les mains dans les poches. Une femme avec une poussette passa devant lui. Ils échangèrent un sourire. Il observa sa silhouette tandis qu'elle s'éloignait puis reporta son attention sur le bâtiment en brique. Avec le soleil qui se reflétait sur les fenêtres, il avait du mal à saisir les détails, mais il arrivait à deviner la silhouette de l'homme.

Il sortit son paquet de cigarettes, en prit une. Quand il avait décidé d'arrêter de fumer, ça faisait maintenant neuf ans, il avait changé ses habitudes pour ne plus être entouré ni de fumée ni de fumeurs. Il faisait ses courses chez Whole Foods parce qu'on n'y vendait pas de cigarettes. Il avait cessé de fréquenter les bars. Et puis un soir, une pensée l'avait frappé. Il ne combattait pas sa dépendance, il l'évitait. La clope était en train de gagner.

Depuis, il avait toujours un paquet sur lui. Parce qu'il était le plus fort.

Il fit passer la cigarette sous son nez, sentit le tabac. Au départ, il n'avait pas prévu de sortir de la voiture. Mais après avoir vu Tom Reed revenir chez lui au beau milieu de l'après-midi pour aller directement dans l'appart de Will, il lui avait semblé qu'il y avait là une bonne raison de faire un tour dehors. Il évaluait les risques de s'approcher davantage de la maison quand il entendit un bruit sourd en provenance de l'appartement.

Qu'est-ce qui se passait, bordel ? Il coinça la cigarette sur son oreille et avança de quelques pas. Une allée courait entre ce bâtiment et celui d'à côté et il l'emprunta. Il faisait face au fond de l'allée, mais du coin de l'œil il regardait vers la fenêtre. Le reflet l'empêcha de noter les détails. Pourtant, il vit que l'homme était de dos.

En silence, Marshall se pencha vers la fenêtre, une main contre le visage pour observer l'intérieur. Le fauteuil était à l'envers. Derrière, Tom Reed était accroupi devant un placard. Il fouillait dedans, ses mains s'agitant fiévreusement. Marshall le vit fermer le placard et s'installer devant le suivant, puis celui d'après. Lorsqu'il eut fini, il se leva et passa la main sur les étagères. L'homme était visiblement concentré, indifférent à tout le reste, aussi Marshall se sentit-il en sécurité et resta-t-il quelques minutes encore à l'observer.

Finalement, il tourna les talons et regagna sa voiture.

146

Tom Reed ne se contentait pas de fouiller les affaires d'un ancien locataire. Il ne nettoyait pas, ne faisait pas non plus l'inventaire. Non, il était à la recherche de quelque chose.

Marshall démarra et s'en alla.

Tom vérifia chaque placard, chaque étagère. Il fouilla les tiroirs, les sortit, les retourna. Il éventra le matelas. Il ouvrit et referma le frigo, puis le rouvrit et regarda à l'intérieur de chacune des boîtes qu'il contenait.

Il retira le couvercle de la chasse d'eau pour s'assurer que rien n'y était caché. Il dirigea le faisceau d'une lampe torche dans l'obscur conduit de cheminée. Posa une échelle coulissante contre le mur de la cage d'escalier et se faufila par la trappe pour grimper sur le toit. Il alla chercher sa caisse à outils et ouvrit l'arrière du four. Il scruta l'espace sombre entre le mur et l'armoire à pharmacie.

Réfléchis.

Si la drogue était là, le cambrioleur l'avait trouvée.

Réfléchis, allez ! Envisage toutes les possibilités.

L'alternative : si la drogue n'était pas là, c'est que Tuttle l'avait planquée ailleurs.

Cette idée lui redonna de l'énergie et il revint sur ses pas, à la recherche d'indices, à commencer par les boîtes aux lettres. La leur était complètement vide – étrange – mais l'autre était pleine à craquer de prospectus et de catalogues, tous adressés à Bill Samuelson. Dans la cuisine, il trouva une liste de courses – œufs, huile d'olive, clopes – et un *Tribune* vieux d'une semaine. Des menus de livraison à domicile écornés. Un exemplaire de *Perfect 10* dans la salle de bains, dont la couverture clamait fièrement : « Les plus belles femmes du monde ». Une douzaine de boîtes d'allumettes provenant de différents bars.

En revanche, il ne trouva ni clé de coffre-fort, ni agenda, ni répertoire contenant des numéros de téléphone dont l'un serait entouré de rouge. Pas trace non plus de carte routière avec une grosse croix indiquant un endroit précis.

Il n'y avait ici ni drogue ni aucun moyen de savoir où Tuttle aurait pu la planquer. Après trois heures et demie de recherche, il était fermement convaincu que rien n'était dissimulé dans cet appartement. Et surtout pas ce que cherchait le Noir au costume si élégant.

Tom remarqua la poussière incrustée sous l'ongle de son pouce et il entreprit de la gratter avec l'ongle de son majeur. Il sentait la transpiration, sa chemise était auréolée de sueur sous les bras. Le réveil de la table de nuit indiquait 17 heures juste passées. Anna serait bientôt à la maison. Elle rentrerait de son après-midi de baby-sitting. C'était toujours un moment difficile pour elle. Elle aimait ce môme de tout son cœur, mais elle ne pouvait s'empêcher de se comparer à sa sœur. En général, ça la laissait déprimée, au bord des larmes.

L'homme en costume n'avait pas posé d'ultimatum, ne lui avait pas ordonné de livrer la « marchandise » dans les quarante-huit heures. Mais pourquoi l'aurait-il fait ? Il se doutait que Tom allait se précipiter chez lui et retourner de fond en comble l'appartement de Tuttle. Il avait compté là-dessus. Il lui laissait probablement la nuit et la journée du lendemain. Mais il n'y avait rien qui justifiait d'attendre plus longtemps. Soit Tom était en mesure de rendre la marchandise, soit il ne l'était pas. Ce qui signifiait que dans peu de temps, deux hommes très dangereux allaient se pointer pour réclamer une chose qu'il n'avait pas.

Il prit une profonde inspiration, retint un peu son souffle et expira. Il essaya de calmer le flot des pensées qui l'assaillaient. Il avait peur, oui, mais cela allait au-delà. Toute cette situation lui semblait irréelle et il se débattait pour y trouver un sens et sa place.

Il revit le sourire d'André, ses lèvres humides et ses dents blanches. Il se leva, se dirigea vers le couloir en se frottant le cou.

Très bien. On y retourne. On vérifie encore une fois.

La drogue n'était pas là. Et il n'y avait aucun indice particulier. Le pire, c'était qu'il n'avait même pas mentionné le cambriolage. Il était pris au piège. Il ne pouvait plus revenir en arrière... Nom de Dieu ! *Notre maison a été visitée il y a deux jours. Je ne vous l'avais pas dit ? Désolé.*

Il n'avait rien à offrir en échange. Des boîtes d'allumettes et la dernière facture du câble n'allaient pas leur sauver la mise. Il n'avait rien à donner à ces deux truands.

Minute. Ce n'était pas vrai. Il avait trois cent mille dollars dans un sac de sport. Tom, debout devant la baie vitrée, regarda au-dehors. L'argent. Serait-ce la solution ?

Pas vraiment. Que se passait-il quand on refilait un sac bourré de billets de banque à un tueur ? Il vous réglait votre compte pour vous apprendre à vivre ? Et à vous taire ? Ou alors il se contentait de sourire, de dire merci et de s'en aller ? Comment diable Tom pouvait-il savoir ? Il n'appartenait pas à ce monde.

Il n'y avait qu'une chose à faire.

Tom sortit, laissant derrière lui la faible odeur de fumée. Il grimpa l'escalier, les poumons brûlants des efforts de ces dernières heures. Lorsqu'il ouvrit la porte, il fut surpris par le double bip qui l'accueillit. Anna avait laissé le code de l'alarme sur son répondeur et il le composa sur le clavier du boîtier en mesurant l'ironie de la situation : la veille encore, ils pensaient que ce système suffirait à les protéger. Dans la cuisine, il se versa un verre d'eau glacée et le but lentement. Il était bien conscient qu'il était en train d'essayer de gagner du temps. Il espérait qu'une brillante idée lui viendrait bientôt.

Mais rien. Sa vie entière avait sombré alors qu'il dégustait un sandwich au bœuf. Il n'était qu'un amateur dans un jeu dont il ignorait les règles. Tout ce dont il était certain, c'était que s'il attendait trop longtemps, l'homme en costume reviendrait et lui parlerait à nouveau de Gengis Khan en menaçant tous ceux qu'il aimait.

Il posa son verre d'eau, sortit la carte de visite du tiroir dans lequel il l'avait rangée, attrapa le téléphone et composa le numéro. Après une sonnerie, il fut dirigé sur le répondeur. Tandis qu'il écoutait le message, le ton calme et profond, il se dit qu'il était en train de faire ce qu'il fallait. Ou en tout cas, de choisir la meilleure solution.

Lorsqu'il entendit le bip, il lâcha : « Inspecteur Halden, Tom Reed à l'appareil. J'ai réfléchi à ce que vous avez dit l'autre jour au moment de partir. Il faut qu'on parle. S'il vous plaît, rappelez-moi vite. »

Il laissa son numéro de portable et raccrocha, posa les coudes sur le plan de travail, la tête dans ses mains, en se demandant comment diable il allait annoncer à sa femme que pour lui sauver la vie, il devait anéantir son rêve.

11

AIRE SPATIALE ET ZEN : c'est ainsi que Tom étiqueta l'intérieur du Kaze. Murs blancs, tables blanches, lumière blanche, verres et assiettes minimalistes. Ils commandèrent une bouteille de saké que la serveuse versa dans une carafe à mi-chemin entre un vase et une pipe à eau. Il aurait parfaitement pu se passer de sushis à l'apéritif, mais Anna en raffolait.

Et ce soir, il avait besoin de sourires et de bonne humeur pour trouver le courage de passer aux aveux. Après avoir appelé l'inspecteur, Tom avait retiré son costume et sauté sous la douche. Tout en se lavant à grande eau, il avait échafaudé une stratégie. Après un après-midi avec Julian, Anna serait fatiguée et déprimée. Aussi, la première étape était-elle un bon dîner dans un endroit tranquille. Une bouteille de vin. Non, deux. Puis, lorsqu'Anna serait détendue, devant une sole accompagnée de coquilles Saint-Jacques, adoucie et grisée par l'alcool, il lui prendrait la main et lui demanderait de l'écouter sans l'interrompre jusqu'à ce qu'il ait tout déballé. Il lui dirait qu'ils s'étaient trompés sur toute la ligne, qu'ils avaient perdu la tête. Qu'ils avaient commis une erreur monumentale et qu'il était temps de rendre cet argent qui ne leur appartenait pas. Que c'était maintenant une question de survie.

Mais Anna l'avait pris de court. Elle ne marchait pas, elle flottait. Elle avait le regard clair et brillant, sans aucune trace de larmes. Au lieu d'une brève étreinte et d'un baiser vite déposé, elle l'avait pris dans ses bras et serré contre elle tout en l'embrassant avec passion, sa langue jouant avec la sienne, ses seins s'écrasant contre son torse. Le baiser avait duré trente bonnes secondes et il était en érection lorsqu'ils s'étaient séparés. Elle lui avait lancé un sourire entendu et lui avait dit bonjour de la voix rauque d'une Marilyn Monroe avant de se lover à nouveau contre lui.

« Je t'ai manqué ?

– Tu me manques toujours. »

Elle avait ri.

« C'est ça, avait-elle lancé avant de s'éloigner avec un sourire. Prouve-le. Invite-moi à dîner. »

Sa bonne humeur avait perduré tout au long de la soirée. Elle avait fredonné tandis qu'elle se changeait, troquant jean et T-shirt contre une robe légère et des sandales à lanières. Elle avait coiffé ses cheveux en arrière en deux queues-de-cheval, c'était son look d'étudiante étrangère. Ça faisait longtemps qu'il ne l'avait pas vue si heureuse, profitant si ouvertement du moment présent. Savoir qu'il allait anéantir tout cela lui donna le sentiment qu'il s'apprêtait à noyer un chaton.

La soirée était douce et ils décidèrent d'aller au restaurant à pied. Anna était débordante de joie, s'extasiant devant les parterres de fleurs, souriant en respirant les effluves de barbecue qui emplissaient l'air, pépiant sur leur neveu et sur le fait qu'il avait beaucoup grandi, qu'il gazouillait quand elle lui faisait des grimaces. À un moment, alors qu'ils passaient en flânant devant de petits pavillons parfaitement entretenus, elle l'avait regardé de côté et lui avait demandé :

« Tu vas bien ?

– Hein ?

– Tu es plutôt silencieux.

– Je suis juste... perdu dans mes pensées. »

Elle avait accepté son explication sans relever, avait continué de parler de Julian, des nuits d'été, de leur projet de voyage pour l'Independence Day. Et lui, pendant ce temps, marchant à ses côtés, se maudissait de lui avoir menti. Il décida de tout lui avouer aussitôt leur commande passée.

Mais ils avaient commencé par des martinis. Puis une petite bouteille de saké et une première tournée de sushis. Une autre bouteille, d'autres sushis. Tom jouait les grands seigneurs, comme si une demi-douzaine de nigiris en plus pouvait compenser la perte de l'argent et la fin de leur rêve.

Il n'y avait maintenant rien d'autre que des restes de gingembre sur le plat en bambou et il tentait de se persuader qu'il leur fallait un dessert ou un plateau de fromage. Anna était si belle à la lueur de la bougie, ses traits étaient délicats et ses yeux étincelants.

Vas-y, dis-lui. Il faut lui dire.

Il ne pouvait pas croire qu'elle n'ait pas remarqué son humeur, qu'elle ne soit pas allée plus loin après sa question de tout à l'heure. Elle avait parlé toute la soirée, sans monopoliser la conversation, mais avec énergie. Comme s'ils avaient été séparés pendant plus d'un mois et pas seulement un après-midi.

La serveuse s'approcha, prit la carafe et remplit de nouveau leurs verres, d'abord celui d'Anna puis le sien.

« Vous prendrez un dessert ?

– Non », répondit Anna tandis que Tom disait oui en même temps.

Les deux femmes s'esclaffèrent.

« Je vous apporte la carte pour que vous décidiez, proposa la serveuse.

– Parfait. »

Il joua avec les baguettes, tripotant les grains de riz solitaires dispersés sur la table.

De l'autre côté de la table, Anna le regardait.

« Tu as encore faim après tout ça ?

– Je croyais que tu en aurais envie.

– Oh, non. Je ne peux plus rien avaler. Il va falloir que tu me roules jusqu'à la maison. »

Elle se tourna de côté, fit ressortir son ventre avant de poursuivre :

« Regarde, je suis enceinte de quatre mois au moins. »

Il lui jeta un coup d'œil rapide, s'attendant à voir son visage se décomposer. Ça arrivait tout le temps, les gens qui sortaient des blagues innocentes sans se rendre compte de leurs implications. Mais elle continuait de sourire. Elle croisa son regard :

« Quoi ?

– Je... » bégaya-t-il en étirant ses doigts.

Elle haussa les épaules, les yeux toujours brillants.

« J'en ai marre qu'on prenne toujours des gants avec ça. » Puis, levant son verre : « À nous ! »

Il leva le sien, s'apprêta à le choquer contre celui d'Anna. Il interrompit son geste.

« Anna...

– Attends. »

Elle se pencha en avant, fit tinter son verre contre le sien et le vida d'un trait. Elle reposa le verre, le garda entre ses mains, fit glisser son doigt sur le bord. Elle marqua une hésitation, puis : « J'ai quelque chose à te dire. »

Sa première pensée fut qu'elle était enceinte. Il avait souvent imaginé cet instant, la façon dont elle le lui annoncerait, comment elle essaierait sans doute de le taquiner, de le surprendre. Mais avec tout l'alcool qu'ils avaient bu, ça ne pouvait pas être ça. Il sirota son saké et attendit.

« Il faut que tu me laisses aller au bout, d'accord ? »

Ses mots faisaient écho à ceux qu'il s'était préparé à lui servir.

« Ça a l'air sérieux.

– Ça l'est. Ça l'est et en même temps, ça ne l'est pas. J'imagine que c'est pour ça que j'ai babillé comme une idiote toute la soirée. J'avais peur de te le dire. Ça va d'abord te sembler une très mauvaise nouvelle. Mais ce n'en est pas une.

– D'accord », répondit-il, nerveux.

Elle prit une profonde inspiration, leva les yeux de la table.

« J'ai perdu mon boulot.

– Quoi ? »

Anna leva un doigt en guise de rappel.

« Laisse-moi finir, OK ? dit-elle, puis elle attendit qu'il acquiesce avant de reprendre. Tu sais que j'ai été pas mal absente ces derniers temps. Avec les rendez-vous et tout ça. Mon absence d'aujourd'hui a été la goutte d'eau qui a fait déborder le vase. Lauren a appelé cet après-midi. Elle m'a dit qu'elle était désolée, mais que le client s'était plaint. L'agence avait promis de lui remettre son projet ce trimestre mais on est très en retard sur le planning. La vérité, c'est que c'est en partie à cause des retards du client mais ça, on ne peut pas le lui dire. Lauren devait faire porter le chapeau à quelqu'un, et comme j'ai été beaucoup absente... »

Elle haussa les épaules et termina :

« Je suis l'heureuse gagnante.

— Attends. Ils ne peuvent pas te virer. Pas sans un avertissement préalable.

— Elle m'a prévenue. Il y a un mois.

— Tu ne me l'avais pas dit.

— Je sais. Je suis désolée. Nous étions en plein dans tous ces rendez-vous avec les médecins et je n'avais tout simplement pas envie d'en parler. »

Ce genre de cachotterie ne lui plaisait guère, mais il laissa couler.

« Mais quand même, tu pourrais aller voir la DRH.

— Laisse-moi finir, continua-t-elle en tordant sa serviette sur son genou, avant de se reprendre et de la reposer, défroissée, sur la table. Tom, je ne me plaisais pas là-bas. Je n'étais pas heureuse. Ça fait un moment que je n'ai pas été heureuse. J'en ai marre de la pub. Je bosse énormément, je fais beaucoup trop d'heures, et pour quoi ? Pour rêver de tableaux remplis de chiffres ? Pour convaincre les habitants de Wichita d'acheter des jeans dont ils n'ont pas besoin ? »

Elle secoua la tête et reprit :

« Tu me l'as fait comprendre l'autre jour.

— Moi ?

— Quand tu m'as dit que tu regrettais ce que notre couple était devenu. »

Elle le regarda, les yeux comme une invitation à la rejoindre.

« Tu avais raison, reprit-elle. J'ai travaillé trop dur. On a travaillé trop dur. Mais avant, on n'avait pas le choix. Avec la maison, les factures pour les soins, les cartes de crédit, nous n'avions aucun moyen de souffler un peu, encore moins de nous poser pour essayer de voir ce dont nous avions réellement envie. Maintenant... »

Elle ne finit pas sa phrase. C'était inutile. Les mots dansaient dans l'esprit de Tom. *Maintenant que nous avons l'argent.*

Il avait eu la même pensée ce matin, se dit-il. Alors qu'il assistait à cette stupide réunion, en train d'essuyer une engueulade qui n'était pas méritée, il avait trouvé du réconfort à l'idée que l'argent lui permettait, s'il le voulait, de tout envoyer balader. Il ne l'avait pas fait, mais bon, rien ne l'y forçait non plus.

« Je trouverai un autre job, poursuivit-elle. Je ne suis pas en train de te dire que je veux rester à la maison à m'empiffrer de sucreries toute la journée. Mais je peux prendre mon temps. Le temps de trouver ce que je veux faire. Peut-être enseigner, ou reprendre des études pour devenir infirmière. Un truc où le travail compte, tu vois. Maintenant que nous sommes à l'abri financièrement, pense à la façon dont tout ça va nous simplifier la vie. On va pouvoir passer plus de temps ensemble, redevenir le couple que nous voulions être. Toi et moi contre le reste du monde. Comme ce soir. »

Elle sourit puis tendit le bras au-dessus de la table et prit sa main dans la sienne. Ses doigts fins étaient tièdes, le diamant de sa bague étincelait à la lueur de la bougie.

« Ça nous aidera peut-être même à faire un enfant. Le stress est un facteur d'échec. Si je suis plus heureuse, plus détendue, ça augmentera les chances. Ça pourra tout changer pour nous, un bébé. »

La tête lui tournait. Il comprenait chaque mot qu'elle était en train de prononcer. Tout était parfaitement logique. Il savait qu'elle n'éprouvait plus aucune satisfaction dans son travail depuis un moment, qu'elle n'y allait plus que pour les emprunts, l'assurance santé et les factures qui arrivaient toutes les semaines. Ils avaient tous deux sacrifié le présent à leur avenir.

Et Dieu qu'elle était rayonnante ce soir ! Elle avait ri et souri d'une façon qu'il avait cru perdue à jamais.

Il pensa aux deux truands. À des dents blanches, des lèvres humides et des revolvers énormes. À l'appel passé à l'inspecteur, au message qu'il ne pouvait plus effacer. Il devait dire la vérité. Il le fallait. Même si cela détruisait Anna.

« Qu'est-ce que tu en penses ? »

Les contours de son visage étaient dessinés par la lueur de la bougie. Il était ému par ses pommettes qui ressortaient, par le creux délicat de sa gorge. Il se rappela avoir embrassé une fois ce creux, lui avoir dit qu'il aimerait y planter une tente et y vivre à jamais. Elle avait ri, serrée contre lui.

« Tom ? »

Ses lèvres étaient légèrement entrouvertes, comme si elle se préparait à sourire, ou à pleurer.

« Je trouve que c'est génial », dit-il en lui pressant la main.

12

L'ÉCHELLE ÉTAIT MINCE et branlante et incroyablement haute. Il était tout en haut. L'installation tanguait à chaque respiration, oscillant encore plus lorsqu'il essayait de compenser et d'équilibrer son poids. Il sentait la poussière. Il leva les mains pour pousser le plafond, mais le mouvement fit pencher encore plus l'échelle. Il y eut une secousse et un craquement. Le bois grogna. Et tout commença à s'effondrer. Il essaya de trouver une prise, s'accrocha aux barreaux, mais le poids était trop important. L'échelle s'inclina puis s'écroula dans l'obscurité environnante.

Et alors qu'il tombait, alors qu'il perdait tout espoir, alors que ses mollets et son bassin étaient parcourus de picotements électriques anticipant sa chute, et alors même que son corps tombait dans le vide, que seule restait la peur, Tom Reed ressentit comme du soulagement.

Il ouvrit les yeux d'un coup. La taie de son oreiller était trempée. Anna était allongée à ses côtés, la respiration lourde de sommeil. Il retourna l'oreiller et roula sur le côté.

Pas besoin d'être un génie pour comprendre la signification de ce rêve.

Après le dîner, ils avaient appelé un taxi. Anna avait pris sa main et l'avait tenue pendant tout le trajet, se souriant à elle-même. Il avait ouvert la vitre. Le souffle de l'air, le flou des lumières, le contact de la main d'Anna : il s'était concentré sur ces sensations, et avait oublié tout le reste. Un moment hors du temps et l'espace des quelques minutes qu'il leur fallut pour regagner leur appartement, il s'était laissé engloutir.

Mais après qu'ils eurent gravi les marches et ouvert la porte, l'alarme avait émis ses petits bips successifs, et la peur s'était à nouveau emparée de lui. Ils s'étaient brossé les dents, mis au lit, trop fatigués et assommés pour parler ou faire l'amour. Elle s'était endormie presque tout de suite.

Le sommeil ne lui vint pas si facilement. Il resta étendu sur le dos, les yeux rivés au plafond, essayant de trouver une solution pour s'en sortir. Une façon de garder l'argent pour avoir la vie dont ils rêvaient, simple et heureuse. Il se rejoua la conversation qu'il avait eue avec l'homme en costume une bonne centaine de fois. Et à chaque fois, il fut sur le point de réveiller Anna pour tout lui raconter. Chaque fois, il y renonça. Il avait peur de la décevoir, certes, mais il voulait surtout la ménager. Entre les tentatives pour avoir un bébé, le cambriolage et maintenant son travail, elle avait assez de soucis en tête. Il ne lui parlerait que quand il aurait trouvé la bonne solution.

Il regarda le plafond et réfléchit en regrettant de ne plus fumer. Son esprit semblait tourner en rond, décrivant une lente orbite autour de lèvres humides, de dents blanches et d'un revolver noir. Autour d'une menace, d'une promesse, d'un espoir. Autour d'un message sur un répondeur. Autour du lendemain qui arrivait à grands pas.

Un peu après 3 heures du matin, il trouva. Une échappatoire envisageable. Tellement simple qu'il n'y avait pas pensé : la vérité, sur tout. Plus ou moins. Il glissa dans un sommeil agité de rêves où il chutait.

Il lui fallut une bonne partie de la journée pour entrer en contact avec l'inspecteur Halden. Ils communiquèrent par messageries interposées jusqu'à 3 heures de l'après-midi. Quand ils réussirent enfin à se joindre de vive voix, Halden suggéra à Tom de passer au commissariat. Ils pourraient partager une tasse du pire café au monde et discuter tranquillement.

« Je suis partant pour un café, dit Tom, mais ne pourrait-on pas plutôt nous retrouver à mi-chemin ? Il y a un Starbucks au coin de North Avenue et de Wells Avenue. J'ai besoin de vous parler aussi vite que possible. »

C'était une demi-vérité. Il voulait en effet lui parler au plus tôt, mais il préférait éviter de le voir au poste de police, sur le terrain des flics.

Le Starbucks avait ce petit côté douillet traditionnel, sans surprise. Où qu'on aille dans le pays, on y trouvait la même atmosphère. C'était là l'un des aspects réconfortants de ce genre de chaîne, mais l'un des horribles inconvénients aussi. Bientôt, il serait inutile d'aller où que ce soit. Il commanda un café, un simple café dans une grande tasse, et s'installa à une table dans un coin, près de la fenêtre.

Halden arriva quelques minutes plus tard. Il hocha la tête en direction de Tom et commanda ensuite un café en soulevant légèrement sa veste pour découvrir son étoile argentée. La fille au comptoir sourit et Tom nota qu'elle ne le fit pas payer.

« Bonjour, monsieur Reed.

– Bonjour, inspecteur. Merci d'être venu. »

Le policier s'assit, croisa les jambes en posant une cheville sur son genou et sirota son café. Il ne mitrailla pas Tom de questions, mais se contenta de s'enfoncer dans son siège, sans lui mettre la pression.

Rappelle-toi : tu as peur, tu es perturbé et tu n'as rien à cacher. Ce n'était pas un rôle très difficile à jouer. Et c'était aux deux tiers vrai.

« Quelqu'un nous a menacés, ma femme et moi.

– Qui ?

– Je ne sais pas. Je déjeunais hier et un type que je n'avais jamais vu s'est assis et a commencé à me parler. Il connaissait mon nom et celui de ma femme. Il m'a demandé si j'aimais Anna. »

Halden fit courir sa langue sur l'intérieur de sa joue.

« Vos noms ont été diffusés dans les journaux.

– Ce n'est pas tout, dit-il avant de marquer une pause. Il est mêlé au braquage de la Star. »

Le flic se pencha en avant.

« Et vous savez ça comment ?

– Il s'en est vanté. »

Tom se tut quelques instants. Le temps que l'information – pas vraiment un mensonge, plutôt une extrapolation – fasse son chemin.

« Il m'a dit que des hommes avaient bafoué son honneur. Que Will Tuttle en faisait partie. Que parce que j'avais abrité son ennemi, j'étais moi-même son ennemi désormais.

– Abrité son ennemi ? Il a dit ça comme ça ?

– Oui. Il m'a raconté toute une histoire pour en arriver là, à propos de Gengis Khan. Il essayait de me faire peur. »

Tom but une gorgée de café, mentionna le moment où l'homme avait cité le nom d'Anna, dit qu'elle était adorable.

« Ça a marché. Il m'a flanqué la trouille. Il y avait un gars avec lui, un grand type avec un flingue.

– Il a sorti une arme ?

– Non. Il me l'a juste montrée, l'air de rien. »

L'inspecteur hocha lentement la tête, le visage impassible.

« Et ensuite ?

– Il a dit que je devais choisir mon camp. Que les hommes qui avaient fait le braquage avaient pris sa marchandise. Il n'a pas dit ce que c'était, je présume qu'il s'agit de drogue. C'est ce qu'ont dit les journaux. En tout cas, il m'a dit qu'elle était planquée dans ma maison et que si je ne la lui donnais pas, il nous tuerait tous les deux. »

Nouvelle exagération fort utile, une version revisitée de la vérité.

« Ça s'est passé hier ?

– Oui.

– Au déjeuner ?

– Oui.

– Pourquoi avoir attendu avant de m'appeler ? »

Tom soupira, haussa les épaules. Il regarda ses mains, traça du doigt des formes sur la table.

« Je me suis dit que si je trouvais ce qu'il cherchait, il nous laisserait tranquilles. Je suis rentré et j'ai fouillé partout.

– Et ?

– Et si ce qu'il cherche était là, celui qui est entré par effraction l'autre jour l'a pris. Une autre bande, sans doute. »

Il secoua la tête, afficha une expression de victime. C'était le moment où il devait jouer serré.

« Inspecteur, je ne sais plus quoi faire. On est des gens normaux. Et nous voilà avec des trafiquants de drogue et des meurtriers au cul. Ma femme est terrifiée. Moi aussi. On a besoin d'aide. »

Hier, lorsque Tom avait laissé son message à l'inspecteur Halden, son intention était de faire amende honorable et de tout raconter. De laisser tomber l'argent et de lui demander son aide. Ça lui avait semblé la seule solution. Mais, alors qu'il était étendu dans son lit la nuit dernière, il s'était rappelé que le dealer ignorait tout de l'argent. En tout cas, il ne savait pas que Tom et Anna l'avaient en leur possession. Tout ce qu'il attendait de Tom, c'était de récupérer sa drogue. Là était sans doute leur seule porte de sortie.

Il prenait un risque en y mêlant la police. Ça devait certainement compter comme choisir son camp du point de vue du dealer. Et si Halden décidait d'y regarder de plus près, il pourrait tomber sur leurs dépenses les plus récentes. Les prédictions d'Anna concernant leur faillite et peut-être même aussi leur séjour en prison deviendraient alors réalité.

Mais l'homme en costume s'était montré très clair : il les tuerait. La situation ne pouvait donc pas être pire en s'adressant à la police. De plus, Tom s'était contenté d'offrir à l'inspecteur une piste concernant le braquage le plus retentissant de Chicago. Il l'envoyait dans une mauvaise direction, d'accord, mais ces infos étaient quand même avérées. Ça le mettrait sur la voie. Et tant que les flics couraient après les méchants, ils ne regarderaient pas les gentils de trop près.

Halden fit un geste avec sa tasse de café.

« Cet homme, il vous a dit son nom ?

– Non.

– Comment êtes-vous censé le contacter ?

– Il m'a donné une carte avec un numéro de téléphone. »

Tom la prit dans sa poche arrière, la posa sur la table. Il avait fixé le numéro si longtemps qu'il l'avait imprimé dans son esprit. Dans vingt ans, il en était sûr, il s'en souviendrait encore.

« Il m'a demandé d'appeler. Au plus tôt. Ou alors il s'en prendrait... à Anna. »

Plus il noircirait le tableau, plus la pression serait forte, mieux cela vaudrait pour lui et Anna.

« Vous pouvez remonter à lui avec le numéro de téléphone ? »

Halden secoua la tête.

« J'en doute. C'est certainement un numéro de portable avec carte prépayée. »

Le flic se pencha en avant pour saisir la carte de visite. Il la contempla un moment.

« Vous savez, quand j'ai eu votre message, j'ai cru que vous aviez peut-être autre chose à me dire. »

Tom s'efforça de demeurer imperturbable. Il avait tourné et retourné dans sa tête le message laissé, tentant de se rappeler ses paroles exactes.

« Que voulez-vous dire ?

– Vous m'avez déclaré avoir pensé à ce que je vous avais dit.

– Qu'on avait affaire à des criminels ? C'est pour ça que j'ai appelé.

– Non, ce que j'ai dit en partant.

– C'est-à-dire ? »

Halden plissa les yeux.

« Ne vous foutez pas de moi.

– Je ne me fous pas de vous. »

L'inspecteur but une gorgée de café, posa sa tasse.

« Monsieur Reed, vous commencez maintenant à saisir le genre de personnes impliquées dans cette affaire. Ce ne sont pas des gens qui oublient facilement. Traiter avec eux ne vous mènera à rien. Si vous avez quoi que ce soit à déclarer, le moment est bien choisi. C'est peut-être votre dernière chance. »

Halden le regarda fixement. Tom avait les mains moites. Le petit garçon en lui, craignant toujours les punitions, avait envie de tout lâcher, de dire la vérité. Envie de tomber de l'échelle et de jouir du soulagement de la chute.

Au lieu de quoi, il dit : « Inspecteur, j'ignore de quoi vous parliez à ce moment-là et je l'ignore encore maintenant. Tout ce que je sais, c'est que quelqu'un en a après ma femme et après moi. Et nous avons besoin de votre aide. Je vous en prie. »

Le flic maintint son regard. Il ne cilla pas, ne détourna pas les yeux.

« Que pouvez-vous me dire d'autre au sujet de ce type ? » demanda-t-il finalement.

Ils discutèrent encore pendant une demi-heure. Halden lui faisait répéter encore et encore son histoire. Tom s'y était attendu et maintint sa version aussi près qu'il le pouvait de la vérité. Hormis un portrait plus noir et violent de son interlocuteur, dont il mit de côté les aspects les plus calmes et froids, il raconta chaque détail : la coupe et la couleur du costume de l'homme, la Rolex qu'il portait à son poignet gauche, sa façon de parler, André son associé, et même l'histoire de Gengis Khan. Il se rappela le nom des hommes sur lesquels il l'avait interrogé. Jack Witkowski et Marshall Richards. Il crut voir une étincelle briller dans les yeux de l'inspecteur.

Avec son stylo en or, Halden nota le tout d'une écriture précise sur le même carnet qu'il avait rempli dans leur cuisine. Finalement, il lâcha :

« OK.

– Que va-t-il se passer ?

– On va voir ce que ça donne et je reviens vers vous au plus vite.

– Mais que...

– Je n'en suis pas sûr encore, monsieur Reed. Si cet homme est impliqué dans l'affaire du braquage, il devient la priorité.

Je pense que le mieux à faire est de lui tendre un piège. Avec votre concours. Vous pensez pouvoir le contacter en prétendant que vous avez retrouvé sa marchandise ? »

Tom s'était préparé à une demande de ce genre, mais fit en sorte d'hésiter suffisamment avant de répondre.

« Oui. Si ça permet de l'arrêter.

– Ça peut. Je vous contacte bientôt, sans doute plus tard dans la journée. Gardez votre portable allumé.

– Et pour nous ?

– Votre femme et vous devriez aller à l'hôtel. Juste une nuit ou deux, le temps de régler tout ça.

– Et s'il nous trouve ? »

Inutile de simuler l'inquiétude cette fois-ci.

« Il ne vous retrouvera pas. »

Halden reposa sa tasse, remit sa cravate en place avant de poursuivre : « Il connaissait vos noms parce qu'il les avait lus dans le journal. Il a probablement surveillé votre maison, vous a suivi au travail et a attendu que vous alliez déjeuner. Les méchants machiavéliques, c'est bon pour les bandes dessinées. Ce type a un abonnement au *Tribune*, c'est tout. »

Tom hocha lentement la tête.

« J'imagine qu'un peu de repos ne nous ferait pas de mal.

– Voilà, vous avez compris. Faites-vous plaisir, bichonnez votre femme. »

Ils se levèrent. L'inspecteur Halden lui tendit une nouvelle carte de visite, lui demandant d'un ton ferme de l'appeler immédiatement si quoi que ce soit arrivait. Tom acquiesça, lui serra la main et ils sortirent ensemble du café. Avant même d'ouvrir la portière de sa Crown Vic bleue, Halden composait un numéro sur son portable. Tom sourit.

Le risque avait payé. L'opportunité de résoudre l'affaire du braquage de l'année était trop alléchante pour que Halden passe à côté. C'était le genre d'affaire qui lui apporterait sans aucun doute crédit et reconnaissance. Comme n'importe qui, Halden voulait avancer. Il se concentrerait sur le dealer, jetterait toutes ses forces dans la bataille, essaierait de mettre un piège en place aussi vite que possible. Il porterait son attention sur ce qui la méritait.

Se sentant beaucoup plus léger, Tom sortit son portable.

« Salut, chéri, dit Anna en décrochant.

– Salut. Où es-tu ?

– Je fais des courses.

– Retrouve-moi à la maison. On prend quelques affaires et on file à l'hôtel.

– À l'hôtel ? Que se passe-t-il ?

– Je te le dirai quand je te verrai.

– Tout va bien ?

– Oui, la rassura-t-il. Tout va bien, maintenant. »

Il descendit trois rues jusqu'à la station de Sedgwick et attendit le métro. Mis à part une clocharde et un homme qui avait pris les escaliers à sa suite, l'endroit était désert. Depuis le quai surélevé, il pouvait apercevoir les Sears Towers se découper à l'horizon. Ils pourraient peut-être aller en ville ce soir, dans un hôtel quatre étoiles, le Peninsula ou le Ritz, un endroit avec des robes de chambre moelleuses et une piscine. Mener la grande vie.

Le train arriva dans un bruit de ferraille. Il était presque 17 heures et la voiture était bourrée des usagers des heures de pointe. Il se fraya un chemin et s'adossa à la porte du fond. Tandis que le métro aérien tanguait et bringuebalait, il repensa à l'inspecteur, comment cette histoire de braquage l'avait mis en mouvement. Ça allait marcher. Mieux, il pouvait en parler à Anna maintenant. Elle serait effrayée au début, elle lui en voudrait de ne pas lui en avoir parlé plus tôt, mais la façon dont il avait résolu le problème la calmerait. Avec les flics sur la piste des dealers et l'argent hors jeu pour l'instant, ils étaient tranquilles.

Le temps d'atteindre Rockwell, la foule avait diminué. Repliant leur journal ou regardant leur montre, une douzaine de personnes descendirent, avant d'emprunter des directions différentes. L'air était frais après la chaleur étouffante du métro. Il parcourut à pied les quelques mètres qui le séparaient de chez lui, écoutant le vent bruisser dans les feuilles des arbres, sentant l'odeur des fleurs dans l'air de la nuit.

« Dis-moi, mon gars. »

C'était l'homme croisé sur le quai de Sedgwick, un gars imposant, pas gras mais tout en muscles, aux joues ombrées de barbe et aux cheveux noirs.

« J'ai une question à te poser.

– Quoi ? » demanda Tom.

Il avait à peine répondu que son estomac implosa. Ses genoux vacillèrent et il se plia en deux, pris d'un haut-le-cœur. Il lutta désespérément pour reprendre son souffle, son esprit tournant à cent à l'heure, enregistrant à peine le fait que ce parfait inconnu l'avait frappé au ventre avec un poing aussi compact qu'un parpaing.

L'inconnu reprit la parole : « T'es gaucher ou droitier, connard ? »

13

Jack attrapa le sale enfoiré par les cheveux et le tira en haut de l'escalier. La rue était déserte pour l'instant. Il était 17 heures passées, l'heure à laquelle les gens promènent leur chien et allument le barbecue. Inutile de s'éterniser.

Il ouvrit la porte du vestibule et poussa vivement Tom à l'intérieur contre le mur. Celui-ci n'eut pas le temps de lever les bras pour se protéger et se prit le mur de plein fouet. Il recula en titubant, étourdi. Il avait un air ahuri, comme si le mal allait disparaître s'il clignait suffisamment des yeux.

« Ouvre la porte ! » ordonna Jack.

L'homme toussa, se redressa lentement.

« Qui êtes... »

Jack lui cogna la joue du plat de la main. Il avait fait la même chose à la Star, et la réaction avait été identique. La peur et l'impuissance envahissaient le regard de Tom Reed. La peur et l'impuissance, c'était bien. Des émotions fortes, statiques, qui empêchaient de penser. La chose la plus stupide que ce type pouvait faire, c'était ouvrir la porte et se laisser enfermer dans cet endroit isolé, loin des regards indiscrets. Ce qu'il aurait dû faire : courir dans la rue en hurlant. Mais la peur et le sentiment d'impuissance, ainsi que la rapidité d'action de son adversaire, l'empêchaient de réfléchir correctement.

« Ouvre la porte ! »

Tom hocha la tête, plongea la main dans son sac et en ressortit un jeu de clés. Il en inséra une dans la serrure de la porte menant à l'étage.

« Pas celle-là. L'autre porte.

– Quoi ? »

Jack sortit son 45 chromé, le laissa pendre au bout de son bras. Tom ouvrit des yeux grands comme des soucoupes.

« Écoutez, prenez mon portefeuille.

– Ouvre l'autre porte, Tom. »

Il resta un instant immobile puis réagit enfin. Il fit un pas de côté et déverrouilla la porte de l'appartement de Will Tuttle.

« Entre. »

Jack lui emboîta le pas, attendit qu'ils soient dans le salon et que la porte se referme derrière eux. Puis il planta violemment la crosse de son pistolet dans le rein droit du type.

Tom Reed s'effondra comme si chaque muscle de son corps l'avait lâché en même temps. Il atterrit sur le sol, en position fœtale. Il se tenait fermement le flanc et le ventre. Un sifflement semblable au râle d'un animal blessé s'échappait de ses lèvres. Ses jambes étaient parcourues de spasmes comme les cuisses d'une grenouille qu'on dissèque. Jack se retourna pour verrouiller la porte. Il resta planté un moment à regarder l'homme se tortiller puis lâcha : « Et si on bavardait un peu ? »

Tom était incapable de bouger, incapable de penser. Une brûlure atroce irradiait dans son dos, comme s'il était piqué de flèches enflammées, attaqué par des boules de lave incandescentes et grésillantes. Il chercha désespérément sa respiration. Alors que le monde vacillait devant ses yeux, tout ce qu'il voulait, c'était simplement respirer. Il arrivait à distinguer les motifs sur les lattes du plancher, à sentir l'odeur de poussière terreuse émanant d'empreintes de pas. Il entendit un claquement métallique. Le loquet avait été tiré. Le son le plus effrayant qu'il ait jamais entendu.

« Et si on bavardait un peu ? »

Tom grogna. La voix lui parvenait d'en haut. C'était l'homme de la station Sedgwick. Imposant, mais pas gros. Il tenait un flingue et il connaissait son nom. Il essaya de rassembler ses idées.

L'homme reprit la parole : « On ne s'est jamais rencontrés, mais j'ai l'impression de te connaître, Tom. C'est dingue le nombre de trucs qu'on peut apprendre sur quelqu'un en consultant son courrier. »

Des feuilles de papier tombèrent sur le sol. Des papiers blancs, avec des inscriptions.

« Tu sais ce que c'est ? C'est un reçu de carte bancaire. Le genre qu'on t'envoie quand tu as fait un dépôt à distance. Il est écrit que tu as remboursé quinze mille dollars de dettes la semaine dernière. Quinze mille quatre cent douze dollars et cinquante-sept cents, pour être exact. »

Leur courrier. Il avait vu la veille que la boîte aux lettres était vide et Anna aussi lui en avait fait la remarque. Ils avaient mis ça sur le compte d'un nouveau facteur, le genre de problème technique typique de la poste. Maintenant, il comprenait. Cet homme les surveillait depuis des jours.

« Quel genre de personne peut sortir quinze mille quatre cent douze dollars et cinquante-sept cents en une seule fois ? »

Une botte vint le titiller. Tom s'en écarta. Ce simple mouvement fit tourner le monde autour de lui mais, au moins, le degré de douleur semblait s'être stabilisé. Il s'aperçut qu'il arrivait à respirer. Il prit de grandes bouffées d'air, essayant de s'éclaircir les idées.

« Je vais te le dire. Un vrai trou du cul. Et attention, on parle de trou du cul de première catégorie, là. Le genre qui a toujours tout eu dans la vie et qui pense en plus que c'est mérité. Le genre qui, s'il trouve quatre cent mille dollars, croit qu'il peut les garder. »

Tom posa une main contre le sol, l'évaluant sous sa paume. Le mouvement envoya une décharge brûlante le long de sa colonne vertébrale. Lentement, il se mit à genoux, s'attendant à être projeté au sol par un nouveau coup. Mais il ne pouvait pas rester étendu là.

« Tu crois que c'est comme ça que marche le monde ? »

La voix était plus proche et Tom sentit sur son visage une haleine empestant le café. Il cligna des yeux jusqu'à pouvoir fixer son regard, voir l'homme penché en avant, le flingue toujours à la main. C'était un gros objet chromé, lourd.

« Tu croyais que tu pourrais garder quatre cent mille dollars tombés du ciel comme ça ? Hein, c'est ça ? »

Tom toussa, se redressa un peu. Il essaya de s'imaginer fonçant sur l'homme, le jeter contre la porte, se battre pour lui piquer son arme. Il essaya. Mais ne put se résoudre à y croire.

« Ta mère ne t'a jamais raconté des histoires pour t'endormir ? Tu devrais savoir que quand tu trouves un coffre plein d'or, il y a un monstre qui le garde. C'est comme ça que ça marche. Si tu veux quelque chose, tu dois d'abord le prendre à des gens comme moi. »

D'un tour de poignet, il leva le revolver de sorte que Tom eut les yeux rivés sur l'obscurité du canon. Il était énorme. Son corps fut secoué de tremblements et sa tête lui fit souffrir le martyre.

« Tu crois que t'en es capable ? » continua l'homme.

Tom se força à lever les yeux, détournant son regard du canon. L'homme avait l'air polonais, avec un large visage et des cheveux sombres. Cette pensée l'amena vers une autre. Un nom. Jack Witkowski. Le Noir lui avait demandé s'il connaissait un Jack Witkowski.

« Alors ? »

Tom se força à regarder Jack dans les yeux. Lentement, il secoua la tête.

L'homme sourit.

« Bien. »

Il remit son arme dans son holster et tendit la main droite. Tom la saisit et se hissa péniblement sur les pieds. La nausée le secoua, faisant trembler tout son corps, mais il s'efforça de rester debout.

« Maintenant, dit Jack, où est mon fric ? »

Une heure plus tôt, Tom aurait donné une réponse diffé-rente. Il aurait esquivé ou essayé de mentir. Il aurait feint l'ignorance. Maintenant, il était subitement et cruellement conscient de deux faits très simples. D'abord, il était dans une merde encore plus profonde que tout ce qu'il aurait pu ima-giner. Ensuite, Anna allait bientôt rentrer.

« Au sous-sol.

– Montre-moi. »

Tom visualisa l'endroit, les murs et le plafond en ciment, la fenêtre solitaire qui perçait le mur du fond, la faible lumière provenant d'une ampoule dénudée suspendue au plafond. Il imagina un corps, face contre terre, sur ce sol poussiéreux. Une caméra filmait en panoramique le filet de sang qui s'écoulait lentement de ce qui restait d'une tête. Une image empruntée à un film de Scorsese. Sauf que ce serait son corps, son sang. De nouveau, il pensa à Anna.

« Par là.

– Toi d'abord. Doucement. »

Au prix d'un effort monstre, Tom tourna le dos à l'homme et à son flingue. Son rein amoché lui lança une décharge dou-loureuse. Il avançait à pas mesurés, le regard aux aguets. Les motifs créés par les nœuds du bois, l'odeur de sa transpiration, les reliefs des moulures, chaque petite chose semblait annoncer un mauvais présage. Et il y en avait tellement, le monde lui paraissait si présent qu'il ne pouvait l'ignorer.

Une vague odeur de poubelle flottait dans la cage d'esca-lier. Il commença à descendre, le bois grinça à chaque marche. Des toiles d'araignées envahissaient les recoins, les restes d'une poubelle éventrée l'année précédente gisaient au sol. Il avait l'esprit à mille lieues de là, comme s'il s'observait de l'exté-rieur. Il se vit tâtonner pour trouver l'interrupteur, allumer l'ampoule qui éclaira l'espace d'un jaune blafard. Il se vit avancer vers le fond, passer devant la machine à laver et le sèche-linge, la chaudière, le panneau de contreplaqué dissimulant le vide sanitaire. Il se vit pivoter pour regarder l'homme qui se tenait derrière lui.

La vision de Jack ramena Tom à la réalité, lui fit perdre cette distance réconfortante, le ramena dans son corps. Tom examina les épaules larges et la posture sur le qui-vive, l'arme sortie et fermement tenue. Jack avait l'air d'un homme à l'aise, comme s'il faisait ça simplement pour gagner sa croûte.

« Ma femme et moi, on essaye d'avoir un...

– Ta gueule, le coupa Jack en plissant les yeux. Où est mon blé ? »

Tom déglutit, la bile lui remontait dans le nez et dans le fond de la gorge.

« Là, fit-il en désignant le vide sanitaire. Dans un sac de sport.

– Attrape-le. »

Il prit une inspiration. Peut-être qu'une fois qu'il aurait rendu l'argent, tout ça serait terminé. Jack Witkowski prendrait son dû et les laisserait tranquilles. Ils pourraient retourner à leur ancienne vie, aux factures, à leurs problèmes profession-nels, à leurs soirées à la maison à regarder des films. À tous ces petits moments qui faisaient une journée, constituaient une vie. Toutes ces choses si précieuses dont ils avaient cru vouloir se défaire.

Tom fit un pas en avant, saisit les bords de la plaque qu'il souleva avant de la retirer, puis la posa contre le mur. Une odeur de moisi s'échappa de l'obscurité. Il s'accroupit et plongea le bras à l'intérieur. Sa main chercha à tâtons la bride du sac. Rien. Il commença à tapoter à l'aveugle dans le vide sanitaire. Sa main heurtait des tuyaux métalliques, soulevait des nuages de poussière. Il s'allongea sur une épaule, chercha dans toutes les directions, se disant que peut-être il l'avait enfoncé plus profondément qu'il ne se le rappelait. Rien.

Tom passa la tête pour scruter l'espace sombre. Comme ses yeux s'habituaient à l'obscurité, il vit des monticules de poussière, des toiles d'araignées désertées, le faible éclat des tuyaux. Mais pas de sac de sport.

Il regarda encore, cherchant à comprendre.

L'effraction. Non, une fois les flics partis, la première chose qu'Anna et lui avaient faite avait été de descendre pour vérifier que l'argent était toujours là.

Le monde parut s'arrêter. Tom était accroupi sur le sol, la tête dans le vide sanitaire comme un enfant essayant de se cacher. Une part de lui-même espérait que s'il ne voyait pas la menace, elle disparaîtrait.

Puis Jack lâcha : « Allonge-toi et tends le bras. »

Jack regarda l'homme se raidir. Quel abruti. La plupart des gars retenaient la leçon après s'être pris un bon coup dans les reins. Mais pas ce fils de pute débile. Non, lui, il croyait encore que tout lui était dû.

Le déclic du chien que l'on arme résonna comme un coup de tonnerre dans l'espace confiné du sous-sol.

« Non, attendez ! S'il vous plaît ! »

Tom se tourna, toujours agenouillé, les mains levées devant son visage. Il semblait au bord du désespoir, exhalait une panique animale, les yeux courant dans tous les sens.

« Il était là. Je vous jure qu'il était là.

— Allonge-toi, répéta Jack. Et tends le bras.

— On a été cambriolés, laissa échapper Tom. En début de semaine. Ils n'ont pas trouvé l'argent à ce moment-là mais ils sont peut-être revenus. Ils se sont peut-être rendu compte qu'ils n'avaient pas fouillé le sous-sol. Nous n'avons rien remarqué parce qu'ils n'ont visité aucun des deux appartements. Mais ils ont pu venir ici...

— Tom, lança Jack d'une voix tranquille. À ton avis, qui est entré par effraction chez toi ? »

Il secoua la tête et reprit : « Tu veux la manière forte, très bien. Maintenant, allonge-toi, bordel de merde ! »

Pendant un long moment, l'homme se contenta de le dévisager. Le sang désertait son visage, remplacé par un millier d'horreurs. Rien n'était plus effrayant que le monstre que l'on faisait apparaître dans sa tête. Il voulut protester, mais Jack déplaça le flingue de son visage à son estomac.

« Maintenant. »

Lentement, Tom Reed s'allongea sur le sol poussiéreux. Il plia ses genoux sous lui puis se laissa glisser sur les épaules. Il garda la position une seconde puis roula sur le dos. Il tendit le bras. Les yeux rivés au plafond, il avait l'impression de voir au travers.

Jack relâcha un peu la pression sur son flingue mais le maintint braqué sur le ventre de Tom. Il planta le bout de sa chaussure taille 46 sur le bras de Tom, juste sous l'épaule. Il appuyait avec force. Il vit Tom remuer les lèvres sans bruit, psalmodier des paroles inaudibles, mais au rythme régulier. Une prière peut-être, ou une promesse. La tension, que Jack connaissait bien, était maintenant de retour : l'euphorie et la peur, et la brusque montée du sentiment de puissance, de vivre à la limite de la vie, là où le monde se crée, minute après minute. Il laissa le moment s'étirer, laissa la frayeur de l'homme s'amplifier et s'épaissir.

« Tom, où est mon pognon ? » répéta-t-il finalement.

Le type tourna la tête de chaque côté. Il avait la peau moite, les pupilles dilatées.

« Je le jure sur Dieu. Il était là », dit-il.

Jack secoua la tête. Mit son arme à niveau, au cas où. Puis leva le pied droit, le talon vers le bas.

N'aie pas peur, n'aie pas peur. Oh, mon Dieu, que fait-il ? Pourquoi lèv... sa jambe, pourquoi, il ne peut pas, oh, mon Dieu, n'aie pas peur, naiepaspeur ! naiepasp...

L'homme abattit son pied et le monde de Tom explosa.

« Nous l'avons mis dans le vide sanitaire, nous l'avons mis dans le vide sanitaire. Je le jure. Il était là ! »

Il hurlait les mots pour combattre la douleur.

Jack leva de nouveau son pied et Tom aspira une goulée d'air. Il tira sur la chaussure qui maintenait son bras en place, vit le doigt se resserrer sur la détente, l'obligeant à s'arrêter.

La deuxième fois, il remarqua le son, tout aussi terrible que la douleur. Un bruit horrible de chair qui s'étale de façon répétée tandis que ses jointures s'écrasaient sur le béton. Un craquement, une brindille qu'on brise, et son petit doigt fut complètement retourné. Il le regarda et sentit un haut-le-cœur le saisir, lutta pour ne pas vomir.

La douleur, la brûlure sourde, déchiquetée, aiguisée comme du verre brisé, de la douleur.

« Où est-il ?

– Nous l'avons mis dans le vide sanitaire ! »

Le troisième coup rencontra le bord de son alliance, l'anneau en acier inoxydable qu'ils avaient choisi dans une bijouterie de Michigan Avenue. Le talon cogna dessus et une partie de la force du coup fut déviée. Mais c'était assez, il n'en pouvait plus. Il fixa son regard et lutta contre les points noirs qui s'agitaient devant ses yeux. Il pensa à son alliance. À son alliance, à sa femme, à sa jolie alliance et à sa jolie femme. Seigneur, Anna. Elle serait bientôt à la maison.

« Je jure sur ce putain de Dieu ! beugla-t-il, les yeux exorbités. Nous avons trouvé l'argent dans la cuisine, planqué dans la farine et le sucre, et nous l'avons mis dans un sac de sport et porté jusqu'ici, juste ma femme et moi, et nous ne l'avons pas bougé, putain, je le jure. Je le jure, bordel ! Je ne sais pas où il est, peu importe le nombre de coups que vous me donnez, j'en sais foutre rien parce que nous l'avons mis dans ce putain de vide sanitaire. »

L'homme leva son pied une nouvelle fois. Il plissa les yeux et s'arrêta. Il regardait vers le bas. Tom concentra dans son regard toute la franchise dont il était capable, essayant de montrer qu'il n'avait jamais été aussi sincère de sa vie. Pour que Jack le croie. Pour empêcher ce pied de frapper encore. Son cœur battait à tout rompre, il n'y avait que la fraîcheur du ciment, l'odeur du sang, de la saleté, de l'adoucissant. Et la douleur infernale qui lui brûlait la main.

Puis Jack baissa son pied. Lentement. Il retira l'autre du bras de Tom et s'accroupit. Il tenait négligemment son arme et Tom envisagea un instant de la lui prendre, mais la simple pensée de devoir bouger les doigts lui donna la nausée. Jack le dévisageait. Les traits durs de son visage étaient creusés par la lumière au-dessus de lui. Tom devinait ses yeux plus qu'il ne les voyait.

« Hum », lâcha-t-il finalement.

Il se releva, fit un pas en arrière. Il passa une main dans ses cheveux.

Libre de bouger, Tom roula sur le côté, prit délicatement sa main gauche dans la droite, la soutenant avec douceur comme un membre ankylosé. Sauf que ce n'était pas des fourmis qui lui picotaient le bras, mais des lames de rasoir qui le tailladaient. Ses doigts en sang étaient tordus, déchiquetés par le béton. Son petit doigt était incontestablement cassé. Une méchante entaille barrait son index. Tous ses doigts étaient rouges et gonflés.

Ça va aller. Tu vas t'en sortir. Ça guérit les doigts. Tu les mets dans la glace, tu mets une attelle, tu vas à l'hôpital. Mais d'abord, il faut te sortir de là.

D'un mouvement très lent, s'efforçant de n'utiliser que ses abdos, Tom s'assit. Sa tête lui tournait et le faisait atrocement souffrir.

« Je le jure, répéta-t-il. Je jure que nous avons mis l'argent ici. Je ne sais pas du tout où il est. »

Jack hocha lentement la tête.

« Tu sais quoi ? Je te crois. Tu ne sais pas où il est. »

Il s'accroupit à côté de Tom avant d'ajouter : « Mais tu sais quoi encore ? Je parie qu'Anna le sait. »

Avant que Tom puisse mesurer la portée de ces paroles, la main armée de Jack fouetta l'air et tout s'obscurcit autour de lui.

Douleur lancinante.

Sa main le faisait atrocement souffrir, suivant le rythme régulier des pulsations envoyées par son cœur. Par sa tête aussi. Alors qu'il essayait de se raccrocher aux minces branches de la conscience, sa première pensée fut qu'il n'avait pas eu une telle gueule de bois depuis longtemps. Il s'était endormi sur...

Tout lui revint en un instant. Il ouvrit les yeux d'un coup. Il s'assit d'un mouvement brusque, mais le spasme de la douleur l'obligea à se recoucher. Lentement. Vas-y mollo. Il était dans un fauteuil. Le fauteuil de Will, dans son appartement. Il était assis et sa main reposait sur son bras. Il était seul. Où était Jack ?

Mais surtout, Seigneur, où était Anna ?

En l'espace d'une respiration, son imagination s'envola et une vision digne d'un film d'horreur lui vint à l'esprit. Anna le bras tendu, la bouche grande ouverte, la tête rejetée en arrière, Jack levant son pied. Ou encore : Jack la jetant au sol, défaisant son pantalon, sa femme criant à l'aide pendant que lui était inconscient dans un fauteuil...

Il se rassit. La douleur revint en une vague blanche et il la laissa l'emporter, les yeux fermés et les dents serrées. La douleur ne comptait pas. Si elle était là, il devait l'aider, il devait la rejoindre. Si elle n'était pas encore là, elle ne tarderait pas à arriver.

Un bruit lui parvint depuis le couloir. La porte du réfrigérateur qu'on ouvrait. Jack se trouvait dans la cuisine. Avec Tom inconscient, il devait se sentir en sécurité et l'avait laissé sans surveillance. Une chance qu'il se soit réveillé. Tom se leva, appuyant son bras gauche sur le droit. La pièce vacilla avant de se stabiliser lentement. Et maintenant ?

Il devait être en mesure de sortir par la porte de devant, mais que se passerait-il si Anna rentrait à la maison avant l'arrivée des flics ? Il pouvait essayer de la joindre sur son portable, mais si elle était dans le métro ou si son portable n'avait plus de batterie ?

Non. Impossible de partir avant d'être sûr qu'ils étaient tous les deux en sécurité. Alors quoi ? Le téléphone n'était pas la bonne solution : le poste était dans la cuisine. Son portable était dans son sac, qu'il ne voyait nulle part. La pièce était dépouillée : une chaise, un meuble qui supportait la télé, une lampe. Ses yeux parcoururent la cheminée, les étagères, le couloir. Sa caisse à outils. Il l'avait laissée dans le couloir quand il avait cherché la drogue.

Il ne voulait pas réfléchir. Il ordonna à ses pieds de bouger. Un pas. Puis un autre. Son cœur s'emballait. Tom se pencha sur la caisse en plastique orange. Elle n'était pas fermée. Dieu merci, il avait été pressé l'autre jour. Il tendit un bras pour l'attraper, utilisant machinalement le plus près, le gauche. Son auriculaire frôla le couvercle. Des étoiles explosèrent devant ses yeux. Il voulut hurler, jurer et frapper le mur. Il retint sa respiration et n'émit pas un son.

Ne t'arrête pas, tu n'as pas le temps. Sois fort, vas-y. Les dents serrées, il força sa main droite à bouger. Il souleva doucement le couvercle. À l'intérieur, le plateau supérieur contenait du petit outillage, des pinces rondes et un détecteur de courant, une lampe de poche et un amas de vis de toutes tailles. Ainsi qu'un couteau de chasse muni d'une lame de six centimètres. Tom l'attrapa. Au départ, il avait pensé au marteau, mais ça, c'était encore mieux, rapide et dissimulable. Avec précaution, il rabaissa le couvercle.

Il entendit un bruit à l'autre bout du couloir, et il se redressa d'un mouvement sec. Il lui fallut une minute pour reconnaître le petit claquement familier suivi d'un chuintement. Jack s'était servi une bière, comme s'il n'y avait rien de plus normal. Il fut surpris par la force avec laquelle la rage le submergea, par la haine que cette arrogance affichée lui inspirait. Ce type considérait clairement que Tom était hors jeu, qu'il ne valait pas mieux qu'un insecte agonisant.

Les lèvres retroussées, Tom parcourut dans l'autre sens les quelques pas qui le séparaient du fauteuil. Il déplia la lame et glissa avec précaution le couteau dans sa poche avant. Puis il s'assit, ferma les yeux et attendit. Il était peut-être à terre, mais il était toujours dans la course.

Jack prit une longue gorgée de bière fraîche. Le liquide coula agréablement dans sa gorge. Il regarda sa montre.

Presque 18 heures. La femme serait bientôt là. C'était presque fini.

Il traversa le couloir. Tom Reed était toujours dans le fauteuil. Sa position avait un peu changé, et sa respiration n'avait plus la régularité qui allait de pair avec l'inconscience. Sa main gauche était rougeoyante, la chair boursouflée et couverte de sang coagulé.

« T'es réveillé ? »

Tom ne répondit pas, mais ses paupières frémirent.

« Ouais, t'es réveillé. »

Jack passa devant lui et gagna la fenêtre. Il jeta un œil sur le quartier paisible. Une rue plutôt sympa. Des maisonnettes anciennes, en pierre, quelques pavillons plus récents. Beaucoup d'arbres, mais, malgré tout, des restaurants et des bars, une promenade agréable. Les gens qui promenaient leur chien se souriaient, s'arrêtaient pour bavarder.

« Dis-moi un truc. Combien ça coûte une baraque comme celle-là ? »

Il y eut un long silence puis Tom dit :

« Vous vous foutez de moi ?

– Quoi ? Tu crois que je n'ai pas de chez-moi ? »

Il se détourna de la fenêtre, se dirigea vers la porte, la déverrouilla.

« Combien ?

– Je ne sais pas.

– Tu ne sais pas ? Tu l'as achetée, cette baraque, non ?

– Oui.

– Alors, combien ? »

Tom se frotta le crâne de la main droite.

« Il y a une maison à vendre au bout de la rue pour cinq cent vingt-cinq mille.

– Un demi-million. »

Il siffla, effleura de la paume le contour des moulures.

« Tu sais, la maison dans laquelle j'ai grandi, mon père l'a payée dans les trente mille. Un petit coin dans Archer, avec un jardin grand comme un timbre-poste et un toit de guingois.

Mon frère et moi, on a partagé une chambre jusqu'à ce que... jusqu'à ce que je foute le camp. »

Il prit une lampée de bière avant de poursuivre.

« C'était déjà un sacré truc, en tout cas, qu'il soit capable d'acheter une baraque. La plupart des Polacks qu'on connaissait étaient en location.

– Qu'est-ce que vous sous-entendez quand vous dites qu'Anna sait où est l'argent ? »

Jack se dirigea vers le mur, s'y adossa.

« Deux personnes mettent quelque chose quelque part et l'une d'entre elles s'étonne que la chose ait disparu. »

Il haussa les épaules.

« Elle n'aurait pas fait ça.

– Vaudrait mieux que tu te trompes. »

Jack roula des épaules pour les détendre. Les boulots de longue haleine étaient les plus durs. Plus ça traînait, plus on risquait de faire des conneries. Un voisin qui regardait par la fenêtre, un gars qui essaierait de jouer les héros, on ne savait jamais. À 43 ans, après un nombre incalculable d'heures de vol, il estimait qu'il était temps de raccrocher. Une fois que Marshall et lui se seraient partagé le fric, il irait en Arizona. Il verrait si Eli cherchait toujours un associé pour son bar. Jack détacha son portable de sa ceinture, ouvrit le clapet d'un geste sec. La réception était bonne.

« Je sais, je sais. C'est une salope. Ça doit être dur pour toi, mais c'est marrant comme l'argent peut changer les gens. Même les gens en qui on a confiance.

– Si Anna sait où se trouve l'argent... »

Tom hésita, et Jack vit que ça lui coûtait d'imaginer une chose pareille.

« ... vous le prendrez et vous nous laisserez tranquilles ?

– Tu joues aux courses ou quoi ?

– Hein ? »

Jack termina sa bière en une longue gorgée.

« T'as une maison qui vaut un demi-million. »

Il posa la canette au sol, puis l'écrasa d'un coup de pied. Il vit Tom Reed grimacer à cette vision. Il lâcha un petit ricanement puis se pencha pour ramasser la canette avant de la glisser dans sa poche.

« T'as un boulot qui paye bien, une femme canon.

– Et alors ?

– Je me demande juste pourquoi t'as pris ce pognon, expliqua-t-il avant de marquer une pause et de regarder Tom droit dans les yeux. J'aimerais vraiment savoir. C'est vrai, quoi. T'as tout ce que tu veux, qu'est-ce qu'il te faut de plus ? »

Il accompagna ses dernières paroles d'un geste circulaire qui englobait toute la pièce.

« Ce n'est pas si simple.

– Pourquoi ça ? »

Tom secoua la tête, ne répondit pas.

« D'accord, c'est sûr, l'argent, c'est tentant. Mais tu dois savoir que le monde ne marche pas comme ça, hein ? Tu le sais ça ? Je veux dire, c'était un sac rempli de blé.

– Nous... »

Tom hésita.

« Nous ne savions pas d'où il provenait. Nous pensions que c'était le sien. Qu'il l'avait économisé, qu'il ne faisait pas confiance aux banques.

– Et ça justifie votre geste ?

– Il était mort. Nous ne faisions de mal à personne.

– C'est ça le problème avec vous autres, répliqua Jack en faisant craquer ses doigts. Je ne suis pas en train de dire que je ne l'aurais pas pris. Je l'aurais pris. Je l'ai pris, en fait. Mais je ne me suis pas raconté que ça ne faisait de mal à personne. Je le voulais, je l'ai pris. Tu vois ce que je veux dire ?

– Non.

– Laisse-moi t'expliquer autrement, fit-il en penchant la tête. Tu crois vraiment que tu t'es pas fourré là-dedans tout seul ? »

Tom ouvrit la bouche, la referma. Le moment s'étira. Puis Jack sentit le téléphone vibrer sur sa hanche. Il sortit le 45.

« Fais pas le malin. Compris ? »
Tom esquissa le plus léger des hochements de tête.
Jack déplia son portable et lut le message.

Anna mit son clignotant, attendit que le camion blanc d'une entreprise de construction passe puis fit marche arrière, braqua le volant à fond et gara la Pontiac dans l'étroit emplacement. Avant d'habiter en ville, elle pensait que les créneaux relevaient d'un art obscur. Maintenant, elle pouvait faire ces manœuvres les yeux fermés.

Le trottoir était inondé de la lumière du soleil printanier, des petits carrés de fleurs ornaient les bords de la rue. Une BMW rouge était éclipsée par une explosion de tulipes blanches et un buisson en fleurs dissimulait à moitié une Honda noire dont le moteur tournait. Un homme à l'intérieur tripotait un téléphone portable. Elle avança d'un pas tranquille, repensant au ton de la voix de Tom quand il avait suggéré d'aller à l'hôtel. Comme s'il avait résolu un problème qui le titillait et voulait fêter ça. Bizarre.

Mais bon, aller à l'hôtel était une perspective agréable. Ils avaient l'habitude de faire ça de temps en temps : prendre une chambre dans un hôtel du centre histoire de sortir de la routine. Des vacances dans la ville où ils habitaient. On leur fournirait des peignoirs moelleux et ils passeraient leur temps à faire des longueurs dans une piscine. Ça pouvait être sympa.

Elle gravit les marches et plongea la main dans son sac pour prendre ses clés. Par habitude, elle vérifia s'il y avait du courrier. Rien, encore une fois. Ça devenait ridicule. Elle se dit qu'elle prendrait son Bikini vert à fleurs bleues, qu'ils se feraient servir un repas par le garçon d'étage et loueraient un film.

Puis la porte de l'appartement du rez-de-chaussée s'ouvrit brusquement et une masse confuse en sortit. Elle vit un homme, tandis qu'elle levait les bras dans un mouvement de panique. Il l'attrapa, ses doigts fermes comme de l'acier entourèrent son bras et il la poussa à l'intérieur. Elle perdit l'équilibre, lutta pour rester debout tandis qu'il la tirait et la poussait, la jetant à moitié par la porte ouverte. Il lui fallut trois ou quatre pas pour retrouver son équilibre. Elle s'apprêtait à hurler lorsqu'elle vit Tom essayer de se lever du gros fauteuil. Sa main était tournée dans un angle improbable. Que faisait-il ici ? Que se passait-il ?

La porte derrière eux se referma.

« Ne crie pas, Anna. »

Il y avait du sang sur la main gauche de Tom et la façon dont il la tenait était étrange. Elle était amochée et boursouflée et son petit doigt n'était pas à sa place. Anna avait l'impression d'avoir mangé du métal. Elle eut un hoquet, couvrit sa bouche de sa main et esquissa un pas en avant. Puis elle vit l'expression sur le visage de Tom et s'arrêta.

Parfois, c'était comme s'ils se connaissaient depuis des siècles. Elle connaissait chacun de ses gestes, chacune de ses expressions. Elle pouvait les passer en revue dans son esprit : le sourire décontracté, un peu de travers, qui faisait apparaître de petites pattes-d'oie au coin de ses yeux. Les paupières à demi ouvertes et la tête inclinée, les lèvres à peine entrouvertes, quand ils faisaient l'amour, ou encore le plissement de ses yeux quand il lisait, qui ne signifiait pas qu'il se concentrait, mais qu'il tentait de faire abstraction du monde extérieur.

Elle n'avait jamais vu l'expression qui s'étalait sur son visage à ce moment précis. Elle reconnut la peur dans ses yeux écarquillés. La douleur dans ses lèvres serrées. Et l'inquiétude. L'inquiétude pour elle, dans l'inclinaison de sa tête et la raideur de son corps. Mais il y avait autre chose, aussi. Une réserve, une protection comme un rideau de fer, entre les lames duquel perçait une accusation acérée et aveuglante.

Elle ne fut donc pas surprise lorsque l'homme derrière elle lâcha : « C'est marrant, Anna. Tom croyait vraiment qu'il se trouvait au sous-sol. »

Elle fit volte-face, les lèvres retroussées en une grimace, vers cette créature, ce monstre qui avait fait du mal à son mari, qui avait broyé sa main et voilé son regard. Elle se retrouva nez à nez avec le canon d'un revolver. Le trou grossit jusqu'à ce que tout ce qui se trouvait autour se noie dans un arrière-plan de formes brumeuses. Alors, l'une de ces formes s'exprima : « Anna, qu'as-tu fait de mon fric ? »

C'était vrai. Le monstre avait dit la vérité. Sa femme avait menti.

Au début, lorsque Jack avait ouvert la porte à la volée et saisi Anna, puis l'avait jetée dans la pièce comme s'il faisait siffler un fouet, Tom avait réagi instinctivement, se débattant pour tenter de s'extirper du fauteuil. Prêt, comme toujours, à la rattraper si elle tombait. Mais alors, leurs regards s'étaient croisés et il avait lu dans ses yeux. Elle avait pris l'argent.

Elle avait pris l'argent et ne lui en avait rien dit. Résultat : il s'était retrouvé piégé dans le sous-sol poussiéreux, sous la menace d'un flingue. Il avait les doigts cassés, broyés. Un homme avait braqué une arme sur son estomac, un homme qui, à l'évidence, ne demandait qu'à appuyer sur la détente. Pire encore que les conséquences, l'acte lui-même. Sa femme l'avait trahi.

Stop. Ce n'est pas le moment. Il n'essaya pas de faire abstraction de ses sentiments. Il les repoussa juste un peu au fond de lui-même. S'il voulait s'en sortir, il lui fallait rester sur le qui-vive.

Anna se tenait à quelques pas de lui, les clés toujours serrées dans une main tandis que l'autre pendait derrière elle comme pour la retenir si elle tombait.

« Quel fric ?

– Tu sais quel fric, Anna. »

Elle hésita un instant puis dit :

« Il n'est pas ici.

– Où est-il ?

– Dans un endroit sûr. »

Non, pensa Tom. *Non, ne joue pas à la maligne avec lui, il va...*

Jack lui assena une redoutable claque de la main gauche. Depuis le fauteuil où il était installé, Tom vit la tête de sa femme partir sur le côté, la puissance du coup traverser son corps. Il se redressa d'un bond, sans réfléchir, l'instinct se confondant avec la haine. Mais Jack fut plus rapide que lui : le pistolet décrivit un arc de cercle et vint se poser sur sa poitrine. Tom pensa un instant se précipiter sur l'homme, mais impossible de parcourir sans risque la distance qui les séparait.

Glacial. Il fallait qu'il se montre glacial. Froid et imperturbable, capable de supporter ce que Jack leur ferait subir. Et quand le moment viendrait, il pourrait agir. Il baissa les bras.

Jack hocha la tête, maintint son arme en position et tourna le regard vers Anna.

« On va réessayer, ma jolie. Cette fois, si ta réponse ne me plaît pas, je tire sur ton mari. Alors, où est...

– En haut. Il est en haut. »

Les mots jaillirent précipitamment.

« Montre-moi », fit-il.

Il pointa l'arme sur Tom.

« Toi aussi, tu montes avec nous », ajouta-t-il.

L'esprit de Tom s'emballait. Une fois qu'ils lui auraient donné l'argent, plus rien n'empêcherait Jack de les abattre. Ils avaient vu son visage, entendu sa voix. Et pour un homme habitué à jouer de la gâchette, deux cadavres de plus, c'était insignifiant. Il faudrait qu'il bouge en premier. Vite. Le poids du couteau dans sa poche le réconforta. Ses doigts le démangeaient, impatients de le saisir, mais il se força à rester de marbre.

« Allons-y », ordonna Jack d'un geste.

Tom avança dans l'entrée. À travers les portes vitrées du vestibule, il apercevait leur porche et, plus loin, la rue. Une femme, un lourd sac de plastique bleu à la main, se promenait avec son chien. La vie normale n'était qu'à une quinzaine de mètres. Il aurait voulu hurler.

« Avance. »

Anna ouvrit la porte et commença à gravir les marches, Tom la suivait, Jack sur les talons, tels de simples propriétaires montrant l'appartement à leur nouveau locataire. *Deux salles de bains, lave-linge et sèche-linge au sous-sol. Aucun problème de stationnement. Vous souhaitez voir la véranda derrière la maison, ou vous voulez nous buter tout de suite ?* Il n'avait pas de temps à perdre avec ce genre de pensée peu rassurante. Il avançait avec difficulté. Ses jambes le picotaient et ses paumes le démangeaient. Bientôt. Il ne s'était jamais servi d'un couteau pour se défendre. Il se demandait quelle serait la meilleure façon de le tenir.

Mais lorsqu'Anna ouvrit la porte, l'espoir enserra le cœur de Tom. Derrière le grincement habituel des gonds se fit entendre une série de trois petits bips brefs. L'alarme.

Jack aussi l'entendit. Il les poussa rapidement à l'intérieur, ferma la porte derrière lui et, avec un rictus mauvais, lâcha : « Éteins ça. »

Bip.

Anna fit un pas vers l'alarme.

« Non, Anna ! » dit Tom.

Elle hésita. Jack fit volte-face pour l'affronter, avança de quelques pas, le flingue levé.

Bip.

« Il va nous tuer, poursuivit Tom. Quand on lui aura donné l'argent, il nous tuera.

– Éteins cette foutue alarme, Anna. Tout de suite. »

Bip.

Ils restèrent immobiles tous les trois. Tom avait la main près de sa poche, mais il était incapable de faire le moindre mouvement, n'osait pas, pas tant que Jack le fixerait ainsi du regard.

Bip.

« Bordel de merde ! » éructa Jack plus irrité que furieux.

Il fit encore un pas et plaça le canon du revolver sur le torse de Tom avant de se tourner vers Anna.

« Arrête cette putain d'alarme. »

C'était le moment. Tom plongea la main dans sa poche. ses doigts s'écorchant sur les bords en acérés plastique du manche. Sa première pensée fut de s'écarter de la ligne de tir ; il tourna légèrement le torse. Puis il songea à sortir le couteau. Le temps se liquéfia. Il pouvait voir tous les détails en même temps sans pour autant les enregistrer. Le plissement d'œil de Jack quand il le sentit bouger. La douleur lancinante dans sa tête tandis qu'il la tournait d'un mouvement rapide. Un nouveau bip de l'alarme. Anna ouvrit la bouche, prête à hurler. Le couteau s'accrocha à l'ourlet de sa poche, ralentissant sa manœuvre. Son menton passa au-dessus du canon au moment où Jack appuyait sur la détente. Il y eut un rugissement, comme si le monde se brisait. Tom ne ressentit aucune douleur.

Il sortit enfin le couteau de sa poche, bondit en avant, ne chercha pas une attaque sophistiquée, juste un coup par surprise aussi fort qu'il le pourrait. Il vit Jack se tourner également, son bras gauche s'abaisser. Tom essaya alors d'ajuster son coup, de viser l'estomac, mais Jack fut plus rapide. Avec une puissance redoutable, ses avant-bras s'abattirent sur la main de Tom. Il les releva subitement et sentit un liquide le long de ses membres. La lame avait taillé dans la chair. Jack poussa un grognement, se retourna et lança son poing qui tenait le revolver dans le bas-ventre de Tom qui laissa échapper l'air de ses poumons. Il s'efforça de porter un nouveau coup de couteau, mais Jack s'avança sur lui et lui donna un violent coup d'épaule qui le fit basculer en arrière. Ses pieds se dérobèrent sous lui et il tomba au sol. Le couteau vola au loin. Jack s'accroupit, pointant résolument son flingue sur le front de Tom. Il haletait et ses yeux lançaient des éclairs.

Tout semblait immobile. Ils étaient là, tous les trois enfermés dans le silence qui succédait à leur lutte.

Bip.

« Éteins cette putain d'alarme, fit Jack.

— OK, répondit Anna en s'approchant du boîtier. Je l'éteins. Ne lui faites pas de mal. »

Ses doigts pianotèrent rapidement sur les touches et le bip s'éteignit.

Un coup de feu. Marshall se redressa brusquement sur son siège, une main posée sur son arme, l'autre sur la poignée de la portière, les lèvres entrouvertes, penché en avant, calme, dans l'attente. Pour M. Tout-le-Monde, ça aurait pu passer pour n'importe quoi – un feu d'artifice, la pétarade du moteur d'un camion – mais lui savait ce que c'était. Il attendit le second coup de feu.

Rien. Il aspira l'air à travers ses dents et coula un regard vers le bas de la rue. Un seul tir. Bizarre. Le plan, c'était qu'après avoir récupéré l'argent, il dirait à Tom et Anna de s'allonger et leur collerait à chacun une balle dans la tête. Rien de personnel, juste la routine.

Mais il n'avait entendu qu'un seul coup de feu. Peut-être Jack avait-il eu besoin d'en descendre un pour que l'autre coopère ? Marshall se réinstalla dans son siège. Un seul tir ne ferait pas venir les flics. Ni même un deuxième ou un troisième, selon toute vraisemblance. Dans un quartier comme celui-là, les habitants n'imaginaient jamais le pire.

Mais bon. Et s'il se trompait ? Si l'un d'entre eux était parvenu d'une manière ou d'une autre à prendre l'arme des mains de Jack, ou le téléphone ? La situation de Marshall n'était pas des plus enviables. Il faisait la planque dans la rue où avait habité Will Tuttle, il se trouvait en possession d'une arme non déclarée, alors que la moitié des flics de la ville étaient à sa recherche. Traîner dans le coin n'était pas une bonne idée, il ferait mieux de décamper très vite. Mais l'argent se trouvait dans la maison. Il le savait, au fond de ses tripes. S'il foutait le camp maintenant, il se priverait de sa part du gâteau.

Marshall sortit une cigarette, la fit tourner entre ses doigts.

« Allez, Jack, fit-il. Allez. »

Le bras de Jack lui causait des élancements qui s'accordaient aux battements de son cœur. Sans bouger d'un iota la ligne de mire de son flingue toujours pointé sur Tom, il tourna le bras pour constater les dégâts. Merde. Sacrée entaille. Une diagonale de douze centimètres et demi partait du coude. La peau, froncée et soulevée, révélait la chair rose. La blessure saignait et lorsqu'il remuait les doigts, il recevait des décharges dans la colonne vertébrale.

Où ce connard avait-il trouvé un couteau ? Nom de Dieu ! Quelque chose le taraudait, mais il n'arrivait pas à savoir ce que c'était. Pas le temps d'y réfléchir. Il était en train de perdre le contrôle de la situation.

« Bon, est-ce qu'il faut que je me répète ?

— Il est dans le conduit de la ventilation, répondit Anna.

— Lequel ?

— Dans la cuisine. »

Il hocha la tête, se releva lentement, les yeux rivés sur Tom.

« On y va. »

La tension familière dans la poitrine, il les poussa sans ménagement vers la cuisine. Faire abstraction de la douleur. Les laisser croire qu'on ne pouvait pas l'atteindre, pas le blesser, qu'il était plus fort encore que ce qu'ils imaginaient. La peur, c'était bon. Il essaya d'anticiper la suite des opérations, de visualiser la scène sous tous les angles. Le coup de feu avait dû retentir dans tout le quartier. Marshall l'avait sûrement entendu. Avait-il mis les voiles ?

S'il avait foutu le camp, eh bien, il avait foutu le camp. Chaque chose en son temps. La bouche d'aération était tout en haut du mur, juste sous le plafond situé à trois mètres de hauteur.

« Vous avez un tournevis ? »

Tom ne répondit pas, mais sa femme, plus futée, dit : « Dans la boîte à outils. »

La caisse à outils. Il l'avait remarquée en bas, dans le couloir. Évidemment. Le couteau venait de là. Tom avait semblé si abattu que Jack l'avait pris pour une lavette. Ce mec avait des couilles, finalement.

Concentre-toi.

« Y en a pas un autre ici ? »

Elle marqua un temps d'hésitation.

« Dans le tiroir de la cuisine.

– Prends-le. Doucement. »

Elle acquiesça, le regard rivé au sien tandis qu'elle reculait vers le comptoir. Une belle femme, qui semblait intelligente. Quel dommage. Jack les regardait l'un et l'autre tour à tour, l'adrénaline lui courait dans les veines, éveillant tous ses sens. Il pouvait sentir la faible douleur dans ses orteils, la chaleur sous ses aisselles. Les bruits de la ville passaient au travers de la fenêtre : l'aboiement d'un chien, une sirène dans le lointain.

« Toi, lança-t-il. Tire la table contre le mur. »

Tom fit la grimace puis saisit le bord de la table de la main droite et la tira bruyamment sur le sol. Une fine ligne marqua le plancher.

« Monte sur la table. Anna ? »

Elle cherchait encore dans le tiroir.

« Je sais qu'il est là », dit-elle.

Elle jeta une pleine poignée de menus de livraison à domicile sur le comptoir, replongea les deux mains dans le tiroir.

Jack s'écarta, augmentant la distance entre eux, et s'adossa au mur pour les avoir tous les deux dans son champ de vision.

« Magne-toi. »

Anna hocha la tête.

« Le voilà. »

Elle sortit le tournevis du tiroir, fit quelques pas en direction de Jack.

« Donne-le-lui. »

Elle marqua une hésitation, puis tendit le bras pour passer le tournevis à Tom. Lorsque ses doigts effleurèrent l'outil, il lui glissa des doigts et tomba au sol bruyamment. Elle se pétrifia puis se pencha pour le ramasser, tremblant de tous ses membres. Elle le tendit à Tom.

« Tu sais ce qu'il te reste à faire », dit Jack.

Tom pivota pour faire face au mur. Il leva le tournevis au-dessus de sa tête et se mit à dévisser la grille du conduit. La table tanguait sous son poids et ses mouvements.

Jack observait, le revolver levé, l'esprit en alerte. Il s'était sans doute écoulé deux minutes, peut-être trois, depuis l'arrivée de la femme. Il en faudrait quelques-unes de plus pour retirer la grille et sortir le blé. Ses oreilles bourdonnaient des répercussions du coup de feu, un sifflement en rythme qui montait et descendait. Il leur dirait de s'allonger et les attacherait. Avec un 45, une balle à chacun ferait l'affaire. Il prendrait le pognon. Le type avait réussi à ouvrir la grille de la ventilation.

« C'est tout au fond, il va te falloir une échelle », dit Anna.

Le type se mit sur la pointe des pieds, enfonça le bras entièrement dans le conduit. Un grondement creux retentit quand il cogna les parois du boyau.

Quoi d'autre ? Jack portait des gants donc pas d'empreintes. Il avait perdu du sang dans l'escalier, mais il ne pouvait pas y faire grand-chose. Les flics feraient le rapprochement entre son arme et celle utilisée au club. Il la balancerait du haut du Skyway Bridge lorsqu'il quitterait la ville. Le sifflement enfla et il se rendit compte que ce n'était pas dans ses oreilles, mais que ça venait de l'extérieur. Des sirènes. Comme à chaque fois, un élan de panique instinctive le gagna un instant, mais il repoussa ce sentiment. Chicago était une grande ville.

Quand même, il avait l'impression de passer à côté d'un truc. Un truc qui se trouvait juste devant ses yeux. Jack regarda Tom, le vit enfoncer son bras aussi loin qu'il pouvait. Tom regarda sa femme. Qui lui rendit son regard. Qu'est-ce qui clochait là-dedans ? Est-ce que ce n'était pas dans la nature humaine de regarder son mari ? En particulier s'il était en train de sortir de l'argent d'un mur ? C'était presque comme si elle...

Les sirènes s'évanouirent. Jack comprit ce qu'il avait raté.

« Espèce de conne. »

Comment avait-il pu louper ça ? Avait-il été à ce point distrait par la douleur et la surprise ? Le silence qui régnait soudain lui permit enfin de voir clair. Les flics agissaient toujours ainsi quand ils voulaient débarquer discrètement. Ils roulaient sirènes hurlantes et arrivaient rapidement et en silence pour l'approche finale.

Tom Reed était pétrifié, le bras droit enfoncé dans le conduit, jusqu'à l'épaule. Il se tordit le cou pour regarder sa femme. Anna se tenait immobile, une expression d'arrogance peinte sur le visage. Jack pointa sur elle le canon de son arme.

« J'ai encore le temps de vous descendre. »

Les yeux d'Anna s'agrandirent, mais elle lâcha quand même : « Vous n'aurez jamais l'argent si vous faites ça. »

Merde. Merde, merde ! Il parcourut rapidement la pièce du regard, la fenêtre, la porte de derrière. Les flics devaient être à un ou deux kilomètres. À une rue. Impossible de savoir. Son téléphone portable sonna. Marshall. Il serra les dents.

« Ne jouez pas à ça, dit-il. Donnez-moi ce putain de fric, maintenant.

– Ils seront là d'une seconde à l'autre », répliqua Anna.

Jack prit ses jambes à son cou.

14

LE MOMENT DE DANGER passé était comme une pause, comme l'instant qui sépare deux vagues. Tom avait été plongé dans l'horreur, se préparant à lutter, et la soudaine absence de danger le laissait vide. Il sortit son bras du conduit. Son épaule craqua. Debout sur la table qu'Anna et lui avaient achetée un jour aux puces, il regardait sa cuisine. Tout était pareil, mais maintenant, vu sous un angle différent, tout paraissait étrange et effrayant.

« Tu vas bien ? » demanda Anna, en levant ses grands yeux vers lui.

Elle semblait ne pas savoir quoi faire de ses bras. Elle les tendit vers lui avant de les croiser sur sa poitrine, pour finalement les laisser retomber gauchement le long de son corps.

Il ne répondit pas. Il se contenta de s'accroupir. Sa main gauche lui envoya un avertissement douloureux et il se reprit à temps. Il mit le manche du tournevis entre ses dents puis saisit le cache de la ventilation de la main droite. Lentement, il se releva, luttant contre l'étourdissement. La grille était difficile à remettre en place d'une seule main. La retirer avait été un jeu d'enfant, mais la replacer se révélait plus périlleux. C'était dans l'ordre des choses.

« Tom ? »

Il réussit à la positionner. Les aspérités du mur de pierre la maintinrent en place le temps qu'il prenne une vis dans sa poche et l'insère délicatement. Le manche du tournevis était humide et glissant. Il inséra la lame dans la tête de la vis et se mit à la tourner avec fermeté dans le sens des aiguilles d'une montre.

« Tom, ne t'embête pas avec ça maintenant. Il faut qu'on réfléchisse. La police arrive. »

Une douzaine de tours et la vis fut enfoncée. Il en sortit une autre et vissa de nouveau.

« Chéri...

— Pourquoi as-tu pris l'argent ? »

Il gardait les yeux sur le conduit de ventilation. La table tangua légèrement tandis qu'il bougeait.

« Je ne l'ai pas pris. »

Il partit d'un grand éclat de rire.

« Je veux dire, je ne l'ai pas pris. Je l'ai changé d'endroit.

— Pourquoi ?

— J'avais peur que tu leur donnes. Aux flics. Pour essayer de me protéger. »

Il hocha la tête. Par habitude. Maintenant que l'adrénaline s'estompait, tout son corps commençait à le faire souffrir. Tout s'échauffait comme un orchestre discordant et horripilant. Surtout sa main, dont les élancements douloureux allaient en s'amplifiant. Juste derrière sa tête, une douleur régulière, réglée comme un métronome, souvenir du coup que Jack avait porté avec son arme. Son dos et son ventre bourdonnaient et grognaient. Et sur tout son corps, des milliers de petites lames et d'ondes pareilles au pétillement des flûtes. Il serra les dents et se concentra à nouveau sur les vis.

« Tom, il faut qu'on se prépare pour leur arrivée. »

Un dernier tour et la grille fut en place. L'espace d'un instant, il voulut désespérément tout dévisser, retirer le cache et recommencer l'opération.

« Chéri, fit-elle d'une voix suppliante, tendue. Il faut qu'on réfléchisse.

— Tu m'as menti. »

Il mit le tournevis dans sa poche, sauta du bord de la table et regagna le sol.

« Je sais. Je suis désolée. Je regrette de l'avoir fait. Je ne pensais pas qu'une chose pareille allait arriver. Comment aurais-je pu ? »

Ses yeux délivraient une prière muette.

« Je te dirai tout, poursuivit-elle. Je répondrai à toutes tes questions, mais là tout de suite, il faut qu'on parle de la police. »

Il détourna le regard.

« Pour quelle raison ? On leur dit la vérité.

— Nous ne pouvons pas. »

Il lâcha un petit grognement. Il agrippa le bord de la table d'une main, entreprit de la remettre elle aussi en place.

« Tom, écoute-moi. Pourrais-tu juste... »

Elle attrapa l'autre coin de la table, la tirant loin de lui.

« Tu pourrais arrêter ? »

Il tira plus fort et elle se prépara à résister. La table se souleva du sol, oscillant d'un côté puis de l'autre. Il la regarda fixement. Elle ne baissa pas les yeux. Tout remontait à la surface, les mensonges, la tension, les lents mouvements tectoniques de leur relation explosant au cours d'un combat autour d'une table.

Une sonnerie retentit, forte, insistante. La porte d'entrée. La police.

Il lâcha la table, se dirigea vers le couloir où se trouvait l'interphone qui permettait d'ouvrir la porte d'en bas. Elle était plus près, se précipita pour lui bloquer le passage.

« Écoute-moi juste une seconde, d'accord ?

— Pousse-toi de là, Anna.

— Écoute-moi, lança-t-elle avec violence, il n'y a aucun moyen de dire aux flics qu'un homme était là sans leur parler de l'argent. Aucun moyen.

— Je m'en fous. »

Il essaya de passer malgré elle.

Elle tendit les bras de chaque côté du couloir pour lui barrer le passage.

« Bordel ! Réfléchis ! supplia-t-elle. Nous pourrons parler plus tard, autant que nous voudrons. Nous pourrons décider quoi faire. Tu pourras être furieux après moi. Je te comprends. Mais pour l'instant, à cette seconde, il y a des flics à notre porte et nous devons faire front ensemble.

– Pourquoi ?

– Parce que si nous disons la vérité, nous irons en prison, répondit-elle en arquant les sourcils. Nous avons volé cet argent. Nous en avons dépensé une bonne partie. Nous avons menti à la police.

– Tout vaut mieux que de retomber nez à nez avec ce Jack Witkowski. »

Il passa à côté d'elle, l'obligeant à baisser le bras d'un léger mouvement d'épaule. Deux pas le séparaient de l'interphone.

Derrière lui lui parvint la voix d'Anna.

« Comment connais-tu son nom ? »

Il se figea, le pouce sur le bouton d'ouverture de la porte.

« Tom ? Ce n'est pas lui qui te l'a dit. Il n'a pas pu. »

Il ouvrit la bouche. La referma. L'heure n'était pas aux explications, il ne disposait pas du temps nécessaire pour lui dire que les choses qu'il lui avait cachées étaient différentes, que c'était pour leur bien à tous les deux, qu'il essayait simplement de...

De la protéger.

Il sentit sa colère s'évanouir. La sonnerie retentit une nouvelle fois. Il pivota pour lui faire face et lâcha : « D'accord. Nous allons nous occuper de ça. Ensuite, toi et moi, nous aurons une discussion. »

Elle lui lança un regard effrayé et blessé, et doux en même temps. Il avait l'impression de regarder un objet précieux se briser. Il appuya sur le bouton de l'interphone et dit, de sa voix la plus calme : « Oui ? Qui est-ce ? »

Anna commençait à s'habituer au fait de mentir à la police.

Lorsque Tom avait ouvert la porte du bas par l'interphone, elle avait entrebâillé celle de leur appartement, affichant une expression de ménagère occupée à sa cuisine. Elle avait écouté leurs pas lourds sur les marches de l'escalier. Elle fut surprise de voir que l'un des policiers tenait une arme le long de son corps.

« Officier. Je suis tellement navrée. C'est entièrement ma faute, fit-elle en secouant la tête d'un air triste. Nous venons juste d'installer l'alarme et je n'y suis pas encore habituée.

– Vous habitez ici, m'dame ? »

Le premier agent était blond et avait un visage poupin. Derrière lui se tenait un officier de bonne taille, aux cheveux rasés et grisonnants.

« Oui. Nous venons de rentrer et j'ai composé le mauvais code. »

Elle lui lança ce qui, elle l'espérait, passerait pour un sourire embarrassé.

« Ils nous ont appris le code d'urgence. Je n'ai pas réfléchi et j'ai tapé les mauvais chiffres. L'alarme s'est arrêtée, alors... »

L'agent le plus âgé sembla se détendre, mais le premier poursuivit :

« Ça vous ennuie si je jette un œil ?

– Pourquoi ?

– L'intérêt des codes d'urgence, c'est d'être composés si quelqu'un vous contraint à éteindre votre alarme.

– Officier, je vous assure, il n'y a que mon mari et moi.

– Peut-être, m'dame, mais il faut que j'en aie la confirmation. »

Elle hésita, haussa les épaules, ouvrit la porte en grand.

« Merci. »

Le blond s'avança, arme à la main, se prenant sans doute pour Serpico. Anna se glissa sur le côté pour faire de la place tandis qu'il entrait dans le couloir. Le policier plus âgé avança d'un pas nonchalant, accrocha ses pouces à sa ceinture et haussa les épaules à son intention comme pour dire : « Ah ! les gosses. » Anna se fendit d'un sourire.

« Je m'appelle Anna Reed.

— Sergent Peter Bradley, se présenta-t-il en balayant le salon du regard. C'est beau, chez vous. »

Elle se rappela à ce moment-là l'impact de balle dans le plafond. Elle s'apprêta à lever les yeux, se ressaisit, et baissa le regard. Elle vit alors un cylindre de cuivre. Merde, c'était un morceau de la balle. La partie qui est éjectée au moment du tir. Le tube reposait sur le plancher, à quelques centimètres du pied gauche de Bradley. Elle toussa, puis dit :

« Merci. Je peux vous offrir un café ?

— Ça va aller, m'dame. »

Il se balança sur ses pieds, ses yeux humides détaillant calmement la pièce. Anna se surprit en train d'imaginer sa vie : un divorce, deux enfants, une pension alimentaire l'obligeant à travailler en plus de son boulot de flic comme videur dans une boîte de strip-tease. Des pensées étranges, arrivant au hasard. Le policier traîna les pieds et elle fit une prière silencieuse pour qu'il ne bute pas dans la douille.

Tom sortit de la salle de bains. Il s'était lavé le visage et avait peigné ses cheveux. Il tenait sa main gauche derrière son dos, ressemblant à un politicien sur le point d'entamer un discours. Il sourit.

« Vraiment désolé pour le dérangement, officier.

— Ça arrive tout le temps. »

Ils entendirent le jeune flic dans le couloir brailler qu'il n'y avait rien à signaler dans la chambre. Bradley secoua la tête, l'appela.

« Et si on s'en allait ? Qu'on laisse ces braves gens poursuivre leur journée ?

— Mais sergent, je suis censé vérifier...

— C'est bon, fiston, fit Bradley en tapotant sur sa radio. Fausse alerte. Mauvais code composé. »

Anna glissa ses bras autour de la taille de Tom.

« Vous êtes sûrs de ne pas vouloir quelque chose à boire ?

— Je peux utiliser vos toilettes ? » demanda le blond qui avait rengainé son arme.

Elle sentit les muscles de son visage se tendre. Elle avait envie de hurler : *Sors d'ici ! Sors d'ici !*

« Bien sûr, officier. »

Elle resta immobile, s'imposa de garder les yeux fixés droit devant elle, loin du sol ou du plafond. Elle se rappela que ces hommes n'étaient que des policiers, pas des inspecteurs ni des gens au courant des événements qui s'étaient déroulés chez eux la semaine précédente.

« Je me sens vraiment stupide. Vous devez avoir mieux à faire.

— Nous étions dans le secteur, répondit Bradley après s'être éclairci la voix. Par contre, votre agence de sécurité va vous facturer le dérangement.

— Vraiment ?

— Sans doute quelque chose comme deux cents dollars, fit le policier avec un haussement d'épaules. C'est plutôt salé, je sais, mais c'est comme ça qu'ils fonctionnent.

— C'est bon, officier, rétorqua Anna, se rappelant la fuite de Jack par la porte de derrière. Ça ne me dérange pas du tout. »

Elle entendit le bruit de la chasse d'eau, le chuintement du lavabo, et l'autre policier apparut dans le couloir. Alors qu'ils se tournaient tous les deux pour partir, le bord de la botte du sergent cogna dans la douille, l'envoyant tournoyer. Elle avança rapidement pour l'arrêter du pied, le sourire collé aux lèvres.

Lorsque la porte se referma sur eux, Tom demanda :

« Où est l'argent ?

— Dans la voiture. »

Il en resta bouche bée.

« Tu as laissé trois cent mille dollars dans la voiture ?

— Je voulais les cacher chez Sara, et puis j'ai pensé... »

Elle haussa les épaules. Elle se sentait idiote.

« Je ne sais pas. Je n'y ai pas vraiment réfléchi, je crois. Je n'essayais pas de le voler, je te l'ai dit. Mais une fois que je l'avais sorti, le remettre à sa place n'avait pas de sens. J'avais l'intention de le déposer dans un coffre, mais avec mon travail et tout ça... »

Nouveau haussement d'épaules.

Tom ferma les paupières, se gratta le front.

« OK. »

Il prit sa main gauche dans la droite. Grimaça.

« Tu devrais montrer ça à quelqu'un.

– On s'arrêtera dans une pharmacie en chemin.

– En chemin pour où ? »

L'hôtel W, situé le long de Lake Shore, était superbranché. Anna s'imprégna du décor : fauteuils dernier cri, couleurs voilées, le tout bercé par la musique trip-hop qui sortait de la sono installée dans le salon.

Lorsque la femme à la réception lui demanda son nom, Anna ne mentit pas, mais elle ajouta :

« Je peux vous payer par carte. En revanche, pourriez-vous mettre la chambre sous un autre nom. Mon ex-mari... »

Elle laissa sa phrase en suspens, se contentant d'un regard significatif.

« Pas de problème, répondit la femme. Je comprends. Quel nom aimeriez-vous ?

– Hum... Anna Karénine ?

– Vous êtes sûre ? Côté amour, ça n'a pas été terrible.

– Exact.

– Pourquoi pas Annie Oakley, la fine gâchette de l'Ouest ? Comme ça, s'il se pointe, vous pourrez l'abattre, puis vous en aller dans le soleil couchant. »

Anna lâcha un rire.

« Merci. »

La chambre était également décorée avec goût. Toutes les surfaces étaient lisses et brillantes et les appliques de style asiatique. Une baie vitrée s'ouvrait sur le lac et sur le port, la grande roue brillait de mille feux dans le ciel indigo. Tout ça lui donna envie de retirer ses vêtements et de commander du champagne.

Tom posa le sac de sport au sol puis s'effondra dans un fauteuil jonché de coussins. Il avait les traits tirés et les lèvres serrées. Il posa son épaule gauche sur l'accoudoir du fauteuil de façon à avoir la main au-dessus de la tête.

« Comment va ta main ?

– J'ai mal. »

Il dit ça simplement. Il n'était pas du genre à se plaindre. Il la rendait toujours folle avec son refus d'aller voir un médecin, quel que soit le degré de son mal. *Qu'est-ce que fera le médecin ?* disait-il. *Le temps que j'obtienne un rendez-vous, j'irai mieux.*

Elle se rapprocha du bord du lit. Elle était à nouveau nerveuse, ne savait pas comment lui parler, quoi lui dire.

« Tu veux que je te fasse le pansement ?

– Je vais boire un verre ou deux et prendre des médicaments d'abord. »

Ils avaient acheté une bouteille de bourbon ainsi qu'une bande, de la gaze, de la crème antiseptique, du savon antibactérien, de l'Advil et une attelle. Elle prit deux comprimés dans le tube et les lui tendit. Ensuite, elle sortit la bouteille du sac. Elle n'ignorait pas qu'il était déconseillé de mélanger ibuprofène et alcool, mais sur l'échelle de leurs problèmes actuels, celui-ci était insignifiant. Elle versa un peu de liquide dans deux verres. Il en prit un sans dire un mot, le visage tourné vers la fenêtre.

« Je suis désolée, Tom. »

Il acquiesça, sans pour autant la regarder.

« C'était stupide. J'aurais dû te faire confiance. Je te fais confiance. C'était juste... stupide. »

Il sirota son verre. Haussa les épaules.

« Ça n'a plus d'importance maintenant.

– C'est important pour moi.

– Ah oui ?

– Oui.

– OK. Alors, tu veux savoir ce qui a été le plus douloureux ? »

Il tourna la tête, la regarda avec une expression difficile à déchiffrer.

« Ça n'a pas été quand j'ai découvert que l'argent avait disparu, ni quand il a fait du trampoline sur mes doigts. C'était après. Je ne croyais toujours pas que tu avais pris l'argent. Jack me disait que si, mais je refusais de le croire. Jusqu'à ce que je regarde dans tes yeux et comprenne qu'il te connaissait mieux que moi.

– Ce n'est pas vrai. »

Il haussa les sourcils et but une autre gorgée.

« Et toi ? » demanda-t-elle.

Elle se sentait sur une corde raide. D'un côté, elle se méprisait, de l'autre, elle était furieuse.

« Comment le connaissais-tu ? Tu as fait quelque chose et tu me l'as caché !

– J'ai essayé de sauver notre peau. »

Son ton était neutre. Il ne cherchait pas le combat, ce qui aida Anna à se sentir mieux.

« Qu'est-ce que ça veut dire ?

– Jack n'est pas notre seul problème. »

Tom avala le reste de son bourbon, se pencha pour attraper la bouteille, mais Anna le devança et le servit. Quand elle eut rempli son verre, il lui lança un bref sourire. Rien de plus, un rapide merci lancé par habitude et courtoisie plus qu'autre chose. Mais quand même.

« Il y a quelqu'un d'autre à nos trousses.

– Qui ?

– Gengis Khan.

– Quoi ?

– Écoute-moi bien », dit-il.

Elle ouvrit la bouche, la referma, s'adossa à la tête de lit et hocha la tête. Il lui raconta son entrevue avec l'homme en costume et à la Rolex, il lui parla des menaces qui les concernaient tous les deux. De sa conversation avec l'inspecteur, de sa danse entre exagération et dissimulation. Il lui fit part de sa discussion sur l'immobilier avec Jack Witkowski tandis qu'un couteau le brûlait dans sa poche. Elle l'écouta attentivement, en silence, assemblant les pièces pour obtenir une vision générale.

Des voleurs s'attaquant à une star qui achète de la drogue. Une trahison et un meurtre. Des gens qui se dispersent, un homme qui s'enfuit avec le pactole – un homme qui se cache dans un tranquille petit appartement qu'il loue, le rez-de-chaussée d'une maison de Lincoln Square. Un vrai western était en train de se jouer autour d'eux.

« Le type en costume, il a dit combien de temps on avait ?

– Non. Mais pas beaucoup, j'imagine. Il doit certainement être en train de nous chercher.

– Tu crois qu'il est dangereux ?

– Absolument.

– Pire que Jack ? »

Tom secoua la tête.

« Je n'en sais rien. C'est important ?

– J'imagine que non, répondit-elle en se massant les tempes. On fait quoi ?

– Nous allons voir les flics.

– Nous devrons tout leur dire.

– Et ?

– Tom, nous devrons dire adieu à l'argent. Pas uniquement à l'argent qu'il reste, mais aussi celui que nous avons déjà dépensé. Nous devrons engager un avocat. »

Une pensée la frappa.

« Mon Dieu ! Je n'ai même plus de travail, maintenant ! Comment est-ce qu'on le remboursera ? Nous allons perdre la maison. Il doit y avoir une autre solution, termina-t-elle en secouant la tête.

– Je suis ouvert à toute suggestion. »

Elle hésita. Même si tout se déroulait à la perfection, s'ils arrivaient d'une manière ou d'une autre à sortir de ce bourbier, si la police attrapait Jack et le trafiquant de drogue, si un avocat réussissait à leur éviter la prison, ils perdraient toutes leurs chances d'avoir un enfant. Le temps et les dettes s'en chargeraient. Ils ne seraient même pas en mesure d'adopter. Elle s'était renseignée sur les procédures et savait à quel point elles étaient rigoureuses. Une demande pouvait être rejetée simplement parce que le représentant de l'agence d'adoption avait un mauvais feeling avec les parents postulants. Elle imagina l'entretien : *Oui, c'est vrai, nous sommes au bord de la faillite. C'est vrai, nous avons volé l'argent de notre locataire décédé. Oui, nous devons vendre notre maison pour couvrir les frais de notre procès. Mais nous savons tenir une maison. Vous pouvez fermer les yeux sur le reste, non ?*

S'ils allaient trouver la police, ils risquaient tout. S'ils ne le faisaient pas, ils risquaient leur vie.

« Je n'en reviens pas. C'est complètement fou.

— Je sais.

— C'est vrai, quoi, c'était juste une coïncidence. Une toute petite chose de rien du tout. Notre locataire décide de se faire une tasse de café. C'est tout. S'il ne se l'était pas fait, il n'y aurait pas eu d'incendie. Nous n'aurions pas trouvé l'argent. Tout cela aurait été différent.

— Mais c'est arrivé. Maintenant, il faut faire avec. »

La question la plus cruciale de sa vie résultait d'une tasse de café instantané. Ça faisait mal d'y penser.

« Nous ne sommes pas obligés d'appeler les flics tout de suite, pas vrai ? »

Il secoua la tête.

« Bientôt, en tout cas. Plus on tire sur la corde, moins ils seront sympas avec nous.

— Que vont-ils faire, à ton avis ?

— Aucune idée. Prendre l'argent, c'est certain. Je ne peux pas croire qu'ils vont nous mettre en taule. Nous ne sommes pas franchement ce qu'on appelle des criminels.

— Est-ce qu'ils nous protégeront ? »

Pendant un long moment, il ne répondit pas.

« Ils feront ce qu'ils pourront. »

Elle repensa à ce qui s'était passé chez eux un peu plus tôt. Tom étendu sur le dos, Jack agenouillé au-dessus de lui, pointant son arme sur le merveilleux visage de son mari. Elle se rappela la puissance du coup de feu, comment ses oreilles avaient bourdonné encore longtemps après. Une explosion, des flammes, la fureur. Une image lui traversa l'esprit, qu'elle se dépêcha de chasser. La vision des dégâts qu'une telle violence pouvait faire à un être humain. À Tom.

Ils avaient eu de la chance. Purement et simplement. De la chance avec l'alarme, le code d'urgence, la rapidité des policiers. Ils n'avaient pas vaincu Jack, c'était clair, mais ils avaient eu de la chance.

Et même avec toute cette bonne fortune, tout ce qu'ils avaient fait, c'était fuir. Il était toujours là, dehors, quelque part. Intelligent et dangereux et, en plus, furieux maintenant. La police les protégerait-elle ? Le pouvait-elle ? Pendant combien de temps ?

« On devrait peut-être quitter la ville. Prendre la route.

– Il faudra bien qu'on revienne tôt ou tard.

– J'imagine, approuva-t-elle en secouant la tête. C'est juste pour être le plus loin possible de lui. De ces deux truands. Je me sentirais mieux à Detroit. »

Il était en train de siroter son bourbon lorsqu'elle dit ça et il lâcha un râle ressemblant à un rire et qui se transforma rapidement en quinte de toux. Il secoua la tête, déglutit, les yeux pleins de larmes.

« Quoi ? »

Tom se frappa la poitrine, toussa.

« C'est ce que tu as dit.

– Eh bien ?

– C'est juste que... commença-t-il en posant les yeux sur elle. On sait qu'on se trouve vraiment dans la merde quand on en est à préférer Detroit à Chicago. »

Anna sentit un sourire se former sur ses lèvres, puis un rire la gagner. Et ce fut bientôt des éclats de rire. Un rire libérateur, démesuré, une profonde et purifiante euphorie débilitante. Ils s'y enfoncèrent, l'un relançant l'autre.

Quand ils retrouvèrent finalement leur calme, Tom prit la parole.

« Bien, je crois que je me sens aussi bien que possible. On devrait peut-être... »

Elle acquiesça. Elle l'entraîna dans la salle de bains, fit couler l'eau jusqu'à ce qu'elle soit tiède puis dirigea la main de Tom sous le filet d'eau. Il haleta à son contact mais ne se débattit pas. Elle se lava soigneusement les mains puis nettoya avec précaution chacun des doigts de Tom. Tandis que le sang séché s'écoulait dans le lavabo, elle jeta un œil aux dégâts. Les jointures étaient râpées et déchirées, et son index méchamment tailladé. Tous ses doigts étaient rouges et douloureux, extrêmement gonflés et chauds au toucher. Son petit doigt était incontestablement cassé et formait un angle bizarre avec le reste de la main.

Elle le sécha avec une épaisse serviette puis étala de la crème antiseptique sur toute la surface.

« Ça risque de faire mal. »

Il hocha la tête, s'assit sur la cuvette des toilettes, le visage blanc.

« Passe-moi la serviette. »

Il la tordit et mordit dedans. Il respira par le nez. Un, deux, trois. Puis il regarda Anna et lui fit un signe de la tête.

Elle s'arma de courage. Mieux valait faire ça vite et en une seule fois. Elle saisit le doigt et le tordit de toutes ses forces dans l'autre sens. Tom hurla à travers la serviette, les dents serrées.

« Pardon, dit-elle, pardon. »

Elle souffrait elle-même de le voir souffrir et sentait son propre visage se contracter.

Elle se pencha au-dessus de sa main. Elle toucha doucement l'auriculaire pour s'assurer qu'il avait retrouvé sa place initiale, terrifiée à l'idée de devoir peut-être recommencer. Mais il semblait bien aligné. Elle fixa l'attelle puis banda le tout.

« Voilà. Ça devrait aller. Les autres doigts ne sont pas cassés. Le petit n'est peut-être pas très droit. On devrait aller voir un médecin rapidement. »

Il recracha la serviette, lâcha un profond soupir.

« Promets-moi une chose, dit-il d'une voix enrouée.

– Tout ce que tu veux.

– Plus de mensonges. D'accord ? Jamais. »

Elle leva les yeux vers lui, vers cet homme qu'elle connaissait depuis toujours.

« Et plus de tentative pour me protéger. On traverse tout ça ensemble. »

Un sourire s'étira doucement sur ses lèvres, aussi doux qu'une brise printanière.

« Complices.

– Complices. »

Elle se pencha au-dessus de sa main bandée pour l'embrasser, embrasser ses lèvres rugueuses et sa langue délicate. Ce n'était pas un baiser passionné, censé les entraîner ensuite vers le lit. C'était simplement plus vrai que des mots.

Tom était allongé sur le lit, sa main gauche surélevée sur un oreiller, la droite étreignant Anna. Le bourbon diffusait une chaleur confuse dans son corps, adoucissant les contours de la douleur et relâchant la tension de ses muscles. Par la fenêtre, il voyait la grande roue tourner, tourner et tourner.

La journée du lendemain s'annonçait difficile. Mais à cet instant, à cette seconde précise, elle semblait à des millions d'années-lumière. Il était peut-être en état de choc. C'était peut-être à cause de l'alcool. Mais pour le moment, par chance, il se sentait au chaud et à l'abri, sur un bateau qui le conduisait à bon port.

Sur le bureau, son téléphone portable se mit à sonner.

« Laisse sonner, murmura Anna dans ses bras.

– Je ne peux pas. »

Il se leva doucement, dégageant son bras des épaules de sa femme. Il regarda l'écran, ne reconnut pas le numéro.

« C'est probablement Halden. Si nous nous rendons demain, autant lui parler dès ce soir.

– Tu vas lui dire ?

– Pas si je peux l'éviter, répondit-il en faisant craquer sa nuque. Je préfère le faire face à face. En plus, je veux cette nuit pour nous seuls. Les choses ne vont pas se calmer avant un bout de temps. »

Elle lui sourit.

« Je t'aime.

– Je t'aime aussi. »

Il ouvrit le clapet de son téléphone.

« Tom Reed.

– Salut, Tom. Sympa l'hôtel W ? »

La voix de Jack Witkowski était aussi froide que distincte.

« Votre minibar est bien garni ? »

15

Le téléphone manqua lui tomber des mains.

« Comment vous...

– Comment je vous ai retrouvés ? grogna Jack. C'est mon boulot. Tu croyais vraiment pouvoir m'échapper, ordure ? »

Les genoux de Tom se dérobèrent sous lui et il dut s'asseoir au bord de la table. Les yeux rivés sur ceux d'Anna qui, ayant noté le ton de sa voix, s'était redressée, effrayée.

« Alors, t'as pas répondu à ma question. L'hôtel W, il est chouette ?

– Ouais, répondit Tom, en s'efforçant de garder son calme. Y a une supervue.

– Je l'aurais parié. Ça coûte combien ? Trois cents la nuit ? »

Était-ce la distance ? Le choc ? L'alcool ou l'épuisement ? Toujours est-il que Tom ne se sentait tout simplement pas d'humeur à se laisser intimider.

« Et alors ? Avec votre fric, on peut rester là pendant trois ans. »

Au bout du fil, le silence puis un rire, bref.

« Je persiste à vouloir te prendre pour une lopette, et t'arrêtes pas de me prouver que j'ai tort. C'était plutôt bien joué, ta tentative avec le couteau. Ça a foiré, mais c'était courageux. Et ta femme, aussi. Composer le code d'urgence, n'importe qui peut le faire, mais gagner du temps, parler du fric dans le conduit de ventilation. Plutôt futé.

– Faut croire.

– Et maintenant, vous vous sentez en sécurité dans un hôtel de luxe. Les grandes fenêtres, la vue romantique. Vous vous êtes peut-être envoyé un ou deux verres. J'ai pas raison ? Vous avez bu ?

– Ouais.

– Et ça boit quoi les mecs comme toi ?

– Bourbon.

– Avec de l'eau gazeuse ? De la glace ?

– Sec.

– Hum. Si j'avais su ça, j'aurais géré les choses différemment chez toi. Je ne t'aurais pas laissé seul.

– J'imagine que ce genre d'information n'était pas précisé dans mon courrier. C'est comme ça que vous avez eu mon numéro de portable ?

– Exact, répliqua Jack. Au fait, c'est quoi le problème avec ta queue ? Y avait une lettre d'une clinique spécialisée dans la stérilité. Anna et toi, vous avez besoin d'un coup de main ? Je serais ravi de te filer un peu de jus.

– Va te faire foutre, espèce de cinglé. »

Les mots sortirent rapidement et avec violence, le sang lui monta à la tête, son visage s'empourpra sous l'effet de la colère. Après tout ce qu'ils avaient traversé, ça l'étonnait que Jack ait encore le pouvoir de les souiller, de répandre son poison dans quelque chose d'aussi précieux.

« Me faire foutre ? ricana Jack. C'est peut-être ça le problème. Tu peux pas avoir de bébé, t'essayes de dévergonder les quadras polonais. C'est ça, Tom ? T'es une pédale ? »

Il se leva, s'approcha de la fenêtre. Regarda la route en contrebas, les phares balayant une direction, les feux arrière une autre. D'un côté, on tournait le dos au passé, de l'autre, on fonçait vers l'avenir. Et l'espace d'un moment, entre les deux, lorsqu'ils se rejoignaient, existait une image floue et tremblotante, le présent.

« Nous avons tout dit à la police.

– Maintenant, je te l'accorde, t'as des couilles. Mais c'est ta femme, le cerveau. Je sais que vous n'avez rien dit aux flics. »

Tom eut un mauvais pressentiment, une sensation angoissante. Il ne répondit rien.

« Eh oui, mon grand. Je vous ai regardés. Moi aussi, j'ai des couilles. Je suis resté dans votre rue, et j'ai vu ces deux flics entrer tranquillement et ressortir tout aussi calmement, à peine cinq minutes plus tard. Tu leur as dit que dalle. Et tu ne leur diras rien. Parce qu'ils te prendraient le pognon. Et parce que si tu fais ça, je vous bute, Anna et toi.

– Même si nous n'avons pas l'argent.

– Quelle merde, hein ? rétorqua Jack d'une voix enjouée. Tu croyais que c'était un cadeau tombé du ciel, et en fait, tu te retrouves avec des méchants aux fesses. La vie est une salope. »

Tom ouvrit la bouche et aussitôt la referma. Dans la vitre sombre, il pouvait voir le reflet de la chambre, la forme fantomatique d'Anna derrière lui. Finalement, il reprit la parole.

« Pourquoi avoir appelé ? Juste pour dire ça ?

– J'appelle pour te dire que c'est ton jour de chance. J'ai une solution à te proposer pour te sortir de là.

– Comment ?

– Rends-moi mon argent, Tom. C'est tout.

– Comment je saurais que...

– Je ne te tuerai pas ? On fera ça en public, comme à la télé. Tu vois, je me dis que tu ne peux pas aller trouver les flics sans te mettre toi-même dans la merde. Et en plus, tu ne sais rien qui pourrait me nuire. Alors, rends-moi juste ce qui m'appartient et reprenons chacun le cours de notre vie. »

Tom resta silencieux.

« Je ne vais nulle part, reprit Witkowski. Je serai toujours là demain. Cet argent m'a coûté un max. Alors, on peut faire ça comme des gens respectables ou bien je me pointe encore quand tu t'y attends le moins. Mais si je fais ça, eh bien... je ne m'arrêterai pas à ta main. Ni à la sienne. »

Ses doigts, bouillants, l'élancèrent.

« Tu décides quoi ? Tu vas m'apporter mon fric ?

— Oui, répondit Tom.

— T'es un bon garçon. Tu sais où est le Century Mall ?

— À l'angle de Clark Street et de Diversey Avenue.

— Demain matin. 10 heures. OK ?

— OK.

— Eh Tom ? reprit Jack d'une voix plus dure. Ne foire pas tout. Je suis plus malin que toi, je suis plus vicieux que toi et en plus c'est mon boulot. Tu piges ?

— Oui, fit Tom. Je pige. »

L'atmosphère du resto-grill était moite. Il était plein à craquer de types portant des menottes sur les hanches et parlant par acronymes. Halden commanda une bière, y réfléchit et demanda aussi un verre de bourbon.

« Dure journée, chéri ? »

La serveuse portait un chemisier ajusté de telle sorte qu'il faisait ressortir sa pâle poitrine.

« Très dure. »

Après sa rencontre avec Tom Reed au café, Halden avait filé au poste, parcouru par une pointe d'excitation. Si le trafiquant de drogue était tel que le lui avait décrit Reed, il pouvait être la clé de toute cette histoire. Il s'était rendu directement dans le bureau du lieutenant, avait trouvé Johnson les pieds sur le bureau, en train de feuilleter un dossier.

« Chef ? »

L'homme avait levé un doigt, mais pas les yeux de son dossier. Il continuait de lire, remuant les lèvres. Finalement, il avait refermé le dossier.

« Nom de Dieu. »

Ils étaient passés inspecteur la même année, mais Johnson était plus intéressé par la politique que par la police. Il avait concentré ses efforts dans le cirage de pompes de la mafia irlandaise, le système de favoritisme qui descendait de Daley, le maire, jusqu'aux échelons inférieurs. Il avait même appris à jouer de la cornemuse pour entrer dans la garde d'honneur. Et ça avait marché, évidemment. Mais Halden se rendait toujours malade à l'idée que si ça pouvait lui faire gagner des galons, Johnson n'hésiterait à danser la gigue.

Avant que Halden ait pu dire un mot, il avait déclaré :

« On a un corps dans une décharge de Sheridan Road. J'ai besoin de toi là-bas.

— Peux pas. Je suis sur autre chose.

— Quoi donc ?

— Will Tuttle.

— Je croyais que c'était une overdose.

— Oui, qui a entraîné une crise cardiaque. Mais il y a autre chose. Son proprio, il s'appelle Tom Reed...

— Tu considères toujours ça comme une mort accidentelle ?

— Oui.

— C'est tout ce que j'ai besoin de savoir, alors. Ne perds pas ton temps à creuser les affaires classées. Prends ton matos et fonce à Sheridan. Victor est sur place, tu vas en renfort. »

Johnson s'était penché de nouveau sur son dossier pour lui signifier que la conversation était close.

La frustration avait empêché Halden de réfléchir avant de parler.

« C'est au sujet du braquage de la Star. »

Johnson avait brusquement relevé les yeux. Il s'était redressé puis penché en avant.

« Quoi ? T'as mis la main sur un truc ? »

En un instant, le scénario dans son entier s'était joué dans l'esprit de Halden. Une opportunité de clore l'affaire de l'année ? À oublier. Les huiles voudraient se mettre au premier plan. Les politiciens commenceraient à poser pour les caméras. Ils l'évinceraient d'une poignée de main et d'une tape sur l'épaule. Il ne serait plus qu'un nom dans le rapport. Pendant ce temps, Johnson, ou une personne de son acabit, graviraît les échelons.

Le même plan lui était arrivé tout au long de sa carrière.

« Non, non. Rien de ce genre, déclara-t-il, sans se laisser le temps de trop y réfléchir.

— T'es sûr ? avait demandé son lieutenant en plissant les yeux.

– Ouais, avait fait Halden en se raclant la gorge. Je voulais juste... euh... vérifier. S'il y avait des progrès dans l'enquête. Puisque c'est moi qui m'occupe de Tuttle. »

Johnson l'avait dévisagé un moment, puis avait secoué la tête.

« Si on apprend quoi que ce soit, je te tiendrai au courant. »

Il s'était renfoncé dans son fauteuil avant d'ajouter :

« Va à Sheridan.

– Sûr. »

Mais il n'y était pas allé. Et il n'avait même pas appelé Victor pour lui demander de le couvrir. Au lieu de cela, il avait pris le téléphone et composé le numéro de son ancien équipier, Lawrence Tully, pour l'inviter à dîner.

La serveuse lui apporta son whisky. Halden le descendit d'un trait et en commanda un autre d'un mouvement de tête.

Avec vingt minutes de retard, Tully entra dans le resto, imposant, lançant des blagues aux hôtesses, saluant Halden d'une claque sur l'épaule. C'était un ours au visage rouge et au crâne lisse. Même le menton de Tully avait son propre menton.

« Chris Halden ! Espèce de squelette ambulant. Qu'est-ce que Marie te trouve ?

– Bon Dieu, Larry. Diriger ta propre boîte te réussit, hein ?

– Tu parles ! »

Il se tourna de profil et se tapota le ventre.

« Je te plains presque de devoir payer l'addition. »

L'hôtesse les conduisit à une table et y déposa les menus reliés en cuir. Dans un coin, un homme vêtu d'un gilet tapait mécaniquement sur les touches d'un piano. L'air était sombre et poisseux. Halden commanda une autre tournée de bière et de whisky et ils commandèrent des steaks. Tully accompagna son chateaubriand au gorgonzola de pommes de terre au four et d'une salade césar. Pendant le dîner, ils rattrapèrent le temps perdu, se remémorant des anecdotes de l'époque où ils patrouillaient ensemble. Ce ne fut que lorsque Tully avala la dernière bouchée, reposa sa serviette dans son assiette et s'enfonça dans son siège que Halden en vint au but et lui demanda ce qu'il avait trouvé sur les Reed.

« Ils ont un riche parent qui vient de mourir ?

– Comment ça ? »

Tully but une gorgée de sa bière.

« Tu avais raison, ils ont touché du blé. »

Halden sentit son pouls s'accélérer. Il s'efforça de garder un visage neutre.

« Raconte.

– J'ai appelé un de mes potes à la Citibank. Les Reed viennent juste de rembourser leurs factures de Visa approchant les quinze mille dollars. »

Quinze mille dollars. Il se rappela le visage innocent qu'ils lui avaient offert la deuxième fois qu'il s'était présenté chez eux. L'air offensé qu'ils avaient pris quand il avait été suggéré qu'ils avaient pu voler quelque chose. Putain, allez faire confiance aux gens !

« Et ça se discute pas ? Je veux dire, ta source est sûre ?

– Va te faire foutre, Chris.

– Tully... »

Le colosse se pencha en avant.

« Mon job, c'est la pêche à l'info. Je travaille pour des cabinets d'avocats de Michigan Avenue. Pour le procureur. Bordel, je bosse même pour la Sécurité nationale. Tu me diras qu'avec tout le fric qu'ils jettent par les fenêtres en ce moment, c'est pas ça qui me rend exceptionnel. Mais tu m'appelles pour un service, et après tu me demandes si je connais mon métier ? »

Halden tendit les mains en signe de capitulation.

« Tu as raison. Je suis désolé. Je te demande pardon à genoux, OK ?

– Bien, fit-il en se recalant dans son siège, mais l'air toujours vexé. Tu veux la paperasse ?

– Tout ce que tu as. »

Le colosse fouilla dans sa serviette, en sortit une chemise en papier kraft qu'il lui tendit par-dessus la table.

« Y a pas grand-chose à voir. Leur emprunt est un peu plus élevé que ce qu'il devrait. Quelques dettes. Un ou deux tickets de parking. Ils travaillent tous les deux dans le centre. »

Après un haussement d'épaules, il ajouta : « Plutôt normal, à part la Visa. »

Halden remercia son ancien partenaire et fit amende honorable en commandant des desserts et une tournée de whisky. Mais pendant tout ce temps, son esprit tournait à cent à l'heure et ses doigts le démangeaient. Une hypothèse qui se confirmait, c'était la meilleure sensation au monde.

Je vous tiens, se dit-il. *Maintenant, je vous tiens.*

OK, il avait menti à son lieutenant. Il faudrait qu'il fasse avec. Qu'il explique pourquoi il avait bossé en solo, pourquoi il avait gardé des informations pour lui. Mais alors, qui s'y intéresserait ? Les résultats parleraient d'eux-mêmes. Merde, une fois que les journaux commenceraient à le dépeindre comme un héros, le ministère ne pourrait pas faire grand-chose à part suivre.

Il s'imagina sur la véranda de ce chalet à l'ouest de Minocqua, une tasse de café à la main, un chien allongé à ses pieds, Marie fredonnant tout en préparant le petit déjeuner. Et tout ce qu'il avait à faire pour en arriver là, c'était retrouver un trafiquant de drogue qui opérait dans un club, quatre cent mille dollars en liquide qui avaient été volés et deux civils suffisamment cons pour avoir essayé de les garder.

C'était presque trop facile.

Anna observa Tom raccrocher le téléphone et le poser sur le rebord de la fenêtre. Il lui tournait le dos, regardait la nuit s'étendre sur la ville de l'autre côté de la vitre. Elle posa une main sur son épaule qu'il recouvrit de la sienne.

« Qu'est-ce qu'il a dit ?

– Il veut son argent. Il dit que si on le lui rend, il nous laissera tranquilles.

– Il nous tuera de toute façon.

– Une fois qu'il aura récupéré son fric, il n'aura plus de raison.

– Oui, mais... »

Elle marqua une pause, cherchant les mots pour expliquer le sentiment que Jack lui avait inspiré dans leur cuisine. Cette certitude dérangeante que l'homme avait prévu de les abattre, qu'il le désirait même.

« Je crois qu'il en fait une affaire personnelle. Comme une vengeance ou un truc du genre. Peut-être une vengeance envers Will, poursuivit-elle avant qu'une pensée la frappe. Tu sais quoi, en plus ? Il s'attend sans doute à récupérer la totalité de l'argent.

– Merde. Il a parlé de quatre cent mille avant que tu arrives. »

Il se frotta le front.

« C'est foutu. »

Elle dirigea son regard vers le sac de sport, la toile tendue sous le poids de son contenu. Elle avait envie de le renverser au-dessus du lit et d'y répandre l'argent. Des liasses et des liasses de billets.

« Courgettes. »

Il arqua un sourcil.

« Tu te rappelles ? Quand on commençait à s'ennuyer dans une fête, ou que l'un de nous était coincé dans une conversation assommante, on disait "courgettes" et c'était le signal qu'on avait besoin d'aide. Alors, l'autre savait qu'il fallait intervenir. Trouver un moyen de nous sortir de là. »

Elle sourit au souvenir.

« Tu étais toujours très doué pour ça », ajouta-t-elle.

Il regarda son verre, sa main bandée.

« Je crois qu'on a passé le stade "courgettes". »

Dans sa voix perçait une intonation proche de la défaite qui brisa le cœur d'Anna.

« Nous sommes des gens intelligents, dit-elle. Nous pouvons trouver une solution.

– Tu crois ? »

Il avait dit ça comme sur le ton de la plaisanterie, mais l'effet était tout autre.

Elle se mit à faire les cent pas. Des petits trajets courts et restreints, du bord du lit à la porte, demi-tour, chemin inverse.

« OK. Alors, quel choix avons-nous ? Nous pouvons retrouver Witkowski demain et lui donner l'argent, en espérant qu'il ne râlera pas s'il en manque une partie.

– Et qu'il était sincère quand il a dit qu'il ne nous tuerait pas.

– Exact. Si ça se passe ainsi, on n'aura pas à gérer les flics, les avocats et le reste. Et on aura épongé nos dettes.

– Ce n'est pas ma plus grande inquiétude pour le moment.

– Ce n'est pas de l'avidité, chéri. Je ne rêve pas d'un manteau de vison. Je veux juste...

– Je sais, dit-il d'une voix fatiguée. Je sais.

– Autre solution, on pourrait aller voir la police. »

Elle s'arrêta, pencha la tête sur le côté.

« Et si on y allait maintenant ? Ils pourraient surveiller le centre commercial et l'arrêter. »

Tom secoua la tête.

« Nous ne sommes pas certains qu'il se présentera en personne. Il n'est pas tout seul. Quelqu'un lui a envoyé un message pour le prévenir que tu arrivais à la maison. En plus, s'il est là, il remarquera sans doute les flics.

– Et alors ? Même s'ils ne l'attrapent pas, s'il les voit, il saura que nous n'avons plus l'argent.

– Oui. Sauf qu'il vient juste de me dire que si on refilait l'argent à la police, il nous descendrait. »

Elle poussa un soupir, ferma les yeux. Reprit ses va-et-vient.

Après un long moment, Tom poursuivit : « Malgré tout, je pense que c'est la meilleure chose à faire. Aller à la police, tout leur raconter. Arrêter de faire semblant d'être des bandits et se contenter d'avaler la pilule. »

À la façon dont il avait dit ça, on aurait cru qu'il s'agissait d'un truc anodin. Comme avoir éraflé la voiture de quelqu'un dans un parking. Ça ne pouvait pas être aussi simple, si ?

« La meilleure solution, c'est celle où on est encore en vie à la fin.

— Les flics nous protégeront.

— Et s'ils ne coincent pas Jack ? S'il fait profil bas pendant un an ou deux ? On ne va quand même pas suivre un programme de protection des témoins. »

Il gagna la chaise et s'assit, jambes croisées.

« On est foutus si on va voir les flics et foutus si on n'y va pas. Alors, si on fichait le camp d'ici ? Si on allait à Detroit, comme tu l'as dit ?

— Et notre maison ? Notre travail ?

— Nous en trouverons d'autres. Nous pourrons vendre la maison à distance. Louer au lieu d'acheter. Prendre des noms d'emprunt.

— Et comment on dégote une fausse carte d'identité ? Comment on trouve du travail, comment on ouvre un compte en banque sans un numéro de Sécurité sociale ? Je ne sais pas de quelle manière on s'y prend pour faire ce genre de chose. En plus, continua-t-elle avec un haussement d'épaules, c'est chez nous, ici. Sara vit ici. Nos amis aussi. »

Il soupira et acquiesça.

« Il doit y avoir une solution, dit-elle. C'est notre vie. Ça ne peut pas se passer comme ça. Ce n'est pas juste.

— Pas juste ? grogna-t-il. On va se mettre d'accord sur un truc, OK ? Arrêtons de jouer les victimes. On a pris cet argent. Ça change tout.

— Quand même. Il doit y avoir une solution.

— Je ne vois pas laquelle. Et même si on se sort de cette galère, ça ne sera pas fini pour autant. Il y aura toujours... »

Il sentit son cou se raidir, ses yeux s'agrandir.

« Quoi ? » s'écria-t-elle en le dévisageant.

Puis, regardant par-dessus son épaule pour s'assurer que personne n'était entré, elle poursuivit : « Qu'est-ce qu'il y a ? »

Tom resta immobile, le regard fixe pendant un long moment. Ses yeux étaient plissés comme à chaque fois qu'il cherchait la solution à un problème. Quand il prit finalement la parole, sa voix était calme et sombre.

« J'ai une idée », dit-il.

16

Au début, ce fut une joie intense, un extraordinaire regain d'énergie. C'était comme résoudre un casse-tête, lorsque le déclic se fait dans l'esprit et qu'on comprend enfin que si deux frères sont identiques alors qu'ils ne sont pas jumeaux, c'est parce qu'ils font partie de triplés. Une façon nouvelle de considérer un problème familier.

Il testa son idée, l'éprouva, imaginant toutes les situations possibles, tous les problèmes qu'ils pourraient rencontrer. Ça semblait tenir la route. Pas blindé, mais solide. Certainement un plan plus sûr que tout ce qu'ils avaient sur la table pour l'instant.

« Qu'est-ce que c'est ? fit Anna. Dis-le-moi. »

Il lui expliqua. Mettre des mots sur son idée la rendait plus réelle, la transformait en sentiment confortable. Il regarda Anna, vit ses yeux se rétrécir, les petites pattes-d'oie apparaître. Lorsqu'il eut terminé, il dit :

« Je crois que ça peut marcher.

– Je n'en sais rien. Comme a dit Witkowski, ce n'est pas notre monde. On devrait peut-être se contenter d'aller trouver la police. »

Tom ferma les yeux, se pinça l'arête du nez entre le pouce et l'index. L'obscurité qui l'enveloppait lui paraissait rassurante, comme une lourde couverture sous laquelle il se pelotonnerait par une nuit de fortes chutes de neige. Il se força à rouvrir les paupières.

« Le truc, c'est que si on fait ça... Je me demande ce que nous sommes, si nous faisons ça ?

– Vivants, répondit doucement Anna. Libres. »

Elle inclina légèrement la tête avant d'ajouter :

« Riches.

– Oh ! Oublie l'argent !

– Vraiment, Tom ? On oublie l'argent ? demanda-t-elle d'une voix tranchante. Tu te fiches qu'on perde tout, y compris la maison ? Qu'on ne puisse pas avoir d'enfant, de famille ? Qu'il faille engager un avocat, passer devant un tribunal ? Qu'on voie nos photos s'étaler en première page des journaux ? Ça te plairait de passer les dix prochaines années à essayer de sortir du trou ? Je commence à être fatiguée de t'entendre faire comme si c'était mon idée. Nous avons pris cette décision ensemble. Personne ne t'a forcé la main. »

Elle secoua la tête, poussa un soupir. Lorsqu'elle reprit la parole, sa voix était plus calme.

« Si j'avais su à ce moment-là ce que je sais maintenant, moi non plus, je ne l'aurais pas pris. Je hais cette situation. Je laisserais tomber l'argent dans la seconde si je pouvais retrouver mon ancienne vie. Mais ce n'est pas possible. C'est tout, c'est comme ça. Alors, soit on essaye d'être forts et de s'en sortir, soit on panique et on perd tout.

– Si on fait ça, un homme va se faire tuer.

– Une crapule.

– Comment peux-tu prendre les choses aussi à la légère ? »

Elle haussa les épaules.

« J'essaie juste de me montrer réaliste. Jack Witkowski n'est pas un gentil garçon. Tu as essayé de le poignarder cet après-midi et personne n'aurait trouvé à y redire si tu avais réussi.

– Je sais. Et crois-moi, je ne verserais pas une larme s'il mourait. Mais bon, le prévoir, le planifier dans nos têtes me paraît... mal. »

Il entendait le faible ronronnement de la circulation à travers le double vitrage. Des milliers de vies se déroulaient, des milliers de décisions devaient être prises à chaque instant. Aucun moyen de savoir laquelle serait la bonne.

« Passe-moi le téléphone », demanda Tom.

Il avait peut-être donné la carte de visite à l'inspecteur, mais il se rappelait parfaitement le numéro. Certaines choses restaient imprimées en vous. Comme avoir sa vie menacée par un trafiquant de drogue. Il composa le numéro, appuya sur la touche d'appel. Une voix de basse marmonna à l'autre bout de la ligne, pas celle du Noir au costume élégant.

« Ouais ?

– Il faut que je parle à... »

Il hésita, se rendant compte qu'il ne connaissait même pas le nom de son interlocuteur.

« Je suis Tom Reed, reprit-il. Il...

– Un moment. »

Il y eut un bruit étouffé de conversation, puis une voix familière sur la ligne.

« Monsieur Reed. Avez-vous ce que je vous ai demandé ?

– J'ai retourné toute la maison. Du sol au plafond. Ce que vous cherchez ne s'y trouve pas. Je suis désolé.

– C'est très décevant.

– Je sais. Mais j'ai la réponse à votre question. Je suis de votre côté. Et je peux vous le prouver.

– Comment ?

– En vous disant où trouver Jack Witkowski. »

Il y eut un long silence de l'autre côté de la ligne, puis la voix lâcha : « Vous êtes un homme intelligent. »

Anna, assise sur le bord du lit, observa son mari négocier un meurtre.

Les yeux de Tom étaient cernés de noir, mais sa voix était ferme et ses mots choisis avec soin. En dépit de tout, il continuait à se montrer fort. Elle ressentit une vague d'amour, et autre chose aussi. Elle était fière de la façon avec laquelle son mari traitait avec des criminels. C'était sans doute mal d'éprouver un tel sentiment, mais elle s'en fichait. C'était eux deux contre le reste du monde. Les questions de moralité pourraient attendre. Peut-être qu'un jour le sort subi par Jack Witkowski les tourmenterait. Peut-être que ça les hanterait, même. Mais elle en doutait.

« Je ne vous le dirai pas », fit Tom.

Puis : « Je suis de votre côté, mais je ne suis pas débile. Ça va marcher, croyez-moi. »

Au bout d'un instant, il ajouta : « Demain matin. »

Il éteignit son téléphone puis le posa sur le rebord de la fenêtre et s'enfonça dans le fauteuil, un siège bleu et branché, trop grand, trop imposant. Il posa ses bras sur les accoudoirs, ferma les yeux et jeta sa tête en arrière.

« Il veut qu'on se retrouve pour le petit déjeuner.

– Il va le faire ?

– Il était excité. Je crois qu'il préfère ça à récupérer sa dope.

– Et tu crois qu'il nous laissera tranquilles après ?

– Je crois, oui. Il avait l'air... professionnel. Je suis convaincu qu'il nous croit quand on dit qu'on n'a pas la drogue. Et puis c'est vrai, pourquoi mentirait-on à ce sujet ? C'est pas comme si nous étions en mesure de la vendre au coin de la rue. En plus, on est des Blancs, éduqués, et qui payent leurs impôts. S'il nous tue, il y aura une enquête approfondie. Et je ne crois pas qu'il ait envie de ça. En plus, une fois qu'on l'aura aidé... »

Il se passa la langue sur les lèvres.

Elle finit mentalement la phrase pour lui. Pour voir. Elle ressentit un petit pincement. Un regret momentané. Mais tout ce tumulte qui l'agitait provenait de la peur. La peur que ça ne marche pas, que quelque chose foire, que Tom soit blessé. Comparé à la peur, l'élan de conscience morale était comme une légère bruine voulant faire de l'ombre à un tsunami. Pourquoi ne faudrait-il pas faire passer ceux qu'on aime avant toute autre chose ?

« Et maintenant ? »

Il se frictionna le front de sa main valide et haussa les épaules.

« Tu veux qu'on regarde ce qu'il y a à la télé ? »

Ils avaient laissé les rideaux ouverts et les faibles lumières de la ville dansaient sur le sombre plafond. Tom, qui avait jeté un œil au réveil deux minutes auparavant, savait qu'il était 3 heures passées. Pourtant, il ressentait une irrépressible envie de regarder de nouveau l'heure. Il s'abstint.

La douleur dans sa main battait en rythme avec son cœur et il avait l'impression que ses doigts enflaient et rétrécissaient à chaque pulsation. Comment savoir ce qu'est vraiment la douleur ? Est-on jamais sûr qu'on a atteint le pire ? C'était ça la vie. On croyait comprendre les choses, savoir faire la différence entre le bien et le mal, et puis, soudain, il se passait une chose qui redéfinissait complètement notre échelle de valeurs.

« Sommes-nous cupides ? » demanda-t-il à l'obscurité.

Après un moment, Anna répondit.

« Parce qu'on a pris cet argent ?

– Non. Oui. »

Les yeux fixés au plafond, il poursuivit : « Pas à cause de ça seulement. Sommes-nous fondamentalement cupides ? »

Dehors, un klaxon retentit. Étouffé par le double vitrage, il se coula dans la chambre comme un faible gémissement fantomatique.

« Je ne crois pas, répondit-elle. Pas plus que d'autres.

– Six sur une échelle de un à dix.

– Quoi ? »

Il secoua la tête sans répondre. Ils restèrent étendus sur le lit, l'édredon repoussé à leurs pieds, couverts seulement par le drap. Dans sa position, il ne pouvait pas voir la ville qui s'étirait derrière la fenêtre. Seule une lueur indigo se transformant en bleu nuit lui apparaissait. Sous ce ciel ne connaissant jamais le noir profond, s'étendaient les sombres abysses du lac Michigan, ses ondulations noires recouvertes de givre blanc. Il ne savait pas naviguer, mais il avait toujours rêvé de posséder un voilier. À cet instant, il s'imagina à bord, écumant les courants noirs d'encre, comme au bord d'un rêve. Rien qu'Anna et lui, le vent froid, les remous de l'eau et les

lumières fiévreuses de la ville dans leur dos. Voguant vers
l'est, naviguant toute la nuit, dans un lever de soleil purifié
par la solitude.

« À quoi tu penses, chéri ?

– À un truc qu'a dit Witkowski. »

Il revit ce moment dans son esprit. La montée d'adrénaline, la pression du couteau dans sa poche. La façon dont le
truand, d'un geste de la main, avait couvert le salon, leur
mariage, leur vie.

« Il m'a demandé pourquoi nous avions pris l'argent. Il voulait savoir ce que nous désirions que nous n'avions pas déjà.

– Ah oui ?

– Je ne savais pas quoi répondre. Je veux dire, nous ne
sommes pas aussi aisés que ça a dû lui sembler. Il ne savait pas
pour les emprunts et les traitements médicaux. Il ignorait
à quel point nous désirions un bébé et comme tu détestais ton
travail. Mais... »

Il leva les mains en l'air puis les plaça derrière sa tête avant
de reprendre : « Je ne sais pas. Même avec tout ça. Il a marqué
un point. »

Dans le silence de la chambre, il pouvait l'entendre respirer.

« Tu sais ce que je pense ? Toute chose a son juste milieu.
Son équilibre, dit-elle d'une voix basse. Je pense que les gens
riches sont fondamentalement aussi heureux que les pauvres.
C'est ainsi que nous sommes programmés. Quand les choses
vont bien pendant un moment, on les prend pour acquises.
Quand elles vont mal, on s'habitue. Notre esprit remet toujours tout à niveau.

– C'est assez commode.

– Que veux-tu dire ?

– Comme argument. Ça facilite le fait de ne pas s'en faire
ou d'essayer de changer les choses. Ça excuse notre inquiétude.

– Ça ne veut pas dire que ce soit faux. Donne un million de
dollars à quelqu'un, il s'enflammera un moment. Mais au
final, son mode de vie deviendra normal. Le frisson sera passé.
Il finira par se sentir plus ou moins comme il s'est toujours senti.

– Alors, quel est l'intérêt ?

– Je ne sais pas. Vivre une vie agréable. Bien se comporter avec les autres. Avoir une famille et l'aimer sans condition. »

Il réfléchit à cette idée, les yeux rivés sur les ondulations de la lumière au plafond.

« Tu as peut-être raison. Je repense aux problèmes que l'on avait et je me demande ce qui peut bien clocher chez nous. C'est vrai quoi, on se mettait vraiment dans tous nos états pour des conneries. Tout ce qui comptait à ce moment-là paraît maintenant... »

Il retroussa les lèvres et expira l'air comme s'il soufflait sur un pissenlit.

« Je sais, fit-elle. S'inquiéter pour la publicité, les traites de la maison. Seigneur. Même l'histoire du bébé. »

Ils restèrent silencieux un long moment, le temps s'égrenant au rythme régulier des pulsations douloureuses de sa main.

« Nous étions cupides, finit-il par dire.

– Oui. Je crois que oui. »

Vers 6 heures du matin, il abandonna. Son bras le faisait souffrir, sa tête l'élançait et il avait l'impression que quelqu'un tenait son rein entre ses mains et s'amusait à lui faire faire de drôles de torsions. Il roula hors du lit et gagna la salle de bains sur la pointe des pieds. Il ferma la porte et fit couler l'eau de la douche. Il positionna une dosette de café dans le percolateur. Après réflexion, il en glissa une deuxième.

Il se cala sous la douche et laissa l'eau ruisseler sur lui, lui marteler la tête dans un jet puissant qui le protégeait du monde et calmait un peu sa douleur. C'était si agréable. Un moment paisible derrière un rideau d'eau. La seule chose qui gâchait quelque peu le plaisir, c'était le fait de devoir tenir sa main en l'air, loin du jet d'eau.

Avec réticence, il s'extirpa de la douche et s'essuya tant bien que mal. Au moins, ils avaient un plan. Et il se sentait mieux grâce à ça. Ils étaient peut-être cupides. Ils étaient peut-être tombés sur la tête, mais ils travaillaient ensemble, mettaient leurs forces en commun et, surtout, ils avaient un plan. C'était une bonne chose. Il versa le café dans deux tasses et retourna dans la chambre.

Anna était étendue nue sur les draps entortillés. Elle sourit lorsqu'il posa une tasse sur la table de nuit. Tom prit son portable et l'alluma. Le voyant indiquait qu'il avait des messages et il composa le numéro de sa boîte vocale. Il avait quatre nouveaux messages.

« Ici, l'inspecteur Halden. Rappelez-moi dès que possible. Nous sommes prêts à monter un coup contre cet homme qui vous a menacés. »

Le flic débitait ensuite ses numéros de téléphone. Tom but son café. Fort mais infect, ce qui était quand même mieux que léger et infect. Il appuya sur une touche pour sauvegarder le message et attendit le deuxième.

« Monsieur Reed. Ici, l'inspecteur Halden. Rappelez-moi, s'il vous plaît. Nous devons y aller. »

Le suivant : « Christopher Halden, de nouveau. Il faut que vous rappeliez dès que possible. De jour comme de nuit. Je suis sérieux, Tom. Aussi vite que possible. Je vais essayer votre ligne fixe. »

Le suivant, datant du matin même, n'était que le bruit rageur du téléphone qu'on raccroche.

Merde. Tom referma son téléphone, se gratta la mâchoire. Ils étaient tellement occupés à fomenter leur plan la nuit dernière qu'il en avait complètement oublié le policier.

« J'ai eu plusieurs messages de Halden.

— Ne le rappelle pas, rétorqua Anna en se tortillant pour s'asseoir, coinçant un oreiller derrière sa tête. Nous ne pouvons pas lui parler pour le moment. Si jamais tu lâches accidentellement une info qui lui met la puce à l'oreille à propos de Jack ou du centre commercial...

— Il va bien falloir que je l'appelle à un moment donné.

— Quand ce sera terminé. Tu pourras lui dire simplement que tu as changé d'avis. Que nous en avons discuté et que tu ne veux pas servir d'appât. Il y croira. Ça doit arriver tout le temps, les gens qui se rétractent lorsqu'il s'agit d'identifier un criminel. »

Il y réfléchit quelques instants, hocha la tête. Il tira son pantalon sur le bord du fauteuil, l'enfila péniblement, une main au-dessus de la tête, grimaçant sous la douleur que lui infligeait son rein.

« Tu as ton portable ?

– Oui.

– OK. Je t'appelle dès que c'est terminé.

– Terminé ?

– Le rendez-vous avec le dealer, expliqua Tom en bouclant sa ceinture. Il veut d'abord qu'on parle.

– Je viens avec toi.

– C'est ça, oui, riposta-t-il en se tournant pour lui faire face. Tu crois que je vais t'emmener à un rendez-vous avec un trafiquant de drogue...

– Et merde ! »

Elle se redressa, attrapa un oreiller qu'elle lui lança de toutes ses forces.

Tom plongea sur le côté, surpris.

« Quoi ?

– Tu recommences. Tu essayes de me protéger.

– Je n'essaye pas du tout de jouer les héros. Je ne vois simplement pas l'utilité de t'impliquer là-dedans en plus.

– Je suis déjà impliquée, espèce de sale petit prétentieux. Tu crois que Jack ou que ton copain le dealer vont m'épargner parce que j'ai une paire de seins ? demanda-t-elle en secouant la tête. Tu es le seul à croire ça. »

Il ouvrit la bouche pour répliquer. Se ravisa. Il resta planté, les mains tendues.

« Je ne veux pas que tu sois blessée, finit-il par lâcher.

– Je veux qu'aucun de nous ne soit blessé. Et nous en avons déjà discuté. Cette nuit. »

Il pivota, le regard fixé sur la fenêtre. Le ciel était drapé de gris, des nuages bedonnants flottaient bas. L'horizon était sombre et brouillé, le troisième étage de l'Aon Center perdu dans la brume. L'heure de pointe approchait, le flot quotidien allait bientôt connaître son apogée, mais les rues étaient déjà encombrées de taxis, les trottoirs parsemés de petites formes en jupes ou en costumes. Une matinée de printemps comme une autre. Sa voix lui parvint de derrière, douce et basse.

« Complices. Tout ou rien.

– Tu ferais bien de t'habiller, répondit-il. Une longue journée nous attend. »

17

La première année à Chicago, ils avaient loué un petit appartement sur les hauteurs de Clark Street, à deux rues au sud de Diversey Avenue. Les murs étaient d'un blanc passé et la moquette empestait la cigarette. La vue donnait sur le bâtiment opposé. Mais lorsqu'ils se tenaient derrière le canapé et se penchaient de tout leur long contre la fenêtre, sur un petit centimètre du lac argenté. Cependant, le quartier était sympa, avec une profusion de bars, de restos et de librairies. Un petit snack de l'autre côté de la rue, le Weiner Circle, vendait des hot dogs. La femme qui se tenait derrière le comptoir avait l'habitude de lancer des jurons aux clients. Quand Tom y repensait, c'était généralement le sourire aux lèvres.

C'était étrange de retourner dans ce quartier. Pour la centième fois, il regarda dans son rétroviseur. Nulle trace de Jack, ni d'une quelconque voiture tournant quand il tournait ou accélérant quand il passait aux feux orange. Pour autant qu'il puisse le dire, ils n'étaient pas suivis.

Ils remontèrent vers le nord le long de Clark Street pendant un kilomètre puis ils tournèrent dans une rue résidentielle et eurent la chance de trouver une place. La matinée était fraîche et chargée de la promesse d'une pluie à venir. Une fois sur le trottoir, Tom prit Anna par l'épaule et elle se rapprocha de lui, coinçant son épaule sous son bras.

Le restaurant ne ressemblait pas du tout à ce à quoi il s'attendait. Il s'était imaginé un boui-boui, imitation bois et empestant la friture. Mais le lieu était aéré et lumineux, agrémenté de toiles colorées sur des murs de brique. Des tranches de concombre ornaient les verres d'eau. Suivant les indications données, il demanda une table pour quatre près de l'entrée du restaurant, à côté de la fenêtre. Une serveuse guillerette leur tendit les menus, posa sur leur table un pot de café et leur proposa des jus de fruits frais. Tom refusa d'un mouvement de la tête, un œil sur les autres tables. André était installé près du mur du fond, les mains posées de chaque côté d'une assiette d'œufs brouillés à laquelle il n'avait pas touché. Il sourit, tel un prédateur, étirant ses lèvres humides sur le blanc étincelant de ses dents.

« Le type au fond, c'est le garde du corps. Celui avec le flingue, expliqua Tom, le regard rivé sur l'homme, ne voyant aucune raison de se cacher. Je ne sais pas où est le dealer. »

Comme en réponse à sa question, la porte d'entrée s'ouvrit dans un tintement de clochettes. L'homme paraissait plus petit que dans le souvenir de Tom, plus mince. Un homme soigné affichant un air d'autorité et portant un beau costume.

« Monsieur et madame Reed, dit-il en s'asseyant en face d'eux, une jambe croisée sur l'autre, lissant le pli de son pantalon. C'est bien que vous soyez venus. »

Tom hocha la tête.

« Alors. Quel est le topo ? demanda l'homme. À quelle heure devez-vous le retrouver ?

– 10 heures.

– Où ?

– Au Century Mall, le centre commercial. »

L'homme se tapota le menton d'un doigt, les yeux rivés à ceux de Tom, cillant à peine.

« Pourquoi ?

– Parce que c'est un lieu public. Il a dit que...

– Non, monsieur Reed, l'interrompit-il en se penchant en avant, appuyant sur chaque syllabe. Pourquoi ?

– Je ne comprends pas. Pourquoi quoi ?

– Pourquoi Jack Witkowski veut-il vous rencontrer ? Avant-hier, vous m'avez dit n'avoir jamais entendu parler de lui. Et si ma mémoire est bonne, vous l'avez même juré. »

Une légère contraction des muscles apparut autour de ses yeux lorsqu'il reprit : « M'avez-vous menti, monsieur Reed ? »

Tom fut parcouru d'un frisson de panique qu'il s'efforça de dissimuler au mieux.

« Vous savez quoi ? Tous ces "monsieur Reed" me tapent sur les nerfs. J'ai l'impression de jouer dans un James Bond. Je m'appelle Tom. Voici Anna. Comment vous appelez-vous ? »

L'homme inclina la tête. Dévisagea Tom pendant un long moment, puis haussa les épaules.

« J'imagine que ça ne fait pas une grande différence. Je m'appelle Malachi. Un nom qui ne vous sera d'aucune utilité.

– C'est juste que j'en ai marre de penser à vous comme à "l'homme en costume", répliqua Tom en secouant la tête. Et non, je ne vous ai pas menti. »

Il leva sa main gauche et la posa sur la table. La chair visible était violacée et gonflée.

« Jack nous a rendu une petite visite hier. Il cherchait quelque chose, n'arrêtait pas de demander où ça se trouvait, où nous l'avions caché. Comme je ne pouvais pas répondre...

– Que recherchait-il ? demanda Malachi comme si c'était la chose la plus naturelle du monde, comme si ça lui était complètement indifférent.

– Il ne l'a jamais dit. Il se contentait de demander où c'était. »

La serveuse, toujours joyeuse, se présenta à leur table.

« Vous avez choisi ? »

Sans un regard, le dealer répondit : « Tu sais, chérie, je crois que nous allons nous contenter de cafés. Mes amis, ici présents, ont l'estomac un peu dérangé. »

Une grande partie de sa bonne humeur s'évanouit, mais elle acquiesça et s'éloigna.

« Comment vous en êtes-vous sortis ? interrogea Malachi. Je ne peux pas croire que Jack vous ait fichu la paix.

— Non, fit Tom avec un geste de la tête. Anna a enclenché notre alarme d'urgence. Quand il s'est enfui, nous avons quitté la maison et nous sommes allés à l'hôtel.

— Je vois. Donc, vous avez peur à l'idée qu'il revienne.

— Exactement, répondit Tom en repoussant ses couverts.

— Comprenez que je m'interroge, commença Malachi en jetant par-dessus son épaule un coup d'œil à André qui observait la scène tel un pit-bull tirant sur sa chaîne. Si Jack n'était pas venu vous voir, si vous n'aviez pas besoin de mon aide, diriez-vous que vous êtes de mon côté ? Aurions-nous cette conversation ?

— Ça dépendrait de vous, intervint Anna.

— Comment ça ? fit-il en se tournant vers elle.

— Si Witkowski ne s'en était pas pris à nous, nous n'aurions rien à proposer, expliqua-t-elle avec un haussement d'épaules. Vous avez dit à Tom que vous pourriez nous tuer simplement pour avoir hébergé un type. Alors, le fait d'avoir cette conversation ne dépend que de vous, si vous étiez sérieux ou non. »

Malachi opina lentement.

« Bonne réponse. Pour rappel, il vaudrait mieux vous en souvenir. Vous n'êtes pas tirés d'affaire... »

Il regarda à nouveau par-dessus son épaule et arqua un sourcil.

Tom réprima l'envie de serrer le poing.

« Donc, fit Malachi en reportant son attention sur eux, Jack attend quelque chose de vous. Une chose qu'il croit en votre possession.

— Oui.

— Mais vous ne l'avez pas.

— On ne sait même pas ce que c'est.

— Donc, s'il cherche quelque chose et que vous ne l'avez pas, répéta l'homme doucement, pourquoi le retrouvez-vous à 10 heures ? »

Tom s'efforça de garder son calme, obligea ses lèvres à s'étirer en un sourire.

« Bien, je vais vous dire la vérité », fit-il avant de prendre une gorgée de café et de reposer sa tasse.

Il ramena discrètement sa main sur son genou en priant pour que l'homme n'ait pas noté le tremblement de ses doigts.

« Je me suis dit que le seul moyen était de l'amener dans un endroit dont je pourrais vous parler, poursuivit-il. Je lui ai menti », termina-t-il avec un haussement d'épaules.

Malachi le fixa, sans ciller. L'instant s'étira, épais et intense. Tom soutint son regard, un sourire résigné aux lèvres. Il se dit que c'était bon, c'était la fin. Il se demandait si le type oserait tenter quelque chose ici, si Anna et lui allaient être descendus dans ce coin-repas.

Puis Malachi frappa sur la table, jeta sa tête en arrière et partit d'un grand rire. Tom s'autorisa à respirer à nouveau. Il sentit les doigts d'Anna se glisser entre les siens sous la table. Il lâcha un rire à son tour.

« Vous lui avez menti, s'esclaffa Malachi en se couvrant la bouche d'une main. Bien, tant mieux pour vous, Tom. Vous devenez un vrai truand. »

Il se tourna et inclina la tête à l'attention d'André, qui se leva et s'avança vers eux. L'espace d'un instant, Tom paniqua, mais le garde du corps se contenta de tirer la quatrième chaise et de s'asseoir.

« Maintenant, poursuivit Malachi. Parlons des détails. Il vous a dit où il voulait que vous le retrouviez exactement ?

– Dans le centre, c'est tout.

– Vous avez un téléphone portable ?

– Oui.

– Jack connaît le numéro ?

– Oui.

– OK. Où que vous soyez, il vous demandera d'aller ailleurs.

– Pas question. Nous faisons ça au centre commercial parce que c'est un lieu public. Nous n'allons pas accepter que…

– Du calme. Vous n'aurez pas à quitter le centre commercial. En fait, il sait très bien que vous ne voudrez pas. Il va juste vous trimballer à l'intérieur. Vous attendez à côté d'un magasin, il vous appelle et vous dit d'aller à un autre. Simple question de bon sens. Ce que ça signifie, en revanche, c'est que je ne pourrai pas avoir mes hommes attendant au coin d'une allée. Vous devrez gagner du temps. »

Tom se sentit légèrement défaillir.

« Combien de temps ? » demanda Anna.

Malachi se tourna vers André. L'imposant garde du corps haussa les épaules.

« Une minute ou deux, dit-il.

– Attendez. Vous voulez qu'on le retienne une minute ou deux pendant que vos hommes s'approchent discrètement de lui ? grogna Tom. Sans vous faire offense, le Century Mall est au cœur de Lincoln Park. Une bande de gangsters n'y passera pas inaperçue.

– Vous voulez dire une bande de nègres ? » répliqua Malachi avec un sourire.

Tom sentit son visage s'enflammer.

« Non, je...

– J'ai deux ou trois Blancs qui travaillent pour moi dans ce genre de situation. Et je crois que même un Noir peut se balader à Lincoln Park, dit-il en inclinant la tête vers André. Maintenant, comme je l'ai dit, mes hommes seront là-bas. Mais Jack n'est pas un débutant, alors, ils devront agir prudemment. Ils ne se montreront pas tant que vous n'aurez pas donné le signal.

– À savoir ? »

André écrivit à toute allure une série de chiffres. Tom le regarda d'un air ébahi.

« Programmez ça dans votre portable, ordonna André. Quand le type sera distrait, appuyez sur la touche envoi.

– Et s'il me voit ?

– Assurez-vous que ce ne soit pas le cas.

– Et aussi, intervint Malachi, il vous faut un sac.

– Un sac ? Pour quoi faire ? »

La confusion d'Anna était si parfaite que Tom dut réprimer l'envie de l'embrasser. Elle n'avait pas laissé transparaître le moindre soupçon indiquant qu'elle savait parfaitement de quoi il retournait.

« J'ai ma petite idée quant à ce que cherche Jack, dit Malachi. Trouvez-vous un sac assez grand. Portez-le comme s'il était lourd.

– Et si Jack veut regarder à l'intérieur ? »

Malachi haussa les épaules. L'estomac de Tom se tordit de plus belle.

« Comment allez-vous faire pour l'attraper au milieu du centre commercial ? demanda Anna.

– C'est une question intéressante. Mais je ne pense pas que vous ayez besoin d'en connaître la réponse.

– Par contre, il y en a une pour laquelle il nous faut une réponse, fit Tom en fixant l'homme dans les yeux. On fait ça et on est quittes, hein ? On en a fini avec vous ?

– Vous faites ça, rétorqua l'homme, et vous me donnez la preuve dont j'avais besoin. »

Il se rencogna dans son siège, tira sur ses manches avant d'ajouter :

« Tant que tout se déroule comme vous l'avez dit, on est quittes.

– Et pour Jack ? Qu'est-ce que vous allez lui faire ? »

Malachi secoua son poignet pour remettre sa Rolex en place. Il baissa les yeux dessus.

« Je vais lui donner une petite leçon d'histoire. À la manière de Gengis Khan, fit-il avant de se lever. Maintenant, vous devriez vous mettre en route. Vous avez des détails à régler avant 10 heures.

– Une minute ! s'exclama Tom. Où allez-vous ? »

Le trafiquant de drogue s'esclaffa.

« Fiston, je ne vais pas m'approcher à moins de dix kilomètres de ce centre commercial. Et j'aurai des témoins pour assurer mes arrières. Cette affaire, c'est la vôtre. Ça foire, c'est vous qui foirez. »

Il haussa les sourcils.

« C'est clair ?

– Ce qui est clair, c'est que vous nous laissez en plan. »

Tom ne pouvait pas détourner son regard, ni baisser le ton de sa voix.

Malachi se contenta de lui lancer un nouveau sourire.

« Faut payer pour jouer, Tom. Faut payer. »

« Bon, ça s'est bien passé. »

Anna s'adossa au siège passager, posa ses pieds sur la boîte à gants. Sa vitre était ouverte et laissait entrer l'air frais.

« Très bien. »

Tom secoua la tête, serra les lèvres avec force.

« Et si la première chose que Jack veut faire, c'est regarder dans le sac ? On n'a pas franchement de raison de bavarder avec lui. Tout ce qu'il veut, c'est l'argent. Il prévoit sans doute de se contenter de se pointer, regarder dans le sac, nous lancer quelques menaces et se tirer.

– En admettant qu'il n'ait pas décidé de nous tuer de toute façon.

– En admettant. »

Tom soupira.

« Je ne sais pas. On peut le retenir, je crois. Il se sentira en sécurité. Ce qui m'effraie, c'est qu'en même temps, nous devrons donner le signal à André. Une des choses que nous savons sur Jack, c'est qu'il est malin. Il surveillera chacun de nos mouvements.

– Il n'est pas au courant pour Malachi, n'est-ce pas ?

– Non. Il ne s'y attendra probablement pas. S'il s'attend à quelque chose, c'est à la police. Il va se focaliser sur les flics.

– On devrait s'en tirer, dit-elle. Il ne cherchera pas des gangsters.

– Des gangsters, Seigneur, répéta Tom en secouant la tête. Qu'est-ce qu'on est en train de faire, bordel ? »

Elle tourna son regard vers lui. Les jointures de ses doigts étaient blanches à force de se crisper sur le volant, sa posture était raide. Elle pouvait presque entendre le bourdonnement et le grincement des pensées qui s'entrechoquaient dans sa tête.

« Je peux te poser une question ?

– Quoi ?

– Pourquoi leur avoir demandé ce qu'ils comptaient faire à Jack ? »

Il resta silencieux un moment.

« Je ne sais pas. J'imagine que c'était pour rendre la chose plus réelle.

– Ça te gêne ? »

Il secoua la tête.

« C'est pour ça que j'ai posé la question. Je voulais savoir si ça me ferait quelque chose. Si planifier un truc pareil, c'était aller trop loin. Mais quand Malachi a dit ce qu'il a dit, je n'ai rien ressenti. La vérité, c'est que j'en ai vraiment rien à cirer de ce qui arrivera à Jack Witkowski. Après ce qu'il a fait... »

Il haussa les épaules.

« Qu'il aille se faire foutre.

– Alors, on continue ?

– Je ne vois pas d'autre solution. Et toi ? »

Elle secoua la tête de gauche à droite. Ils roulèrent en silence. Anna observait ce monde si familier lui devenir étranger. Un type sur une moto, une femme promenant deux chiens, un enfant à un arrêt de bus portant un T-shirt qui disait « T'as meilleure mine sur MySpace ». C'était comme regarder un vivarium, un panneau de verre qui permettait d'observer ce qui était censé rester caché. Sauf que le monde était normal et que c'était son regard qui avait changé.

« Tu es sûr de vouloir mettre l'argent à l'abri ?

– Oui, répondit-il d'une voix ferme. Nous avons été imprudents. Et si on nous volait la voiture ou que la fourrière l'embarquait ? Et si Jack le trouve ? Avec ce qu'on s'apprête à faire, le danger auquel on s'expose, cet argent pourrait se révéler être notre assurance-vie. Il faut qu'on le protège.

— Les choses pourraient aussi se dérouler sans problème, tu sais, fit-elle en se tournant vers lui. N'oublie pas ça. Si on réussit, c'est fini. Malachi sera quitte avec nous et Jack aura disparu. Personne ne saura qu'on a l'argent. Nous pourrons reprendre notre vie. En mieux. »

Il hocha la tête, mais ne prononça pas une parole.

Ils avaient loué un garde-meubles dans Belmont Avenue des années auparavant. Du temps de la fac, à Washington, ils habitaient dans des appartements séparés, aussi, quand ils avaient emménagé ensemble, ils s'étaient retrouvés avec du mobilier en double et pas suffisamment de place. Tom avait proposé d'organiser des vide-greniers, mais s'était aussi montré sentimental. Ou alors il voulait assurer ses arrières, avait pensé Anna à l'époque. Ils avaient donc loué un box de trois mètres sur trois et entassé leurs affaires jusqu'au plafond. Au final, ils avaient traîné la plupart des choses à la décharge et cédé le bail. Au moment de quitter le restaurant, lorsque Tom avait suggéré de déplacer l'argent, elle avait pensé à cet endroit.

Il pénétra dans l'aire des box tandis qu'elle se dirigeait vers un distributeur de journaux. Elle glissa des pièces à l'intérieur avant d'ouvrir la vitre et de retirer tout le paquet de journaux, ainsi que celui en présentation. Le temps qu'elle revienne à la voiture, il était de retour, à l'attendre, le sac de sport dans une main, son portable dans l'autre. Il secoua la tête en le refermant.

« Encore l'inspecteur Halden.

— Tu as écouté le message ?

— Non. Je suis bien assez nerveux comme ça. Finissons-en. »

Il avait obtenu le box le plus petit, un cube d'un mètre cinquante de côté au troisième étage. Le couloir en ciment était éclairé aux néons et flanqué de portes en ogive. Leurs pas résonnaient dans le silence. Tom se pencha pour insérer la clé et tira la porte vers le haut dans un cliquetis.

L'endroit était propre et vide. Ils pénétrèrent dans le box puis tirèrent la porte derrière eux. Tom fit glisser la fermeture Éclair du sac qu'il retourna, les muscles tendus. Des liasses de billets de cent dollars usés s'éparpillèrent. Et Anna ressentit le même élan irréel qu'elle avait éprouvé lorsqu'elle avait vu l'argent pour la première fois, la même impression que son cœur s'affolait. Cette promesse de liberté entassée sur un sol de ciment. Dans l'espace confiné, elle pouvait en sentir l'odeur, déplaisante, froide et humide. L'odeur de tous ces hommes qui avaient tripoté cet argent.

Tom secoua le sac pour faire tomber les dernières liasses, puis le posa sur le sol en le tenant ouvert. Anna empila les journaux dedans. Ils remplissaient davantage le sac que les billets. Tom soupesa le sac.

« Ça devrait faire l'affaire. »

Anna déchira le bandeau qui entourait une liasse puis dispersa les billets sur les journaux, les étalant bien. D'un seul regard, assez rapide c'était certain, on pouvait croire qu'ils avaient défait toutes les liasses et transportaient l'argent en vrac. La ruse était mince mais pouvait faire l'affaire.

Elle leva les yeux et vit Tom qui l'observait en esquissant un sourire. Une goutte de sueur perlait sur sa lèvre supérieure, et des ridules se formaient au coin de ses yeux. Il se pencha et l'embrassa, glissant une main derrière sa tête. Elle se laissa faire, glissant sa langue dans sa bouche ; sa barbe était rugueuse contre sa joue. Ils étaient là, penchés au-dessus d'une montagne d'argent, à se bécoter sans reprendre leur souffle comme des collégiens. Lorsqu'ils se séparèrent, finalement, elle posa une main sur sa joue.

« En quel honneur ?

— Parce que j'ai de la chance, dit-il. Et pour te montrer ma reconnaissance.

— De la reconnaissance ?

— Tout le monde n'a pas une complice telle que toi.

— Nous faisons ce qu'il faut, n'est-ce pas ? Pour un couple de gens normaux, je veux dire. »

Elle sentait les battements de son cœur. L'espace d'une brève seconde, elle eut la vision de ce qu'ils étaient en train de faire, de la folie de leur acte. Comme lorsqu'on est installé sur des montagnes russes, juste avant le grand plongeon, et qu'on ne peut plus quitter son siège.

« Tout se passera bien, dit-il. Je te le promets. »

Elle s'efforça de sourire.

« Croix de bois, croix de fer ? »

Le désodorisant qui pendouillait au rétroviseur du taxi empestait la pomme. Tom fronça le nez, regarda les rues défiler. Anna avait eu la bonne idée de garer la Pontiac loin du centre commercial et de prendre un taxi.

Il se rappela leur baiser dans le local poussiéreux, ses genoux appuyés sur trois cent mille dollars alors qu'il goûtait ses lèvres. L'odeur du désespoir qu'ils s'efforçaient tous les deux d'ignorer. Il se tourna vers elle, lui pressa la main, reçut un mince sourire en retour.

Il s'était mis à pleuvoir, de grosses gouttes qui engloutissaient toute couleur, réduisant les rues à un dégradé de gris. Les gens avançaient de côté sous leur parapluie et les commerçants reniflaient l'air à l'abri de leur auvent. Le taxi passa devant un magasin d'informatique discount, une exposition de tapis, une ou deux boutiques d'art, un boui-boui vendant des falafels. Il se sentait vidé de toute sa substance, comme cette fois où il avait fait de la chute libre, à la fac. Il se rappelait avoir été paralysé par la panique alors que l'avion montait dans les airs en décrivant des cercles. En cet instant, il avait cru se rapprocher irrémédiablement de son destin.

Le chauffeur se gara le long du trottoir et donna une petite tape au compteur. Les essuie-glaces poursuivaient inlassablement leur balayage sur le pare-brise. Dehors s'étendait la masse grise imposante, aussi longue qu'une rue, du Century Mall. Des colonnes baroques s'élevaient au-dessus du chapiteau du cinéma affichant un scintillement de fenêtres et de portes vitrées en dessous. Tom tendit un billet de vingt au chauffeur, lui fit signe de garder la monnaie. Soudain superstitieux, il voulait mettre le maximum de chances de leur côté.

«Je sais ce que tu vas dire, mais s'il te plaît, laisse-moi m'occuper de ça...

– On est tous les deux embarqués dans cette galère, répondit-elle, le visage pâle mais les épaules bien droites. Finissons-en. »

Il acquiesça, prit une inspiration, entraîna Anna vers l'entrée. Elle le dépassa pour ouvrir la porte. Le sac se balançait contre son genou, entravant ses pas. Pourtant, il était bien content d'avoir quelque chose à porter. À l'intérieur, le bourdonnement de la pluie et le crissement des pneus étaient remplacés par de la musique pop et un mélange d'odeurs chimiques en provenance d'un magasin de savons. La femme qui assurait l'accueil ne leva pas les yeux de son roman à leur passage.

Le Century Mall était un bâtiment qui s'élevait sur quatre étages en spirale autour d'un jardin central. Il rappelait toujours à Tom le Guggenheim, sauf qu'à la place des peintures, les murs « affichaient » des douzaines de boutiques : des vêtements au centre d'épilation au laser, en passant par la lingerie et les instituts de bronzage. Une allée bordée d'une rampe courait sur toute la longueur du mur, et de là où il se tenait, il pouvait voir un bel échantillon de mercantilisme s'élever vers un ciel de verre épais martelé par la pluie. Au milieu, un étage plus bas, se trouvait une épicerie gastronomique, un de ces lieux où l'on pouvait acheter des sushis préemballés et des salades sophistiquées.

« Quel est le meilleur endroit ?

– Il faudra finir par le deuxième étage. Peu importe où ils se trouvent, les hommes de Malachi ne sont pas loin.

– Alors, on peut commencer par le haut. »

Ils attendirent l'ascenseur vitré. Tom se balançait d'un pied sur l'autre, scrutant la foule autour de lui, faisant tout son possible pour ne pas montrer sa nervosité. Anna se raidit. Elle se tourna pour lui faire face et lui murmura : « Il y a un flic, là. »

Il jeta un œil aussi nonchalamment que possible. Le policier était penché par-dessus la rampe au-dessus de l'épicerie gastronomique, étudiant le présentoir de nourriture importée et les salades de pommes de terre. Il paraissait calme, à l'aise. Entre deux doigts, il faisait tourner une cigarette qui n'était pas allumée.

« Merde, lâcha Tom. Je m'attendais à ce qu'il y ait un agent de sécurité, pas un flic. Si Witkowski le voit, ça peut tout foutre en l'air. »

Il serra les lèvres avant d'ajouter : « On ne peut rien y faire. »

L'ascenseur s'ouvrit dans un petit tintement. À l'intérieur, Tom appuya sur le bouton du quatrième avant de se retourner pour regarder par la vitre arrière. Il était encore tôt et il se demanda qui pouvaient bien être tous ces gens qui erraient à cette heure-là dans le centre commercial. Ils ne travaillaient donc pas ? Les portes cuivrées se refermèrent et ils s'élevèrent lentement. Tom garda les yeux rivés sur le flic. Le mouvement de l'ascenseur avait apparemment attiré son attention et, l'espace d'un instant, ils se regardèrent dans les yeux. Puis l'officier tourna les talons et s'en alla d'un pas tranquille.

Lorsque les portes se rouvrirent, Tom sentit l'odeur du pop-corn qui s'échappait du cinéma à sa droite. Grâce à la climatisation qui marchait à plein régime, l'endroit était frais, ce qui n'empêchait pourtant pas la sueur de couler sous ses aisselles. Ils s'éloignèrent du cinéma, prirent vers la gauche et gagnèrent un endroit plus discret. Anna se pencha au-dessus de la rampe, l'œil aux aguets.

« Je comprends pourquoi il a choisi cet endroit. D'ici, on peut tout voir. Si on avait prévenu les flics, il les verrait arriver.

– Espérons que les hommes de Malachi soient discrets.

– À peine, rétorqua Anna en faisant un signe de la tête. Regarde. Là-bas, à l'étage en dessous. La boutique de bagages. »

Il regarda dans la direction qu'elle indiquait, vit André dans le magasin, faisant semblant d'étudier un set de bagages. L'homme fit un léger hochement de tête.

« Putain ! »

L'estomac de Tom se tordit. Il comprenait tous les avantages qu'il y avait à se rencontrer dans un lieu public, le fait que toutes ces personnes autour assuraient, sans le savoir, leur sécurité. Mais il se sentait complètement à découvert, exposé, entouré de ces boutiques. Qu'étaient-ils en train de faire ? Vendre un assassin à une bande de trafiquants de drogue, bluffant avec un sac de sport rempli de journaux censés passer pour une petite fortune, un flic traînant un étage plus bas et Jack qui pouvait débouler de n'importe où.

Du calme. Reste calme. Tu vas t'en sortir. Tu vas t'en sortir et tu vas la sortir de là aussi.

Sa montre indiquait 9 h 55. Dans quinze minutes, ils seraient soit libres, soit morts. Tom respira longuement et redressa les épaules.

9 h 55. Jack Witkowski croisa les doigts et étira ses bras au-dessus de sa tête pour faire craquer ses articulations. Le mouvement tira sur l'entaille de son avant-bras et il grimaça. La nuit dernière, il avait nettoyé et bandé la plaie, qui n'était pas assez profonde pour être suturée. Mais bon, cette saloperie l'élançait quand même.

Il ajusta le bandage avec précaution et s'adossa au mur de béton du parking. Marshall et lui avaient passé trois heures la veille à arpenter en tous sens le centre commercial et ses alentours. L'endroit était idéal, avec nombre d'issues : trois escaliers qui débouchaient sur le parking, l'épicerie du rez-de-chaussée et même le quai de livraison à l'arrière. En plus, niveau sécurité, c'était de la rigolade. Jack descendit la fermeture de sa combinaison, posa les doigts sur l'arme qui était coincée contre son T-shirt. Il appréciait l'odeur de la pluie, même si elle était entrecoupée de celle de l'huile et des gaz d'échappement flottant sur le parking.

À sa ceinture, son portable vibra, une fois. Il l'ouvrit et lut le message de Marshall : ILS SONT LÀ.

Jack prit une profonde inspiration, se glissa sous la chaîne de sécurité, tourna au coin et s'avança sur le quai de livraison, une aire recouverte de ciment qui empestait les ordures. Un type en train de décharger un camion leva les yeux vers lui et Jack le salua de la main. L'homme hocha la tête et retourna à ses affaires. Alors qu'il ouvrait la porte menant au centre commercial, son estomac se contracta. Il se sentait chez lui.

Le visage d'Anna était tendu au maximum, comme si sa peau allait craquer aux coutures. Tout autour d'eux, les gens faisaient du shopping, mangeaient, discutaient comme si tout était normal. Deux hommes à une table en bas s'esclaffèrent. Deux coiffeurs du salon entrèrent dans Victoria's Secret. Ils étaient facilement reconnaissables avec leurs tenues noires et leurs franges bien lisses. Pourquoi les coiffeurs avaient-ils toujours les coiffures les plus affreuses ? Une femme se promenait avec une poussette, le petit garçon à l'intérieur affichait une expression béate comme si le monde était un spectacle permanent.

La nuit dernière, ça lui avait paru une bonne idée, simple et facile. Une idée qu'il avait envisagée mentalement, comme le coup habile d'un joueur qu'ils observeraient lors d'un match. Mais maintenant qu'il voyait Anna près de lui, ce n'étaient plus des pensées rationnelles qui l'envahissaient. C'était la terreur et le trac, et une crainte enfantine de se faire punir.

Un homme tout en muscles, vêtu d'un polo des Cubs, tourna au coin sur leur droite. Il se déplaçait avec rapidité, sans courir, mais à grands pas. Il avait les yeux rivés sur eux.

« Tom. »

Elle lui donna un coup de coude. Il se retourna, vit ce qu'elle regardait. Ses doigts étaient tout blancs sur la bride du sac.

L'homme continuait d'avancer, sans les quitter des yeux. Il avait les cheveux coupés court et les épaules larges. Elle se rappela que Tom, la veille, s'était demandé si Jack viendrait en personne. L'homme se trouvait à une dizaine de mètres. Sept. Elle entendit une femme s'exclamer d'une voix chantante : « C'est pas adorable, chéri ? » La femme à la poussette arrivait de la direction opposée. L'homme en polo accéléra le pas, la main à la hauteur de la taille.

« Tom », répéta Anna d'une voix brisée.

Il fit un pas pour se placer devant elle, levant son bras blessé.

« Tout va bien. »

L'homme releva le bord de son polo.

« Tu aimes ça, faire les boutiques avec maman ? » gazouilla la femme.

Cinq mètres.

Anna aurait voulu crier, courir, mais elle était pétrifiée. Elle regarda l'homme se saisir d'un objet passé dans sa ceinture. La panique battait à ses tempes, la panique lui enserrait les doigts. Seigneur, tout allait de travers. Ce type allait les descendre là, comme ça, au milieu du centre commercial, sous les yeux de cette mère qui promenait son bébé, qui se croyait en sécurité, qui avait foi en un monde immuable, la même foi qu'avait Anna avant.

La main ressortit. Serrant un téléphone portable.

« Non, juste un peu de shopping, disait l'homme en passant devant eux avant de tendre la main pour pousser la porte de la cage d'escalier. Quand tu veux... »

La porte étouffa le reste de ses paroles en se refermant.

Elle ne s'aperçut qu'elle avait retenu sa respiration que lorsqu'elle poussa un long et douloureux soupir. Le monde tourbillonna autour d'elle et elle dut s'agripper à la rambarde. Tom s'effondra à son tour, laissa tomber le sac au sol, leva une main pour s'essuyer le front. La poussette arriva sur eux, une des roues grinçait légèrement. La femme sourit à Anna en passant. La rampe était fraîche sous sa paume. Elle y posa les deux mains tout en regardant les gens s'activer.

« Je ne peux pas faire ça. »

Tom se retourna, lui toucha le bras.

« C'est presque fini. Encore quelques minutes.

– Je ne peux pas. Je ne peux pas. Et si quelqu'un était blessé ? »

Elle aspira une bouffée d'air avant de poursuivre :

« Ce type… J'ai cru…

— Je sais, dit-il d'une voix apaisante. Nous sommes tous les deux sur les nerfs. Mais ça va aller. Tout va bien se passer.

— Comment peux-tu dire ça ? Les événements de ces derniers jours ne t'ont pas suffi ? Sortons d'ici. Allons voir la police. »

Elle regarda de l'autre côté de la rambarde, l'étage en dessous.

« Attends un peu, on n'a qu'à… Il y a déjà un flic ici. Allons lui dire…

— Lui dire quoi ? rétorqua Tom abruptement. Lui dire qu'on a tendu un piège à un voleur qui va se faire enlever et torturer à mort par un trafiquant de drogue, tout ça pour qu'on puisse garder de l'argent volé ? Il nous prendra pour des fous. »

Il secoua la tête avant de reprendre : « Ou pire, il pourrait nous croire. Si on foire ce coup, fit-il en posant sa main valide sur son épaule, Malachi nous tuera. À condition que Witkowski ne l'ait pas fait avant. Il faut qu'on aille jusqu'au bout. Encore quelques minutes. D'accord ? »

Elle le dévisagea, observa la tension dans ses mâchoires, ses yeux exorbités. Lui aussi était terrifié, elle le voyait bien. Mais il luttait. Elle se redressa et tenta d'appliquer ses leçons du cours de yoga : inspiration par le nez, expiration par la bouche, visualisant l'air qui emplissait ses poumons d'une lumière bleu pâle. *Inspire, retiens, expire. Je suis au centre du calme. Je suis la lumière bleu pâle.*

D'épais tuyaux remontaient à l'angle. Un panneau à côté de la porte indiquait qu'il s'agissait de l'escalier ouest débouchant sur le rez-de-chaussée. Jack s'approcha de la porte, regarda par le hublot. De là, il pouvait voir le centre commercial, les rampes d'accès s'élevant en spirale. Une petite brune portant un T-shirt sur lequel on pouvait lire « Porno Star » passa devant le hublot d'un pas tranquille, totalement inconsciente de sa présence à deux mètres d'elle. Jack sourit. En tenue de travail, immobile dans la cage d'escalier, il pouvait être invisible. Il pouvait être mexicain.

Il tendait la main vers la porte quand son portable sonna.

« Ouais.

— Attends, fit Marshall d'une voix calme.

— Qu'est-ce qui se passe ?

— Je suis pas sûr. Je crois qu'il y a un truc qui cloche. Je vais m'approcher.

— Où sont-ils ?

— Quatrième étage, angle nord-ouest. À côté du cinéma. Ils portent un sac. Tu veux que j'aille chercher...

— Non. On suit le plan. »

Il raccrocha, scruta l'extérieur une nouvelle fois. *Qu'est-ce que tu fous, Tom ?*

Jack descendit de moitié la fermeture de son blouson puis prit le téléphone et composa un numéro.

Le portable de Tom sonna. Il ne reconnut pas le numéro. Prenant une profonde inspiration, il ouvrit le clapet.

« Allô ?

— Monsieur Reed ? Ici, l'inspecteur Halden. Où étiez-vous passé ? Après notre dernière conversation... »

Merde, merde, merde !

« Inspecteur, le moment est mal choisi. »

Silence, puis : « Êtes-vous en danger ? Le dealer est-il à côté de vous ? »

Il coula un regard vers sa montre. 10 h 02.

« Non, non. Ce n'est pas ça. C'est juste que... »

Il jeta un regard autour de lui, persuadé de voir Jack Witkowski foncer sur lui à tout moment, son énorme flingue à la main.

« Je ne peux pas parler pour l'instant.

— Écoutez, je ne sais pas ce que vous êtes en train de faire, mais mon appel est bien plus important. Ce type, il va vous chercher et vous ne le verrez pas arriver. Dites-moi où vous êtes et je vous rejoins en moins de dix minutes. Je peux assurer votre sécurité. »

Tom hésita. La vitrine du magasin de bagages était dégagée. Où était passé André ? Tout se déroulait si vite. Il repensa à l'homme en polo, comment à cet instant il avait compris qu'ils avaient perdu pied. Il devrait peut-être tout raconter à Halden. Faire venir les flics. L'idée était tentante, lâcher les commandes et laisser des professionnels prendre le relais.

« Monsieur Reed ? »

Tom ouvrit la bouche. Un bip retentit dans son oreille et il écarta le téléphone pour le regarder. Un autre numéro qu'il ne reconnut pas non plus s'affichait.

« Tom, je sais que vous êtes effrayé. Laissez-moi vous aider. »

Son pouls battait si fort qu'il lui brouillait la vue.

« Je suis désolé. Je vous rappelle bientôt. Promis.

– Attendez... »

Il raccrocha, accepta le nouvel appel. Une voix familière s'éleva à l'autre bout de la ligne.

« Avec qui étais-tu en train de parler, Tom ? »

Anna vit la grimace et le regard affolé de Tom qui scrutait les environs. Il articula silencieusement le nom de Jack.

« Personne, fit-il avant de marquer une pause. C'était ma mère, d'accord. J'ai raccroché aussi vite que j'ai pu. »

Le cœur d'Anna battait la chamade et ses doigts se crispèrent sur la rambarde. *Je suis la lumière bleu pâle.*

« Ouais, eh ben, vous connaissez pas ma mère », poursuivit Tom.

Elle regarda à gauche, vers le cinéma. Un étudiant se mourant d'ennui derrière le comptoir de vente des billets, des affiches de films indiens, un banc sur lequel était assise une vieille femme. Si les choses tournaient mal, ils pourraient se diriger par là. Un mouvement attira son regard. À l'étage en dessous, le flic faisait du lèche-vitrines. Il y avait un escalier sur la droite, là où avait disparu l'homme en polo.

« Nous ne quittons pas le centre commercial, fit Tom. Hors de question. »

Au-dessus de leurs têtes, les haut-parleurs continuaient de diffuser de la musique pop, bête et insistante, la chanson stupide d'un boys band, *Bye-bye Baby, bye-bye*. L'odeur du pop-corn rassis lui chatouillait les narines.

« OK, fit Tom et il raccrocha. Il veut qu'on se retrouve au rez-de-chaussée, devant le salon de coiffure. On ne doit pas prendre l'ascenseur. »

Il jeta un œil par-dessus son épaule et lui tendit son téléphone.

« Il faut que tu envoies le message à André. Je ne peux pas le faire tout en portant le sac.

– Je le... commença-t-elle.

– Jack ne voudra jamais croire que je t'ai laissée le porter. »

Elle se mordit la lèvre, elle savait qu'il avait raison. Elle glissa le téléphone dans sa poche, garda sa main dessus, le doigt posé sur la touche envoi. *Je suis la lumière bleu pâle.*

« Nous devrions y aller. »

Ils commencèrent à descendre, Tom légèrement devant. Ils descendirent lentement jusqu'au troisième étage. Anna scrutait les environs, à la recherche de Jack, d'André, de n'importe qui. Au-dessus d'elle, le chanteur du boys band chantait qu'il ne voulait pas jouer seul dans un jeu à deux et Anna se demanda ce que ça pouvait bien vouloir dire. Encore trois étages. Aucun signe de Jack, pourtant, il y avait foule autour d'eux : un groupe d'ados attendant devant l'ascenseur, des femmes détaillant des vêtements, un vendeur en pause en train de bouquiner. Deux étages et demi. Elle repensa à cette femme avec la poussette, se demanda si elle avait conscience de la chance qu'elle avait, si les gens réalisaient vraiment la chance qu'ils avaient avant qu'il soit trop tard. La vie pouvait basculer si rapidement.

Voilà exactement ce à quoi elle pensait lorsque Jack Witkowski déboula de la cage d'escalier devant eux.

Jack les trouva épuisés et tendus, paniqués. Quelque chose en particulier chez Anna paraissait éteint. Elle tenait ses poings enfoncés dans ses poches et son regard dénotait une certaine agitation. C'était parfait.

Il sourit, fit un geste de la main en direction du sac de sport que portait Tom.

« C'est pour moi ? »

Les yeux de Tom s'agitèrent en tous sens comme ceux d'un animal pris au piège. Il fit un pas en arrière.

« Je croyais que vous vouliez...

— Je m'en tape de ce que tu croyais, espèce de crétin. Ouvre le sac. »

Tom Reed ne bougea pas.

« Tom, reprit Jack en descendant la fermeture Éclair de son blouson pour révéler son holster, ouvre le sac.

— Vous n'allez pas vous en servir. Nous sommes dans un lieu public. »

Il avait dit ça comme s'il s'agissait des termes d'un contrat, comme un gosse sur une aire de jeux geignant à propos des règles.

Jack s'esclaffa.

« Tu te fous de moi ? fit-il en secouant la tête. Tu as croisé une douzaine de personnes ces cinq dernières minutes. Tu peux me dire à quoi elles ressemblent ? »

Il inclina la tête et avec un sourire termina : « Qu'est-ce qui te fait croire que l'un d'entre eux a vu à quoi je ressemblais ? »

Tom avait l'impression que son visage s'était détaché de son corps, comme s'il était une entité à part entière. Il sentait le sang battre contre ses tempes, ses joues s'échauffer.

« Nous avions un accord. »

Jack haussa les épaules, geste qui souleva un peu plus le blouson bleu, révélant encore l'énorme pistolet.

« On l'a toujours. Mais d'abord, tu ouvres ce sac et tu me montres ce qui m'appartient.

— Vous venez juste de dire que vous alliez nous tuer. »

Il s'efforçait de faire durer la conversation, en priant pour qu'Anna ait eu le temps de prévenir André.

« En fait, Tom, j'ai dit que je pourrais vous tuer », rétorqua Jack avec suffisance.

Visiblement, il s'amusait bien.

« Si je décide de vous descendre, je ne vous enverrai certainement pas de préavis. Maintenant, ouvre ce putain de sac.

– Non », répliqua Tom d'un ton aussi ferme que possible.

Il fallait qu'il tienne le coup. Encore quelques secondes, une minute. Sa vie, leurs vies dépendaient d'une minute. Soixante interminables secondes. Où diable était André ?

« Pas avant que vous m'ayez assuré, là maintenant, qu'une fois que vous aurez l'argent, vous nous ficherez la paix.

– Promis », fit Jack avec un sourire.

Un frisson glacial traversa Tom et il comprit que, d'une façon ou d'une autre, un jour ou l'autre, peut-être demain, Jack les tuerait. Il avait simplement décidé qu'il en serait ainsi.

Puis, par-dessus l'épaule de Jack, Tom aperçut quelqu'un arriver de l'escalator qui divisait le centre commercial. Un homme corpulent qui se mouvait comme un boxeur. Un homme aux lèvres humides et aux dents blanches. André approchait, sa veste était ouverte. Anna avait réussi.

« Très bien. »

Tom respira profondément, essayant de gagner encore du temps, sentant une montée d'adrénaline et un élan d'espoir fou. Il fit glisser le sac le long de son épaule et le posa au sol.

Derrière Jack, deux Blancs portant des vêtements amples débouchèrent du coin pour se positionner aux côtés d'André, les trois hommes avançaient d'un pas assuré et tranquille. L'un portait un survêtement marron et une gourmette en or. L'autre un costume large. Il glissa la main dans sa poche et en sortit un objet en plastique. Un filet bleu étincela à son extrémité. Un pistolet électrique.

Tom s'accroupit au-dessus du sac, posa la main sur la fermeture. Tout dépendait du timing. Il marqua une hésitation.

« Vous avez promis. »

Jack plissa les yeux.

« Magne-toi. »

Il ne pouvait pas faire plus. S'il continuait, Jack allait peut-être se mettre à observer les alentours. Il pria pour que l'argent au-dessus des journaux trompe Jack, ou qu'au moins son attention soit retenue suffisamment longtemps pour que les hommes de Malachi interviennent. Ils étaient à moins de dix mètres.

Il tira la fermeture aussi lentement qu'il pouvait se le permettre, puis attrapa les bords du sac, prévoyant de ne l'ouvrir que le strict minimum pour éblouir Jack. Trois mètres.

Le flic quittait la devanture d'un magasin de jeux et s'approchait, il était derrière André et ses hommes. La main à la ceinture, il avançait d'un pas rapide. Était-il au courant de quelque chose ? Halden avait-il, d'une manière ou d'une autre, deviné où ils se trouvaient et prévenu le flic ? Agenouillé à côté du sac, Tom l'observait et le vit sortir son arme. Seigneur ! Il s'apprêtait à mettre un terme à toute l'opération.

Sauf que le policier ne dit pas « Police, plus un geste ! » ni « Arrêtez-vous ou je tire ! »

Non, il hurla : « Jack, baisse-toi ! »

Il tira et la tête de l'homme qui tenait le pistolet électrique explosa.

Lorsque Jack entendit la voix de Marshall lui ordonnant de se baisser, sa première impulsion fut de regarder derrière lui. Cependant, il avait appris bien longtemps auparavant qu'il fallait faire confiance à son partenaire, sinon les choses partaient en vrille. Alors, il préféra se laisser tomber à genoux.

Même s'il y était préparé, le premier coup de feu résonna comme un coup de tonnerre, réveillant chaque cellule de son corps à la vie, faisant s'agiter nerveusement l'adrénaline dans ses membres. On ne soupçonnait pas à quel point un coup de feu pouvait être tonitruant. Comme si Dieu frappait dans ses mains. Il y eut un silence, qui dura l'espace d'un battement de cils, puis de nouvelles explosions. Jack passa la main dans son blouson et saisit son revolver, retirant la sécurité en même temps qu'il se retournait en rampant comme un crabe, une main posée au sol.

Marshall se tenait dix mètres plus loin dans son faux uniforme de flic. Entre Jack et lui, un monstre mêlant horreur et confusion avançait vers lui d'un pas chancelant, emporté par son seul élan. Sa tête n'était plus qu'une masse sanguinolente. Derrière lui, un type corpulent en survêtement se débattait pour sortir un gros flingue. Un troisième homme chargeait Marshall. Noir et musclé, il se tenait courbé et ses poings commencèrent à s'abattre sur Marshall.

Jack ne prit pas le temps de réfléchir. Il se contenta de lever le colt, de le pointer sur l'affreux survêtement, de viser. Il appuya sur la détente. Le 45 recula dans sa main et il prit le temps de rajuster sa ligne de mire avant de tirer une nouvelle fois. La seconde balle alla se loger juste à côté de la première. Un déchaînement de violence pure qui déchira la poitrine de l'homme.

Les hurlements commencèrent à fuser. Jack s'efforça de les ignorer, de dissocier les cris des coups de feu et de la pluie de verre brisé en provenance de la devanture d'un magasin. De retrouver son calme au centre de cette tornade. Tout foutait le camp, encore une fois. Exactement comme le soir du braquage. Il n'aimait pas travailler de cette façon. Mais, comme cette nuit-là, il lui fallait reprendre le contrôle de la situation. Le monde appartenait à ceux qui le pliaient à leurs exigences.

Il dévia son arme sur le côté, essayant d'aligner le Black. L'angle n'était pas formidable, Marshall était juste devant. Le tir était trop risqué. Il laissa tomber. Marshall était un grand garçon. Il fallait se concentrer sur les priorités. Il fit volte-face.

Tom Reed était toujours agenouillé, transformé en statue de pierre. Il avait la bouche grande ouverte et une main sur la fermeture Éclair du sac de sport. Le sac était à moitié ouvert et, à l'intérieur, Jack put discerner des piles de billets d'un vert passé. L'argent pour lequel Bobby était mort.

Oh, Seigneur ! Oh, Seigneur ! Oh, Seigneur !

Anna avait une main devant la bouche, l'autre portée à son front où une chose humide l'avait percutée. Chaude et humide comme un crachat, comme si quelqu'un s'était raclé la gorge et avait expulsé des glaires épaisses et dégoûtantes sur son front. Sauf que ce n'était pas un crachat, c'était du sang qui provenait de l'homme que le flic venait d'abattre. Seigneur, l'homme que le *flic* venait juste de descendre. Ce qui signifiait que Witkowski avait la police dans sa poche. Nom de Dieu, Jack Witkowski avait la police dans sa poche. Maintenant, tout s'expliquait. Il y avait de plus en plus de coups de feu, forts, si forts. Ses oreilles bourdonnaient et la chose visqueuse et chaude sur son front coulait vers ses sourcils. Le sang d'un inconnu avait éclaboussé son front et coulait à présent dans ses sourcils. Ça n'était pas possible. Ça ne pouvait pas être vrai. Tom et elle étaient des gens bien. Et les gens bien gagnaient toujours à la fin. Les gens bien s'inquiétaient de leurs factures et de leurs emprunts, ils voulaient avoir des enfants, ils n'ignoraient pas qu'il est parfois difficile de s'aimer. Mais leurs ennuis s'arrêtaient là. Et voilà que, en cet instant, elle était à un cheveu de perdre tout ça. Elle sentit quelque chose monter en elle, une chose sombre et ailée et effilochée. Elle voulut ouvrir la bouche pour la laisser échapper, mais n'en fit rien de peur que, une fois partie, elle ne puisse plus s'arrêter et qu'elle reste plantée là à hurler, hurler et hurler encore. Elle devait se montrer plus forte que ça. À ce moment-là, Jack se redressa et s'approcha de Tom.

Tom s'étonnait du calme qui régnait dans son esprit. Il voyait tout. Il admirait la façon avec laquelle Jack avait sorti son pistolet, le soin avec lequel il avait visé et tiré, puis visé et tiré de nouveau. Méthodique. Le flic qui avait prévenu Jack essayait d'ajuster son tir tandis qu'André passait à l'attaque. Tom se demanda s'il y avait d'autres policiers dans le coin et s'ils étaient eux aussi du côté de Jack et si André avait un plan de secours et d'autres hommes postés quelque part, et si...

Jack le regardait, lui et l'argent.

Tom sentit la panique l'envahir. Une panique puissante, résistante comme un contre-courant. Et il se rendit compte qu'il n'était pas forcé d'y céder. C'était peut-être le choc, ce qu'on ressentait quand on était en état de choc. Dans ce cas, il pouvait vaincre la panique n'importe quand.

Jack fit un pas en avant. Sa combinaison était ouverte jusqu'à la taille. Il tenait son flingue à la main. Il le leva lentement. Les pensées de Tom s'agitaient toujours en dehors de lui. Du coin de l'œil, il vit Anna pétrifiée sur place, se prenant la tête à deux mains. Du sang s'écoulait entre ses doigts.

Oh, Seigneur !

Tout lui revint dans un claquement comme une vidéo qu'on passerait en accéléré. La panique n'était pas un contre-courant. C'était une puissante vague. Elle s'écrasa sur lui avec force et rapidité, le renversant presque. Elle était blessée et Jack s'approchait encore. Il devait la sortir de là.

Jack leva l'arme, ses doigts s'activant contre la gâchette. Tom saisit la bride du sac, se releva d'un seul mouvement, et le hissa par-dessus la rambarde, la moitié du sac était maintenant au-dessus du vide. Il le laissa pencher un peu, le tenant seulement de deux doigts.

En bas, les gens couraient dans tous les sens, affluant vers les sorties au milieu des cris et de la bousculade. De l'autre côté de l'allée, André avait foncé sur le flic comme un défenseur, le plaquant au sol. Tout le monde hurlait et, en fond sonore, cette insipide chanson pop résonnait toujours, ce sale gosse continuait de dire *bye-bye* à une quelconque adolescente.

Le sac oscilla sur la rambarde, trois étages au-dessus du jardin intérieur et de l'épicerie gastronomique. Jack regarda le sac. Puis il tourna la tête et fixa Tom droit dans les yeux. Impassible.

« D'accord. D'accord. »

Il rangea le pistolet dans son étui et tendit ses mains vides devant lui.

« Il n'est pas trop tard. »

Tom eut envie de rire. Mais au lieu de cela, il lâcha la bride.

« Non ! » hurla Jack.

Il se jeta en avant, les bras cherchant désespérément à attraper le sac, les doigts tendus au maximum. Tom croisa, l'espace d'un quart de seconde, son regard fou, puis il se mit à courir, se contrefichant de savoir si le sac était passé par-dessus la rambarde ou pas.

Anna avait avancé d'un pas, baissé son bras gauche. La main droite toujours devant sa bouche. Son front était couvert du sang qui coulait sur l'arête de son nez. Ce n'était pas possible, il ne pouvait pas la perdre. Ni maintenant ni jamais.

« Anna, chérie, non, non. Tu es blessée ? »

Tout en prononçant ces paroles, il se disait que si c'était le cas, il était fini. Qu'il n'aurait plus qu'à... à...

Elle le regarda, ses pupilles étaient minuscules. Ses lèvres tremblaient.

« C'est du sang. Je veux dire, ce n'est pas mon sang.

– Tu vas bien ? »

Elle hocha la tête.

Merci, Seigneur, merci, Seigneur, merci. Si je ne croyais pas en toi avant, maintenant oui.

Il passa un bras autour de ses épaules et la tira vers la cage d'escalier.

Tout en se jetant en avant, Jack vécut le plus étrange moment de sa vie, comme une impression de déjà-vu. Comme s'il revivait un souvenir. Il bondissait en avant pour rattraper Bobby, son petit frère qui, les bras tendus vers lui, cherchait à s'agripper à son seul espoir. Le problème était que, pour autant que Jack s'en souvenait, ça n'était jamais arrivé. Quand ce moment aurait-il pu se produire ?

Malgré tout, tandis que ses mains battaient l'air en avant et qu'il voyait le sac pencher, et alors qu'il sentait la tension de ses muscles et l'air lui fouetter les joues, il suppliait son corps de réagir plus vite, un tout petit peu plus vite. Et, tandis que le sac s'affaissait, glissait, et finalement tombait, tandis que ses doigts effleuraient la toile, cherchant une prise, la bride, la fermeture, une poche, il comprenait qu'il ne parviendrait pas à l'attraper, que le sac allait tomber. Pendant tout ce temps, une partie de lui-même voyait Bobby. Bobby tombant en arrière. Bobby au visage déformé par la panique, la peur, tendant les bras pour que son grand frère le sauve.

La loi de la gravité eut gain de cause. Des billets de cent s'envolèrent par l'ouverture comme des confettis, puis le sac opéra un lent demi-tour avant de s'écraser dans un fracas de verre et de salades aux pommes de terre, trois étages plus bas. Il regarda la scène. Incroyable. Quatre cent mille dollars baignaient dans la mayonnaise. Il s'imagina sauter par-dessus la rambarde. Se pencha pour estimer la hauteur. Ouais, Jackie Chan pouvait peut-être le faire, pas un Polack de 43 ans.

Bon. Les escaliers. Ils avaient étudié la configuration du centre hier. La cage d'escalier la plus proche menait au rez-de-chaussée, mais la plus éloignée menait à toutes les sorties. Il se mit à courir, visualisant la scène. Marshall était assis sur le cul, une main derrière lui, l'autre essayant de récupérer son arme. Le Black l'avait mis à terre. Jack leva son colt et tira tout en se mettant à courir. Les coups de feu, secs et bruyants, firent exploser une vitrine et entraînèrent une nouvelle série de hurlements. Le Black le regarda, puis tourna les yeux vers Marshall avant de faire volte-face et de se tirer. Jack rejoignit son associé, se courba pour l'aider à se relever. Marshall essaya de viser le gars qui l'avait assommé, mais Jack le força à bouger, lui criant : « Allez, on y va ! » Seul comptait l'argent.

Ils gagnèrent tous les deux la cage d'escalier, dévalèrent les marches. Il ignorait combien de temps il faudrait aux flics pour débarquer, mais on était à Lincoln Park, un petit quartier sympa de cols blancs. Ça ne tarderait pas. Il serra plus fermement la crosse de son arme.

Les escaliers étaient dégagés et empestaient la peinture. Des ampoules nues pendaient à chaque étage. Une main sur la rampe, il dévala les marches en sautant presque. Arrivé en bas, il ne ralentit pas et se contenta d'ouvrir la porte de l'issue de secours d'un coup de pied. Une sirène retentit lorsqu'ils pénétrèrent dans l'épicerie. Un Mexicain vêtu d'un tablier était recroquevillé derrière le comptoir à sushis. Du vin à sa gauche, du fromage à sa droite. Jack s'engagea, renversa un étalage de sauces, les pots se cassèrent en mille morceaux sur le sol. Un serveur se tenait au centre d'un octogone de casiers contenant des entrées précuites. Dans sa chute, le sac avait brisé du verre qui s'était éparpillé parmi les patates, le couscous, les brocolis. Une douzaine de billets de cent s'était déposée dans les plats, comme en guise d'ornement. Le serveur regardait le sac, une main tendue comme s'il cherchait encore le courage de le toucher. Jack planta le canon de son arme sur la nuque de l'homme, puis passa devant le corps recroquevillé pour prendre son dû.

« On dégage !

– Par où ?

– L'arrière. »

Marshall tourna les talons. Un couloir réservé aux employés menait à l'arrière du centre commercial. Un tunnel de ciment jonché de mégots de cigarettes et envahi par le bourdonnement des machines. Ils sortirent sous la pluie, entendant désormais les sirènes s'approcher. Jack jeta le sac sur son épaule puis gagna un long muret, posa une main sur le rebord et se hissa dessus. Le geste rouvrit la blessure de son avant-bras, mais la douleur semblait à des années-lumière.

Il y avait un flic de l'autre côté, qui redescendait en courant une allée menant à des appartements. Pendant un moment, ils se regardèrent. Puis le flic attrapa son arme et leur hurla de ne pas bouger.

Jack avait déjà vécu ce genre de situation. Sans bouger sa main gauche du mur, il leva la droite.

Le bruit du coup de feu était plus faible à l'extérieur. Le flic vacilla. Ses jambes se dérobèrent sous lui et il tomba à genoux dans une flaque. L'eau trouble et argentée éclaboussa les alentours.

« Nom de Dieu ! souffla Marshall derrière lui. Jack ! »

Le flic se balança d'avant en arrière. Il regarda sa main, en sang et tremblante. Jack leva à nouveau son arme et prit le temps de viser.

18

L'EST VALAIT BIEN L'OUEST. Ça n'avait pas franchement d'importance. Ce qui comptait, c'était de bouger, de rester en mouvement. Conduire minute après minute, kilomètre après kilomètre, sans autre but que de s'éloigner de tous, du monde entier, le temps qu'ils décident quoi faire. Comment arranger ça.

À cette pensée, Tom voulut éclater de rire. *Arranger ça ? Et comment on fait, Einstein ?*

Il secoua la tête, empli d'une terreur et d'un sentiment de solitude qu'il n'avait jamais ressentis auparavant. Le monde auquel il croyait venait d'imploser, et celui qui le remplaçait n'était qu'un spectacle affreux peuplé de monstres. Tout ce qu'il aimait était en jeu. Et le pire dans tout ça ? Ils ne pouvaient faire confiance à personne. Ils étaient seuls.

Anna remua sur le siège passager, les bras croisés sur la poitrine. Tom se pencha un peu en avant pour enclencher le chauffage. Il en profita pour mettre les infos à la radio. Une pub pour de l'enseignement bénévole, une voix off assurant que si les drogués pouvaient s'identifier à des modèles positifs, l'usage de stupéfiants baisserait de façon significative, etc.

Jusque-là, aucune info, rien. Ça ne tarderait pas, pourtant. Dans une ville comme Chicago, un échange banal de coups de feu ne faisait pas la une des journaux, mais une fusillade dans un centre commercial de Lincoln Park, oui. Comment les choses avaient-elles pu si mal tourner ? Il ne comprenait toujours pas, n'arrivait pas à concevoir ce qu'il s'était passé.

Un journaliste prit l'antenne et ils retinrent tous deux leur souffle. Se préparant à entendre leurs propres noms, à être dépeints comme des fugitifs. Ils prièrent pour entendre qu'un criminel notoire, Jack Witkowski, avait été abattu par la police alors qu'il s'enfuyait du centre commercial. Mais, au lieu de cela, le présentateur attaqua par l'économie, la chute prévue du marché de l'immobilier. Depuis un an ou deux, les gens discutaient du fait qu'on avait bien trop construit à Chicago, et cela, couplé à une industrie des hypothèques quelque peu branlante, donnait la recette d'un désastre imminent. Il fut un temps où ce genre de considération les avait vraiment inquiétés.

Devant lui, Tom entendit des sirènes. Ses doigts se crispèrent sur le volant. Une ambulance les croisa à toute vitesse.

« Tu crois que...

– Aucune idée. »

Il y eut un silence, juste le souffle de l'air. Le journaliste était de retour, la voix légèrement différente, bouleversée. Tom augmenta le volume.

« ... premiers rapports sur une fusillade dans un centre commercial de Lincoln Park. D'après nos informations, aux environs de 10 heures ce matin, des coups de feu ont été échangés au Century Mall. Les témoins rapportent qu'une dizaine de personnes étaient impliquées. Il y a de nombreux blessés et plusieurs morts sont à déplorer dont, d'après ce que nous savons jusqu'à présent, un officier de police. Nous... »

Il buta sur les mots et Tom se représenta le journaliste en train de lire.

« Il semblerait que la police ait fait évacuer le centre commercial. Elle ne disposerait d'aucune piste au moment où nous vous parlons. L'identité des acteurs de ce drame n'est pas encore connue et nous ignorons s'ils ont été arrêtés. Les informations en notre possession en sont au stade des préliminaires pour l'instant, mais nous vous tiendrons bien évidemment au courant des avancées de l'enquête. Je vous rappelle qu'une fusillade a éclaté au Century Mall, le centre commercial situé à Lincoln Park, un quartier réputé tranquille... »

Tom baissa le volume.

« Tu crois qu'ils savent que nous y étions ? » demanda Anna en tapotant l'ongle de son pouce contre ses dents.

Il soupira, haussa les épaules. Sa joue le démangeait et il leva la main gauche pour se gratter, se reprit et tendit maladroitement la droite à la place.

« Si c'est le cas, ils vont se lancer à notre poursuite.

– Tout comme Malachi, et Witkowski, et les flics qui bossent pour lui.

– Ouais. »

Ils roulèrent en silence. Les éclairs illuminaient le ciel comme une énorme ampoule.

« Qu'est-ce qu'on va faire ? » demanda-t-elle au bout d'un moment.

Le feu passa au rouge devant eux. Il freina. La pluie martelait le toit de la voiture, en fond sonore, le journaliste parlait d'une voix étouffée. Après un moment, il se tourna sur le côté.

« Chérie, dit-il, je n'en ai pas la moindre idée. »

Halden s'engageait dans la rue où vivaient les Reed quand sa radio avait commencé à émettre le rapport. Comme la plupart des inspecteurs, il la laissait allumée, volume baissé, chaque fois qu'il était en voiture, et l'écoutait d'une oreille distraite. Chicago était une ville immense où régnait le mal. On s'habituait au rythme des appels réguliers et des réponses à donner à la violence et au désordre.

Là, c'était différent. Les appels étaient précipités, les voix tendues. Il s'arrêta devant l'immeuble de brique et augmenta le volume.

« ... 10-1, appel à toutes les unités disponibles, coups de feu échangés au Century Mall... »

« ... une ambulance, il nous faut une autre ambulance... »

« Bon Dieu, c'est un véritable champ de bataille... »

« ... un officier à terre, je répète, un officier à terre. . »

Il ne comprenait rien à la situation, mais il savait clairement ce qu'il devait faire. Le centre était dans son secteur, c'était donc son problème. L'attitude à adopter ? Mettre la sirène et se magner le cul.

Pourtant, il se gara et sortit de son véhicule. Il grimpa les marches menant chez les Reed. Il appuya sur la sonnette, avec insistance. Il cogna à la porte. Pas de réponse.

Halden fit le tour par-derrière, gagna le petit jardin agrémenté d'une table de pique-nique et de parterres de fleurs laissés à l'abandon. Il leva les yeux vers la fenêtre, mit ses mains en porte-voix pour crier.

« Tom ! Anna ! C'est l'inspecteur Halden. Je dois vous parler immédiatement. »

Rien.

Il hurla encore plus fort à l'attention des voisins, espérant que la gêne et la honte les feraient sortir.

« Monsieur et madame Reed, c'est la police. Sortez tout de suite ! »

Rien.

Bordel. Où étaient-ils ? Passer à l'improviste chez eux se révélait peut-être un coup d'épée dans l'eau mais valait la peine d'être tenté. Avaient-ils pris peur ? Avaient-ils contacté un autre flic en découvrant, Dieu seul savait comment, qu'il n'avait pas mis son supérieur au parfum ? Il se mordilla la lèvre, réprima une terrible envie de cigarette. Finalement, il tourna les talons et regagna sa voiture. Autant faire son boulot en attendant qu'ils réapparaissent.

Il lui fallut dix minutes pour atteindre le centre commercial et, une fois sur place, il eut du mal à reconnaître les lieux. La vitrine de devant avait éclaté en mille morceaux répandus maintenant sur le béton. Une ambulance et une bonne douzaine de voitures de police bloquaient la rue et les trottoirs, les lumières bleues tournoyaient sur les toits. Les sirènes hurlaient de partout. Pendant qu'il observait la scène, les urgentistes sortirent en poussant un brancard, l'un deux courant à côté pour maintenir la pression sur une poitrine qui pissait le sang.

Deux cents badauds s'amassaient derrière les bandes jaunes qui délimitaient le périmètre de la scène, se délectant du spectacle. Une journaliste hurla quelques insultes à un policier qui essayait de la faire reculer.

Halden abandonna sa voiture sur le trottoir, montra son badge aux types qui surveillaient l'entrée.

« Où est l'inspecteur chargé de l'enquête ?

– L'inspecteur ? Vous plaisantez ? rétorqua le flic en grognant. Toutes les huiles sont là. Dans le bureau de la sécurité. »

À l'intérieur, le centre commercial dégageait une atmosphère irréelle. Sièges et bancs étaient renversés, des éclats de verre jonchaient le sol, de la musique pop s'échappait des enceintes. Mais à la place des habituels clients faisant du lèche-vitrines, se pressaient techniciens de la police scientifique, officiers de liaison, photographes. Le gros de l'action semblait se concentrer deux étages au-dessus. Cependant, Halden voulut d'abord savoir ce qui s'était passé avant de découvrir le lieu du crime.

Le bureau de la sécurité du centre commercial consistait en une pièce sans fenêtre abritant deux écrans à l'image granuleuse et beaucoup trop de monde gravitant autour. Il abandonna l'espoir d'y pénétrer quand il comprit que son rang allait considérablement faire baisser la moyenne de l'assistance. Il erra donc et aperçut un inspecteur qu'il avait rencontré l'année précédente lors d'une descente dans un labo clandestin d'amphétamines.

« C'est quoi le topo ?

– Une rencontre qui a mal tourné, répondit l'homme. Deux corps. Six ou huit criminels. Un flic touché pendant leur fuite.

– Il va bien ? »

Le policier fit non de la tête.

« Il en a pris une entre les deux yeux. »

Quelqu'un allait sacrément dérouiller. On ne descendait pas les flics à Chicago.

« C'est quoi le grand show ? demanda Halden avec un geste en direction du poste de sécurité.

– Ils sont en train de visualiser l'enregistrement de la caméra de surveillance d'un des magasins.

– Y a quelque chose ?

– Ouais. Un des types ressemble à Jack Witkowski.

– Le suspect dans l'affaire du braquage ? »

Ce fut la surprise qui vint en premier. Puis Halden sentit son estomac se nouer. La veille, Tom Reed avait dit que le trafiquant de drogue avait mentionné Jack Witkowski. Puis Reed avait disparu sans préavis. Quand Halden lui avait finalement mis le grappin dessus, il avait semblé effrayé. Lors de son dernier appel, il avait distingué, derrière la voix, en bruit de fond, le brouhaha d'un lieu public ainsi qu'un battement régulier, comme la basse d'une musique.

C'était peut-être cette même musique qui était diffusée en ce moment même. Merde. Nom de Dieu ! L'autre flic commença à tourner les talons pour partir, Halden le retint par le bras.

« Attendez. Vous avez visionné la bande ?

– Oui.

– Qui d'autre était là ?

– Personne qu'on ait reconnu. L'angle n'était pas terrible. Là, ils sont en train de regarder les vidéos des autres magasins.

– Mais vous avez vu quelqu'un d'autre ? insista-t-il sans parvenir à contenir sa panique. Il était seul ? »

Le policier lui décocha un regard perplexe.

« Non. Witkowski, si c'est bien lui, parlait à deux autres personnes. Un homme et une femme, ils avaient l'air de gens comme il faut. Ils tenaient un sac qu'ils étaient en train d'ouvrir quand tout s'est emballé. Ils sont partis en courant. »

Halden se força à hocher la tête.

« Vous vous sentez bien ?

– Ouais, ça va, merci. »

Il tourna les talons. L'autre flic le suivit des yeux un moment puis haussa les épaules et se dirigea vers les portes.

Tom et Anna Reed. Aucun doute. Ce qui signifiait que depuis la veille, il avait en sa possession des informations qui auraient pu empêcher un tel drame. Dans tous les messages qu'il avait laissés, il n'avait jamais mentionné l'argent, parce qu'il ne voulait pas les effrayer ni les faire fuir. Il avait prétendu être sur le point de tendre un piège au dealer alors que tout ce qu'il voulait en réalité, c'était attirer Anna et Tom quelque part. Leur mettre la main dessus pour diriger la grande arrestation. Être un héros, avoir son nom dans les journaux, se débarrasser de son supérieur et des autres politicards.

Donc, c'était sa faute. En partie, du moins. S'il avait dit la vérité, les choses auraient pu se dérouler autrement. Un flic serait peut-être encore en vie. Il lui était arrivé de foirer des choses avant, mais à ce point-là, jamais.

Halden poussa un profond soupir et se dirigea vers le poste de sécurité, essayant de trouver le moyen de partager ses informations sans se compromettre. Rien ne lui vint à l'esprit.

Huit hommes étaient entassés dans le petit local, discutant à voix basse. Parmi eux se trouvait le commissaire en chef, le patron de son patron. Halden croisa son regard, il s'apprêtait à lui faire signe quand une pensée le frappa.

Il y avait peut-être un moyen de sauver la face. De s'en sortir, d'être un héros.

Être inspecteur, c'était poser les bonnes questions. Pour l'instant, il se focalisait sur ses propres erreurs. Mais ce n'était sans doute pas ce que se disaient Tom et Anna Reed. Leur plan leur avait explosé à la figure de la pire façon qui soit. Alors, la bonne question était : qu'allaient-ils faire maintenant ?

Vue sous cet angle, la réponse était évidente. Une fois qu'ils se sauraient en sécurité, ils se rappelleraient qu'ils n'étaient pas des criminels. Pas dans le sens premier du terme en tout cas. Alors, ils appelleraient la police. Et pas n'importe quel flic, non, ils appelleraient celui qu'ils connaissaient et qui les connaissait, celui qui savait tout.

Ils l'appelleraient, *lui*.

Halden tourna les talons et redescendit l'allée. C'était un jeu très dangereux, bien sûr. Mais il pouvait s'en tirer. Il irait trouver les chefs non pas la queue entre les jambes, mais avec deux témoins de l'incident, un sac plein de fric et une explication quant à ce qui s'était passé et pourquoi. Il devait tirer son épingle du jeu, plutôt que de jouer les boucs émissaires. Il aurait une promotion, une rallonge de salaire et se rapprocherait de ce chalet à l'ouest de Minocqua. Tout ce qu'il avait à faire, c'était attendre. Et prier.

« Ben, ça s'est pas franchement passé comme t'avais prévu. »
Marshall avait voulu dire ça sur le ton de la plaisanterie, mais avait raté son coup en lançant cette phrase la voix serrée et les épaules tendues.

« On s'en est sortis, non ? » répliqua Jack.
Il tenait fermement en main les poignées du sac de sport qui ballottait contre son mollet tandis qu'ils avançaient sous la pluie. Il trouvait ça bon, agréable. Il avait travaillé dur pour ça. Il savait que ça ne ramènerait pas Bobby, mais c'était mieux que rien.

Des sirènes hurlèrent devant eux. Jack se força à garder un pas régulier. La voiture arriva sur eux et les dépassa dans une gerbe d'eau et un éclair de lumière. Elle continua en direction de l'est, vers le centre commercial, trois rues plus loin. Après avoir descendu le flic, ils avaient rejoint les appartements au bout de l'allée. Il leur avait suffi de crocheter une fenêtre pour quitter la rue. Marshall avait emprunté un T-shirt noir dans l'armoire du propriétaire et roulé en boule son faux uniforme de policier avant de le balancer dans une poubelle. Puis ils étaient sortis tranquillement par la porte d'entrée comme s'ils quittaient leur domicile et avaient croisé une voiture qui arrivait pour bloquer l'arrière du centre commercial.

« On s'en est sortis, reprit Marshall. Et on a le fric. Mais j'ai le sentiment que quelque chose a foiré. Mais quoi, bordel ? »
Il marqua une pause théâtrale puis leva un doigt, comme si c'était une révélation.

« Ah oui... ! T'as buté un flic. »

– Qu'est-ce que tu voulais que je fasse ? Que je lui demande gentiment de nous laisser passer ? »

Le sac était de plus en plus lourd, mais il ne pouvait pas changer de bras : l'entaille qui s'était rouverte l'élançait. Le bandage sur son avant-bras gauche s'était teinté de rouge.

« Un flic, c'est rien qu'un mec avec un drôle de chapeau.

– Un flic de Chicago, mon pote. Ils deviennent enragés quand l'un des leurs se fait descendre. Ils vont pas nous lâcher comme ça.

– Ils nous auraient filé le train de toute façon. En plus, ce qui est fait est fait. Aux dernières nouvelles, y a pas moyen de revenir en arrière. »

Ils tournèrent sur le parking de la quincaillerie. Le vieux Ford F150 qu'ils avaient payé mille dollars cash dans un garage de Western Avenue n'était qu'un vieux tacot qui menaçait à tout instant de rendre l'âme. Ils avaient abandonné la Honda volée dans une rue paisible où il faudrait bien six mois avant que quiconque la remarque. Quel intérêt de boucler un coup, si c'était pour se faire coincer sur la voie express par une patrouille qui voudrait vérifier leur plaque ? Il ouvrit la portière dans un craquement, jeta l'argent derrière le siège conducteur puis se pencha pour ouvrir à Marshall. Il lança le moteur, mit le chauffage à fond pour essayer de réchauffer ses vêtements humides.

« Une dernière chose à faire.

– Quoi encore ?

– Rendre une petite visite à mon couple préféré. »

Ils l'avaient vraiment gonflé. Par leur faute, il avait failli y passer à deux reprises. Et tout en reconnaissant que ça n'avait aucune logique, une partie de lui-même les tenait pour responsables de la mort de Bobby. Will Tuttle était mort, et, parce que le type qu'il recherchait pour venger son frère n'était pas mort dans la souffrance, il avait besoin d'un nouveau coupable. Il existait un mot pour décrire ce qu'il ressentait en ce moment. Il l'avait vu à la télé, un de ces trucs psychologiques.

Projection ? Transfert ? Peu importait. Comme il ne pouvait pas se venger sur Will, il se contenterait de Tom et Anna.

« Quoi ? s'exclama Marshall en lui décochant un regard perçant. Les flics les tiennent sûrement.

– Peut-être. »

La dernière fois qu'il les avait vus, ils couraient vers l'escalier de secours.

« Ou peut-être qu'ils se sont barrés, comme nous.

– Et alors, on a l'argent. On n'a plus besoin d'eux.

– Ils nous ont vus. Ils peuvent nous identifier.

– Allez, mec, c'est sûrement ce qu'ils font en ce moment. Tu veux vraiment être en ville quand nos visages s'afficheront sur tous les écrans de télé ? demanda-t-il avant de secouer la tête. T'as buté un flic. Chicago est tout simplement devenue une ville trop petite pour nous.

– Et...

– Si tu fais ça, tu le fais tout seul. »

La réplique était tombée. Jack tourna la tête de côté pour observer son associé. Il vit son regard, sa sincérité. Ce n'était pas le genre de Marshall de refuser le combat. Ça le fit réfléchir.

OK, Marshall avait raison. Il marquait un point. Ils avaient le fric, ils étaient libres, et ils ne pouvaient vraiment rien faire concernant Tom et Anna et les infos qu'ils détenaient, en tout cas, pour l'instant. Ça le rendait dingue que ces deux-là s'en sortent indemnes, ne payent pas pour l'avoir volé, pour avoir essayé de le berner. Mais il apprendrait à vivre avec. Jack soupira.

« D'accord, on oublie, on se tire. »

Marshall poussa un long soupir.

« Amen. »

Jack appuya sur la pédale d'embrayage et manipula le levier de vitesse avec force pour passer la marche arrière. Le moteur toussota et la camionnette s'ébranla. Marshall sortit son arme de son étui et retira le chargeur.

« Tu as reconnu le grand Black ? demanda-t-il en comptant les balles. Il était avec le dealer le soir où on a braqué la Star.

« – Tu crois ?

– Je suis quasi sûr. Je n'ai pas reconnu les deux autres, ceux que j'ai descendus.

– Qu'est-ce qu'ils foutaient là, bordel ?

– Aucune idée. Mais raison de plus pour foutre le camp. »

Jack acquiesça. Ça ne lui plaisait pas de laisser un tel bordel derrière lui, tous ces petits détails qui n'étaient pas réglés, et qui, pour beaucoup, étaient personnels. Mais ils avaient gagné. Ça devrait suffire.

« Maintenant, fit Marshall en remettant d'un coup sec le chargeur en place et en rangeant l'arme dans son étui, voyons voir combien on s'est fait. »

Il se tourna, fouilla derrière le siège, posa le sac sur ses genoux. Jack tourna vers le sud. Ils pourraient redescendre Halsted Parkway et rejoindre l'autoroute au niveau de Lake Street. Ils seraient à Saint-Louis dans l'après-midi. Là-bas, ils pourraient jouer la caisse à pile ou face, se partager le blé, se serrer la main et se séparer. Marshall voulait aller dans le Sud, en Floride, mais Miami n'était pas un endroit pour un Polack de 40 balais. Non, il fallait oublier Miami, Chicago *idem*. Aux oubliettes, Tom et Anna Reed, la Star, les flics et le dealer. Le temps était venu de se diriger vers l'ouest et de raccrocher.

Marshall émit alors une sorte de hoquet.

« Jack ? »

Le sac était posé sur ses genoux, grand ouvert, et il serrait des billets dans ses poings, des billets de cent, verts et froissés, mais en dessous, désormais à découvert, s'étalait la une du *Chicago Sun-Times* et, enfouis encore en dessous, d'autres journaux les narguaient. Pendant une seconde, Jack ne put en détacher son regard, essayant de comprendre ce qu'il avait sous les yeux, comment son argent avait pu se transformer en feuilles de papier journal.

Il enfonça la pédale d'accélérateur et braqua le volant, les pneus crissèrent, le moteur s'emballa alors qu'il opérait son demi-tour, manquant emboutir une voiture qui venait en sens inverse. Il eut le réflexe de grimper sur le trottoir et parvint à l'éviter. Il maintint son pied droit au plancher et passa directement de la seconde à la quatrième.

Bordel de merde ! Tom et Anna Reed. Comme ça, ils voulaient jouer ? Eh bien, ils allaient jouer pour de bon.

« On devrait peut-être s'enfuir, fit Tom en regardant la pluie former des arcs de cercle sous les pneus de la voiture devant eux.

– Où ça ?

– N'importe où. Loin de cette ville. Maintenant que Jack a tué un flic, la police va tout mettre en œuvre pour le retrouver. On pourrait s'éloigner et revenir quand ils lui auront mis la main dessus.

– Et s'ils ne l'attrapent jamais ? »

Il haussa les épaules, ne sachant quoi répondre.

« Tom ? »

Sa voix était comme enrouée.

« Quoi, chérie ?

– J'avais tort.

– Quand ?

– Avant. Quand je disais qu'on pouvait toujours gagner. »

Elle était trempée jusqu'aux os et d'une solennité impressionnante. Des mèches de cheveux étaient collées sur les joues. Elle secoua la tête.

« Mais c'est comme un conte de fées.

– Quoi ? »

Il tourna les yeux vers elle, se demandant si elle n'était pas en train de devenir folle.

« Un vieux conte de fées, je veux dire. Du genre des frères Grimm, poursuivit-elle en se frottant les yeux. Tu sais, ceux qui étaient violents, avant que Disney s'en mêle. Tu frottes la lampe, tu as droit à trois vœux mais aucun des trois ne se passe comme tu l'avais prévu. Par exemple, tu souhaites être riche et ton père meurt. Tu hérites de sa fortune, mais dans l'affaire, tu as perdu ton père.

– La quatrième dimension. »

Elle acquiesça.

« Quand nous avons trouvé l'argent, je me rappelle m'être dit que c'était comme une lampe magique. Que ça allait rendre les choses plus belles pour nous, que ça nous sortirait du trou dans lequel nous étions, de tous nos stupides problèmes. Et que ça nous permettrait d'obtenir ce que nous désirions le plus au monde. »

Tom soupira lentement. Le monde lui paraissait oppressant, comme une chose qui se ruait sur lui, l'écrasait, doucement mais complètement.

« Eh bien, je me désintéresse complètement du marché de l'immobilier à Chicago désormais. »

Il ne savait pas s'il avait voulu blaguer ou pas en lançant cette phrase. Il ne savait plus ce qu'il disait. Sa tête le faisait souffrir et ses doigts posés sur ses genoux étaient douloureux.

Elle poursuivit, comme s'il n'était pas intervenu.

« Quand j'étais petite, je possédais un livre de légendes illustré. Je le lisais tout le temps. Il y avait une histoire mettant en scène un chien pas franchement mignon, plutôt menaçant, qui avait un oiseau dans la gueule. Il le ramène chez lui pour le dévorer. Mais, en chemin, il traverse une rivière et voit un chien avec un oiseau dans sa gueule. Et il veut cet oiseau-là aussi. Alors, il ouvre la bouche pour attaquer l'autre chien. Mais c'était son reflet, bien sûr, et, au final, il se retrouve sans rien. Je me sentais triste pour lui, même s'il était plutôt idiot comme chien. »

Elle secoua la tête.

« Ou ce mythe grec, reprit-elle. Celui du gamin dont les ailes fondent.

– Icare.

– Oui, Icare. Son père et lui sont emprisonnés quelque part et son père fabrique des ailes avec des plumes et de la cire. Il prévient Icare de ne pas voler trop haut, mais à la première occasion, le jeune homme... »

Elle siffla à travers ses dents. « Disparu ! » Elle fit un geste de la main.

« Le dessin était rouge, orange et jaune et tout ce qu'on voyait, c'était une silhouette qui dégringolait, les ailes qui tombaient. Chaque fois, j'avais envie de le prévenir. Mais bien sûr, après on tourne la page et... »

Elle laissa échapper un soupir, se frotta le visage.

Tom ne dit rien, il se contenta de mettre le clignotant et de hocher la tête. D'attendre.

« Quand nous étions à l'hôtel, je parlais du destin et je disais qu'il pouvait être drôle parfois. Que tout ça ne tenait qu'à une tasse de café instantané. Comme si ce feu dans cette cuisine était le point de départ de tout. Mais ce sont des conneries, pas vrai ? On ne peut pas incriminer une tasse de café. Tout ce que j'avais besoin de savoir était dans ce livre. Mais j'ai continué. J'ai voulu... continuer...

– Tu n'étais pas toute seule.

– Je t'ai poussé, dit-elle d'une petite voix. Je sais que tu adorerais avoir un bébé, mais j'en avais plus envie que toi. Je l'ai toujours plus désiré que toi. Et c'est moi qui ai commencé, qui ai lancé le processus. Après les injections, les hormones, tu étais prêt à adopter. Mais j'en voulais un à moi. Alors, j'ai insisté, et nous nous sommes encore plus endettés, puis on s'est perdus de vue tous les deux.

– Arrête. Tout ça n'a plus d'importance. »

Elle tourna la tête vers lui, soutint son regard un moment. Finalement, elle dit :

« Tu aurais fait un père formidable. »

Quelque chose se brisa en lui, une sorte de lien fragile et ténu dans sa poitrine qui se rompit. Simplement. Il se sentit envahi par une vague d'émotions, si nombreuses et si différentes qu'il ne pouvait pas les nommer. Ses doigts se crispèrent sur le volant. Il savait ce qu'elle était en train de dire. Ce que ça lui coûtait à elle, à eux deux.

« C'est le moment, n'est-ce pas ? murmura-t-elle.

– Oui, c'est le moment. »

Il mit le clignotant, entra sur le parking d'une grande surface et se gara.

« Les flics ne vont pas nous faire de cadeau, fit-elle en essuyant ses paumes sur son pantalon. Nous n'avons pas grand-chose à leur offrir, pas avec un flic abattu.

– Je sais. Mais chaque fois qu'on a essayé de s'en sortir, on n'a fait qu'aggraver la situation.

– Est-ce qu'on leur parle de Malachi ?

– Il faut qu'on leur dise tout. Dans les moindres détails.

– On va se retrouver en prison.

– Sûrement. »

Elle hocha la tête. Elle tendit le bras et posa une main sur la cuisse de Tom.

« Je t'aime.

– Je t'aime aussi. »

Pour la première fois, il se sentait bien. Pour la première fois depuis que cette histoire de dingue avait commencé, depuis le moment où – Bon Dieu ! ça lui semblait une éternité – leurs regards s'étaient croisés au-dessus de cette pile de billets et qu'ils s'étaient rendu compte qu'ils désiraient tous les deux les conserver. Fini de fuir. Fini de faire n'importe quoi pour du fric et de se cacher la vérité. Fini de jouer les criminels. Il se pencha au-dessus du frein à main. Elle le rejoignit à mi-chemin et ils échangèrent un baiser passionné. Elle le prit par le cou et l'attira contre elle. La pluie tombait sur le toit de la voiture, plus faiblement désormais. Cela les rassurait, d'une certaine manière, comme un son parvenu de l'enfance, comme une journée pluvieuse passée à la maison plutôt qu'à l'école.

Lorsqu'ils se séparèrent, il resta près d'elle, son regard plongé dans le sien, à quelques centimètres.

« Je suis désolée », dit-elle.

Il secoua la tête.

« Moi aussi. »

Puis il prit son téléphone dans sa poche et composa le numéro.

« C'est complètement con, mec. »

Son partenaire se frotta le menton, faisant crisser les poils de sa barbe de plusieurs jours.

« Les flics peuvent débarquer d'une minute à l'autre, poursuivit Marshall.

– Pourquoi ? Si Tom et Anna sont en train de vider leur sac, pourquoi enverraient-ils quelqu'un chez eux ? »

Jack renifla bruyamment, fit craquer ses jointures.

« Personne ne va venir.

– Même si tu as raison, j'espère que tu ne crois pas sérieusement que l'argent est toujours là ? demanda Marshall, planté devant la porte d'entrée. Ils l'ont sans doute déplacé. Et s'ils se sont tirés, ils l'ont probablement pris.

– Il n'y a qu'un moyen de le savoir.

– Écoute...

– Avance. »

Jack lui jeta un regard dur. Marshall s'approcha en soupirant.

Il ne s'embarrassa pas de pince-monseigneur cette fois-ci. D'un coup de pied, il enfonça la porte au niveau de la poignée. Le bois claqua et craqua. Un deuxième coup et le panneau s'ouvrit à la volée. Le verrou arraché pendait du chambranle. Il était à l'intérieur avant même que la porte ne vienne percuter le mur.

Bip.

« Oh, nom de Dieu ! cria Marshall. L'alarme.

– Ouais », fit Jack.

Il se dirigea vers le boîtier de contrôle et composa les six chiffres du code. Le bip s'évanouit.

« Comment...

– J'ai regardé Anna.

– Tu disais qu'elle avait composé le code d'urgence.

– Le code d'urgence est toujours composé des chiffres de la ligne supérieure à ceux du bon code. Les sociétés de sécurité font ça pour que les gens s'en souviennent quand ils ont un flingue braqué sur la tempe. »

Il fit un tour sur lui-même, détaillant la pièce.

« Très bien. Fouillons la baraque.

– Écoute, on perd notre temps...

– Tu veux bien te contenter de chercher, bordel ! »

Jack attrapa le dossier d'un fauteuil en cuir et le jeta au loin. Le fauteuil fit un tour sur lui-même et s'abattit au sol dans un bruit sourd. Sa tête le faisait souffrir et il sentit un courant froid traverser sa poitrine en crépitant, comme des fils électriques arrachés lors d'une tempête.

Son associé le dévisageait. Un instant, Jack se demanda si Marshall allait le laisser tomber. Puis il secoua la tête, pivota et gagna la cuisine où il commença à fouiller les placards.

Il retourna au salon. Un couteau était posé sur la table basse. Jack l'ouvrit et vit que la lame était tachée de sang séché. Jack sourit puis planta la pointe dans un des coussins du canapé et découpa le tissu, sentant son bras frissonner de plaisir. Il sortit une poignée de mousse du coussin qu'il jeta avant de s'attaquer à l'éviscération du coussin suivant. Il lacéra le dossier, puis attrapa le bas du canapé pour le retourner.

Il se dirigea vers la bibliothèque et commença à jeter les livres au sol. Il ouvrit les casiers au bas de la bibliothèque et fit voler les DVD et les jeux de société. Sur le meuble télé, il saisit l'écran, au moins un cent deux centimètres, et l'envoya par terre. La télé tint quelques instants en équilibre sur une arête, vacillant comme un animal au bord d'une falaise, avant de tomber brusquement. L'écran explosa dans un bruit aigu et le verre se répandit sur le plancher. Il sentait son cœur s'emballer, sa respiration s'accélérer. C'était bon.

Dans la chambre, il éventra le matelas en une douzaine d'endroits, dépeça les oreillers, faisant voltiger des nuages de plumes. Il tira et retourna les tiroirs de la commode puis les balança sur le matelas déchiqueté. Il déchira les vêtements accrochés au portant, lacéra les chemises et les sweat-shirts. Puis il arracha le porte-chaussures, éparpillant une dizaine de chaussures noires identiques. Il descella l'armoire à pharmacie du mur et entailla le rideau de douche. Il utilisa le couvercle du siège des toilettes pour fracasser la chasse d'eau et fit éclater la porcelaine. L'eau jaillit et trempa son pantalon, noyant ses chaussures. La migraine était en train de monter derrière ses yeux, mais l'énergie dont il faisait preuve semblait la tenir à distance.

La chambre d'amis était remplie de cartons. Aucun meuble, comme s'ils avaient d'autres projets pour cette pièce, qui ne s'étaient jamais concrétisés. L'un après l'autre, Jack souleva les couvercles et renversa le contenu des boîtes. Des factures et des lettres, des récépissés de paiement s'envolèrent et planèrent dans les airs comme des oiseaux fous. Il renversa une étagère. Trouva un carton de photos qu'il balança en l'air. Douze années de mariage, de Noël et de dimanches matin paisibles éparpillés au milieu du chaos qui régnait maintenant dans la pièce. Il descendit sa braguette et urina sur tout ce fatras. Qu'ils aillent se faire foutre. Bien profond.

Par l'embrasure de la porte, il entendit Marshall lui parler.

« À moins que cette chose que tu tiens entre tes mains ne soit une baguette magique, je ne suis pas sûr qu'elle nous soit d'une grande utilité. »

Jack se secoua, remonta sa fermeture. Sa respiration devenait plus régulière, plus forte à mesure que sa tête l'élançait. Il avait envie de cracher à la face de Dieu.

« Rien dans la cuisine ?

– Rien nulle part, mec. Le fric n'est pas ici, dit Marshall avant de marquer une pause. Mais tu le savais, pas vrai ? »

Jack ne répondit pas. Il avança dans le couloir, balaya la pièce du regard. Les sols de chaque pièce étaient jonchés de verre brisé et de tissus déchiquetés, de bouts de papier et de mobilier renversé.

« Tirons-nous, fit Marshall d'une voix calme mais ferme.

– Encore une chose. »

La bougie décorative de la chambre ferait l'affaire. Il retourna dans la cuisine où des casseroles et des assiettes en mille morceaux s'étalaient au milieu de gaufres aux multicéréales, de bols et de saladiers Tupperware et de paquets de steaks. Dans un tiroir fourre-tout, il trouva une boîte d'allumettes parmi les rouleaux d'adhésif et de papier alu 'l s'en servit pour allumer la bougie qu'il posa sur la table de la cuisine.

« Qu'est-ce que tu fous ? »

C'était logique. C'était comme ça que tout avait commencé pour les Reed. La boucle était bouclée. Jack saisit les bords de l'énorme cuisinière et tira. La base grinça contre le carrelage et un tuyau en caoutchouc flexible apparut entre la gazinière et le mur. Il se hissa sur le comptoir, joua du pied et frappa l'embout du tuyau au niveau de la gazinière. Une fois, deux fois. Un dernier coup et le tuyau se détacha. Une odeur de gaz monta rapidement.

« Jack...

– On se casse », répondit celui-ci.

Marshall l'observa puis tourna les yeux vers la cuisinière. Il secoua la tête et se dirigea vers l'entrée. Jack lui emboîta le pas, ferma la porte derrière lui. Ils descendirent les escaliers et sortirent sous le porche. Il se sentait mieux qu'il ne s'était senti ces derniers jours. Son acharnement à détruire l'appartement avait, au moins temporairement, transformé la colère, la frustration et la peine en un frisson quasi sexuel. Ils descendirent la rue.

Au bout d'un moment, Marshall lança : « Il vaut mieux qu'on se tire ensemble. »

Jack hocha la tête.

« Comme ça, y a quelqu'un pour surveiller tes arrières. Et tu t'inquiètes pas de savoir si l'autre s'est fait pincer et est en train de te balancer. Je préfère qu'on reste ensemble. Mais il faut que tu piges un truc, poursuivit Marshall d'une voix sérieuse, comme s'il choisissait ses mots avec précaution. Je suis désolé pour Bobby, mais faut que tu laisses couler.

– C'était pas ton frère.

– C'est vrai. Ce n'était pas mon frère.

– T'as quelque chose à dire ?

– Ouais », fit Marshall en s'arrêtant.

Jack pivota pour lui faire face.

« J'arrête, reprit Marshall. Ce n'est absolument pas un manque de respect envers ton frère ou envers toi. Mais j'arrête.

— On ne peut pas se tailler sans blé.

— Dis pas de conneries, répliqua Marshall en secouant la tête. Si on savait où il était, rien ne m'empêcherait d'aller le chercher, tu le sais. Mais on n'en sait foutre rien. Alors, je me casse. Tu veux venir, tant mieux. Sinon, t'es tout seul. »

Jack plissa les yeux. Marshall et lui se connaissaient depuis un bail, ils avaient travaillé ensemble sur pas mal de coups.

« C'est peut-être mieux comme ça. »

Ils s'observèrent un moment puis Marshall se remit en marche. Jack le suivit.

Un billet orange vif était coincé sous l'essuie-glace du pare-brise de la Ford. Voilà, ils s'étaient garés sans la petite vignette qui disait qu'on était du quartier. Quelle ville ! Tous les moyens étaient bons pour rafler un peu de fric, même le gouvernement s'y mettait. Surtout le gouvernement. Jack jeta le billet dans la rue et se glissa dans la voiture, Marshall monta à son tour.

Ils pouvaient se tirer sans le blé. Mais rester sur l'idée que Tom et Anna avaient gagné, ça, Jack ne le pouvait pas. Il préférait s'arracher ce qui lui restait de cheveux que laisser une telle chose arriver.

Tu préfères passer le reste de ta vie dans une prison de haute sécurité. Seul vingt-trois heures sur vingt-quatre ?

Cette pensée lui était venue d'un coin obscur et glacé de son esprit. Et elle vint refroidir toute la joie que son acte de destruction lui avait procurée. Avait-il perdu la tête ? Il avait abattu un flic un peu plus tôt ce matin. S'il se faisait choper, c'était fini. Pour le reste, il aurait pu s'en sortir par manque de preuves ou de témoins. Avec un bon avocat, il aurait pris dix ans, en aurait fait quatre. Mais personne ne respirait plus après avoir descendu un flic.

Si seulement il savait où se trouvaient les Reed, s'ils avaient toujours l'argent ou pas. Quelque part dans cette ville, ils étaient tranquilles et en sécurité. Il donna un violent coup dans le volant. L'image de Bobby lui vint à l'esprit. Il avait 10 ans et souriait de toutes ses dents tandis qu'il pédalait le long de l'allée sur la bicyclette que Jack venait de piquer pour lui.

« Y avait combien dans le sac ? »

Marshall leva les yeux, le regard en alerte.

« Peut-être dix mille. »

Dix mille. Et ils avaient la mallette de came. Ils devaient se débarrasser de la marchandise. Ça ferait dix mille de plus, vingt en tout. Pas de quoi prendre une retraite heureuse. Pas suffisamment non plus pour lui permettre d'acheter un bar en Arizona. Certainement pas le prix de la vie de son frère.

Mais c'était assez pour qu'ils puissent mettre les voiles et la jouer profil bas pendant un temps. Le temps de monter un autre coup. Il soupira.

« Tu veux bien les compter, d'accord ?

– OK. Bien sûr. »

Le soulagement perçait dans la voix de Marshall. Il étira le bras derrière le siège, ramena le sac sur ses genoux. Il sortit l'argent et le laissa tomber sur le sol. Jack l'observa. Chaque fois que Marshall plongeait la main dans le sac, il en ressortait une pleine poignée de billets. Mais rapidement, les poignées se transformèrent en deux ou trois billets puis en un seul. Finalement, il referma le sac et, le soulevant par la bride, le repoussa derrière. Cette vision fit remonter un souvenir dans l'esprit de Jack. Celui d'une scène à laquelle il avait assisté récemment. Qu'est-ce que c'était déjà ?

Et il se souvint.

« Minute !

– Quoi ? »

Il sentit un sourire monter du plus profond de lui-même. Était-ce possible ?

« Le sac.

– Quoi, le sac ?

– Tu ne l'as pas déjà vu ? »

Le sourire étira ses lèvres. À ce moment-là, un brusque grondement se fit entendre derrière eux et une douzaine de fenêtres explosèrent de concert. Ils se retournèrent pour regarder les flammes s'échapper par les ouvertures et s'élever, provoquant une vague de chaleur qu'ils ressentirent, même à une telle distance. Des photos et des feuilles de papier volaient dans le souffle de l'explosion, tourbillonnant et virevoltant comme si elles surfaient sur le brasier. Et, lorsque l'explosion s'atténua et reflua, aspirant l'air à l'intérieur, les flammes se mirent à lécher les rideaux. Jack imaginait les pulls en cachemire, les serviettes en coton égyptien et les draps de soie se consumer en se tordant. Des volutes de fumée grise s'échappaient des fenêtres brisées, s'assombrissant à mesure que la maison s'embrasait. Une alarme incendie retentit de façon démente.

Alors qu'il regardait le petit monde de Tom et Anna s'enflammer, le sourire s'élargit et explosa aux lèvres de Jack. Il se remit en position et démarra la camionnette.

19

LA PLUIE AVAIT CREUSÉ des sillons et des trous dans le sable. Sous un ciel de plomb, le lac Michigan déroulait paisiblement ses vagues gris ardoise. Anna croisa ses bras autour d'elle pour se protéger du vent. Ils attendaient dans une allée arborée au nord de Foster Avenue depuis vingt minutes et, pendant tout ce temps, elle s'était demandé ce qu'elle allait dire, comment ils allaient expliquer la petite erreur qui les avait menés jusque-là, jusqu'à cette rencontre au cours de laquelle ils se constituaient prisonniers. Elle savait que c'était sans importance, aux yeux de la loi en tout cas, mais elle voulait que le policier comprenne. Ça comptait beaucoup pour elle.

Ça avait été le simple fait de toucher l'argent. Le poids dans ses paumes. Pas franchement de la cupidité. Plutôt un fantasme. Des œillères sélectives quant aux conséquences. Tenir autant d'argent, ça ne faisait pas partie de la vraie vie. C'était l'irréalité même. Voilà pourquoi, quand c'était effectivement arrivé, elle était déjà tombée dans le terrier du lapin. Tout le reste n'avait été qu'une tentative désespérée de leur part de gérer le pays des merveilles tordu dans lequel ils s'étaient retrouvés.

« Le voilà », dit Tom.

Il fit un geste de la tête en direction de l'alignement de boutiques aux volets clos qui n'ouvriraient que plus tard dans la saison. Ç'avait été leur plage, un million d'années plus tôt.

Elle était moins bondée que la plupart des autres plages et n'était pas considérée comme un lieu de drague. Ils y venaient à vélo, installaient des chaises pliantes, juste au bord de l'eau, là où les vagues venaient mourir en clapotant contre leurs chevilles. Ils lisaient ou sommeillaient en se chauffant au soleil, regardaient les enfants construire des châteaux de sable. À présent, l'inspecteur Halden avançait d'un pas tranquille devant la cabane où ils avaient un jour acheté des hot dogs et des glaces à l'eau. Il portait un costume gris foncé et il semblait d'une humeur de chien. Du moins, c'est ce qu'elle crut deviner à plus d'une centaine de mètres de distance.

« On dirait qu'il est tout seul.

– Ça ne va pas l'empêcher de nous embarquer de toute façon », fit Tom en haussant les épaules.

Elle sentit un frisson glacé la parcourir, le mit sur le compte du vent qui soufflait. Maintenant qu'elle avait enfin ouvert les yeux sur cette histoire d'argent, elle n'allait pas laisser la peur l'arrêter.

« Allons-y. »

Halden les vit s'approcher, se tourna pour les observer. Le regard d'Anna fut attiré par le gros pistolet noir sur lequel reposait sa main. Elle essaya d'imaginer ce que ça faisait de porter la mort à la hanche, de se déplacer comme si ce n'était rien. L'air était chargé de cette odeur de saleté caractéristique des pluies printanières. Il s'y mêlait de faibles effluves provenant des herbes pourries du lac. Lorsqu'ils ne furent plus qu'à une dizaine de pas, Halden leur lança :

« Donnez-moi une seule raison de ne pas vous arrêter tous les deux sur-le-champ !

– On n'en a pas, fit Tom. En fait, on est là pour que vous puissiez nous arrêter. »

Le flic plissa les yeux, pris à son propre jeu, les paupières à peine entrouvertes, des rides se creusant sur ses joues. Il hésita avant de répliquer.

« Allez-y, je vous écoute. »

– Vous avez tenté une fois de nous prévenir que nous pourrions perdre pied », commença-t-elle.

Elle soupira. « Eh bien, voilà, c'est fait. »

Halden ne l'interrompit pas. Elle avait l'impression de lui annoncer une chose qu'il savait déjà, qu'il était du genre à la fermer jusqu'à ce qu'il ait un intérêt à parler. Ça la rendit nerveuse, lui donna envie de peser chacune de ses paroles.

« Tout est allé de travers. Nous sommes en grand danger.

– Ah oui ? fit-il sans détourner le regard. Pourquoi alors m'avoir évité ? Le fait de vous être défilés ne joue pas en votre faveur.

– Je sais.

– Vous savez, hein ? Est-ce que vous savez qu'un flic s'est fait descendre ce matin au centre commercial ? »

Anna porta une main à sa bouche. Tom glissa un regard vers elle.

« Peut-être, fit Halden, qu'au lieu de dire que vous êtes en grand danger, vous devriez commencer par me raconter comment vous avez trouvé quatre cent mille dollars. Ouais, reprit-il après les avoir observés un instant. Je suis au courant. Je sais beaucoup de choses. Vous m'avez menti tous les deux.

– Et c'est fini maintenant, murmura Tom. Nous vous dirons tout. »

L'inspecteur acquiesça d'un mouvement de tête, plongea la main dans sa poche et en ressortit un trousseau de clés.

« Bien. Venez, vous montez avec moi.

– Attendez, intervint Anna. La raison pour laquelle on vous a donné rendez-vous ici... C'est parce que, au centre commercial, Jack Witkowski n'était pas seul. Un policier l'accompagnait. »

L'inspecteur haussa un sourcil.

« Je sais que ça paraît dément, poursuivit-elle. Croyez-moi, je le sais. Mais c'est la vérité. C'est pour ça qu'on a voulu vous retrouver ici, pour ça qu'on voulait que vous veniez seul. Nous avons confiance en vous, mais il y a au moins un policier qui est de mèche avec Jack, peut-être plus. »

Le regard d'Halden passa d'Anna à Tom, puis de Tom à Anna, évaluant ces propos. Il remit ses clés dans sa poche puis glissa une main sous sa veste, en ressortit un paquet de Winston qu'il tapota contre sa paume pour en faire sortir une cigarette.

« Je peux ? » demanda Tom.

Halden lui tendit le paquet avant de faire apparaître un Zippo en or et d'allumer leurs deux cigarettes. Il referma le briquet d'un claquement sec.

« Je ne savais pas que vous fumiez.

— Je ne fume pas, répondit Tom en soufflant un épais nuage de fumée grise. J'ai arrêté en février de l'année dernière. »

Le policier acquiesça d'un hochement de tête compréhensif. Le regard fixé sur lui, il attendit qu'il ait fini.

« Nous avons trouvé l'argent lorsque nous sommes descendus au moment de l'incendie, expliqua Anna. Il était caché dans la farine et dans d'autres boîtes contenant de la nourriture. »

Elle poursuivit en lui racontant comment, au début, ça n'avait été qu'un jeu, un peu étrange, mais tellement merveilleux. Ils n'avaient pas eu vraiment l'intention de le prendre. Et puis, une chose en entraînant une autre... Elle lui parla de leur planque, des dettes qu'ils avaient épongées. Le trafiquant de drogue. Witkowski se pointant chez eux. Leur fuite vers le motel. L'accord passé avec Malachi.

« C'était mon idée, intervint Tom. Piéger Jack, c'était mon idée.

— Nous l'avons fait ensemble », précisa Anna.

Son mari la regarda, les lèvres serrées. Très lentement, il hocha la tête.

« Nous ne voulions pas qu'il y ait des blessés. À part lui, je veux dire. Mais alors, le flic a commencé à tirer et...

— Nous ne voulions pas que quelqu'un soit blessé », répéta Anna.

Le policier jeta son mégot au sol, l'écrasa longuement de la pointe de sa chaussure.

« On ne souhaite jamais qu'il y ait des blessés. Mais c'est ce qui arrive quand on perd la tête.

– Je le sais maintenant, dit Tom. C'est pour ça que nous sommes là. »

Halden se frotta le menton.

« Vous êtes prêts à faire une déclaration sous serment ? À la signer ? »

Tom tourna les yeux vers sa femme. Elle se sentit soudain écrasée. Elle posa une main dans le dos de Tom, se rapprocha de lui. Ils ressemblaient à un couple devant un prêtre.

« Nous sommes prêts.

– Très bien, répondit Halden. Pour l'instant, la seule personne à savoir que vous avez cet argent, c'est moi. Faisons en sorte que ça dure. C'est moi qui vous emmènerai au poste. Vous ne parlerez qu'à moi. Une fois que vous aurez fait votre déclaration et que vous m'aurez remis l'argent, même si vous avez raison et que des flics trempent dans cette affaire, ils n'auront plus aucune raison de vous courir après.

– Et pour Witkowski ?

– Witkowski a abattu un officier de police. »

Halden avait prononcé ces mots d'une voix claire et égale, et Anna comprit le sens caché de ces paroles.

« Et Malachi ?

– On s'occupera de lui aussi. »

Ils gardèrent le silence un moment.

« Qu'est-ce qui va nous arriver ? intervint Anna.

– Je ne vais pas vous mentir, fit Halden en joignant ses deux mains sous son menton. Vous avez fait une chose qui, en plus d'être illégale, était surtout stupide. Mais si vous faites exactement ce que je vous dis, si vous m'aidez à résoudre l'affaire du braquage, à arrêter Witkowski et un trafiquant de drogue, ça comptera. Beaucoup », termina-t-il en haussant les épaules.

Le soulagement déferla en elle. Elle se sentait pareille à une petite fille venant d'échapper à une fessée. Ils pouvaient s'en sortir. Ils avaient fait ce qu'il fallait, finalement, et ils pourraient retrouver leur vie d'avant cette sale histoire. Elle ne s'était pas sentie aussi bien depuis des jours.

Une musique étouffée se fit soudain entendre. Il lui fallut quelques secondes avant de reconnaître le thème musical de *Hawaï, police d'État,* la sonnerie de son téléphone. Elle sortit son portable. C'était Sara qui l'appelait. Elle jeta un regard d'excuses à Halden.

« Ma sœur. Je vais l'expédier. »

Il acquiesça et se tourna vers Tom qui demandait : « Alors, comment on fait ? »

« Salut ! fit Anna dès qu'elle eut pressé la touche pour prendre l'appel. Je ne peux pas parler pour le moment.

– Anna ! Oh, mon Dieu, il... »

Il y eut un bruit à l'autre bout du fil, puis une voix masculine, grave et sèche intervint.

« Devine qui est là. »

Le monde vacilla sous ses pieds. La petite baraque, le sable humide et les nuages gris tournoyèrent et saignèrent devant ses yeux. Elle contint son envie de hurler à pleins poumons.

« Ne vous avisez pas de... »

Elle se reprit, consciente du regard de l'inspecteur sur elle. Elle devait lui dire, envoyer la police chez sa sœur, dans la maison de son neveu...

Stop. C'est le moment le plus important de ta vie.

« Que je ne m'avise pas de quoi, Anna ? »

Que la voix de Witkowski lui parvienne à l'oreille pendant que l'homme se tenait en chair et en os dans la maison de sa sœur, à des kilomètres de là, lui semblait le summum de l'obscénité.

« De lui faire du mal ? »

Halden reporta son attention sur Tom.

« C'est assez simple, en fait. Vous venez tous les deux avec moi. Je vous emmènerai dans une salle d'interrogatoire, et nous reverrons toute cette histoire encore une fois. »

« C'est qui ça ? » demanda la voix pressante de Witkowski.

Si Halden comprend à qui tu es en train de parler, il devra agir. Si Witkowski se rend compte de qui est avec toi, Sara meurt.

« Personne, dit-elle. Je suis à l'extérieur. »

Elle avait envie de s'éloigner, mais craignait que cela n'éveille les soupçons de l'inspecteur.

« Que voulez-vous ? » demanda-t-elle.

« Avons-nous besoin d'un avocat ? » interrogea Tom.

« Ce que je veux ? s'esclaffa Jack. La recette secrète de ta tante pour les cookies au chocolat. Qu'est-ce que tu crois ? »

« Je croyais que vous vouliez juste faire table rase de cette histoire. Pourquoi auriez-vous besoin d'un avocat ? »

Son estomac se contracta. Ses jambes tremblaient. Elle s'efforça de choisir ses mots avec précaution.

« Je vous l'apporterai.

– Te fous pas de moi, Anna. Je sais que c'est là.

– Quoi ? »

Elle avait l'esprit en ébullition. Pourquoi pensait-il que l'argent se trouvait chez sa sœur ? À moins que... Oh, Seigneur !

« C'est juste que, à la télé, ils disent qu'il vaut mieux avoir un avocat dans un cas comme celui-ci », poursuivait Tom.

« Je t'ai vue l'apporter ici, enchaîna Jack. L'autre jour. Tu es entrée avec ce sac de sport, celui-là même qui est sous mes yeux. Ta sœur dit qu'elle n'est au courant de rien, mais je me demande si je lui ai posé la question de la meilleure manière qui soit. Qu'est-ce que tu en penses, Anna ? reprit-il après avoir marqué une pause. Je devrais lui redemander, non ?

– Non, répondit-elle vivement. S'il vous plaît. »

« Écoutez, ça ne dépend que de vous, fit Halden d'une voix qui se durcissait. Mais vous devez savoir que plus vous repoussez votre déposition, plus vous aurez de problèmes. »

« Alors, dis-moi où il est. »

– Pas là-bas.

– Je veux que tu écoutes attentivement », fit Jack.

Il garda le silence puis Anna entendit un bruit effrayant. Julian était en train de hurler.

Elle voulait supplier, implorer, crier. Au lieu de quoi, elle dit :

« Ce n'est pas là-bas. Je le jure. Vous avez raison, j'avais l'intention de le laisser. Et puis j'ai pensé à vous. À ça.

– Je ne te crois pas.

– Oh, si, fit-elle en tentant de choisir les mots justes. Vous êtes avec... mon neveu. Vous pensez vraiment que je chercherais à vous embrouiller ? Maintenant ? »

À l'autre bout du fil, il y eut une longue pause.

« Alors, où est-il ?

– Nous l'apporterons. »

« En plus, vous voulez vraiment le laisser filer ? L'homme qui vous a tabassé, vous a cassé les doigts, a effrayé votre femme ? »

« Tu l'apporteras, hein ? fit Jack avec un claquement de langue. Je ne sais pas. J'ai l'impression que tu essaies de gagner du temps. C'est ça ?

– Non. Ce n'est pas ça du tout.

– T'as plutôt intérêt. Parce que ce matin, j'ai descendu un flic. Tu sais ce que ça veut dire ? demanda-t-il d'une voix terrifiante. Ça veut dire que tout ce que je fais à partir de maintenant n'a plus d'importance. Je pourrais foutre ce bébé au feu que ça ne compterait pas, parce que j'ai déjà fait une chose pour laquelle ils ne me lâcheront pas. Tu saisis ? Je me fous des conséquences, j'ai dépassé ce stade. »

« Très bien, fit Tom. C'est sans importance de toute façon. Nous tiendrons le même discours. »

Anna fut sur le point de défaillir.

« Je comprends.

– Bien, fit Jack. Bonne décision. »

« Bien, fit Halden. Bonne décision. »

Il raccrocha, mais elle resta immobile, le portable collé à l'oreille. Elle pensait à Sara, à Julian, piégés et perdus, absolument terrifiés. Son impuissance à agir la mit au bord des larmes. Devoir l'entendre menacer sa sœur, son neveu, et être incapable de faire quoi que ce soit...

Oubliée la police, oubliée l'image de Tom et elle pouvant s'en sortir, cette demi-seconde de sécurité. Il n'y avait plus aucune sécurité. Plus pour eux. Elle le savait désormais.

Il leur fallait d'abord se débarrasser de Halden. Mais comment ? Il ne les laisserait jamais filer maintenant. Il allait falloir ruser pour s'échapper. Trouver une excuse grâce à laquelle il serait contraint de les laisser seuls une minute.

Tout à coup, elle sut. Et l'ironie de la chose lui parut tellement amère qu'elle en eut la nausée. Pour être vraiment convaincante, elle aurait besoin de Tom. Elle referma son téléphone et posa une main sur son estomac, en priant pour que Tom comprenne.

Il avait envie d'une autre cigarette. C'était drôle. Quinze mois avaient suffi pour réduire sa tolérance à la nicotine au point qu'il avait le bout des doigts qui le picotait et un léger étourdissement, choses qu'il n'avait pas ressenties depuis sa première cigarette, dix ans plus tôt. Mais ça n'avait en rien étouffé le désir ardent qui secouait son corps.

Halden fourra ses mains dans ses poches.

« Où est l'argent ? »

Tom marqua une hésitation. C'était là leur dernier secret.

« Dans un garde-meubles. Pas très loin du centre commercial.

– D'accord. Nous nous y arrêterons en allant au poste de police. »

Anna fit volte-face pour réintégrer leur conversation. Ses yeux cherchaient ceux de Tom qui crut y déceler quelque chose. Mais il ne sut de quoi il s'agissait que quand elle se tourna vers Halden. Une main sur le ventre, elle lâcha :

« Désolée. C'était ma sœur. Elle a un petit garçon qui commence juste à manger des aliments solides. Apparemment, sa cuisine est maintenant tapissée de courgettes à la crème.

– Des courgettes ? s'esclaffa Halden. Pourquoi tente-t-on de faire avaler aux bébés les pires aliments qui soient ? Moi aussi, je l'aurais recraché. »

Avait-il commis une erreur en informant le flic de l'endroit où était planqué l'argent ? Une fois sous la garde de la police, ils n'avaient plus rien pour négocier. Peut-être pouvaient-ils...

Des courgettes ?

Tom regarda de nouveau Anna qui lui rendit son regard. Elle était livide. Plus blanche que ne pouvait le justifier le froid. Était-ce dû à cet appel ? Elle posa son autre main sur son ventre, grimaça.

« Tout va bien, chérie ?

– J'ai un peu mal au cœur. »

Halden se tourna pour l'observer.

« Les nerfs sans doute. Mais vous faites ce qu'il faut. »

Elle secoua la tête.

« Non, ce n'est pas ça. C'est... »

Elle plongea son regard dans celui de Tom.

Était-ce une coïncidence, le fait qu'elle utilise le vieux code ? Celui qui signifiait qu'elle avait besoin d'aide ? Il la contempla. Quelque chose dans son comportement lui parut suppliant. Ses mains caressèrent de nouveau son ventre. Et d'un coup, il sut ce qu'elle attendait.

« Ce sont les nausées matinales », dit-il.

Les mots lui parurent étranges dans sa bouche. Des mots qu'il avait autrefois espéré prononcer de tout son cœur. Le genre de phrase qui marquait le début d'une toute nouvelle étape dans la vie.

« Vous êtes enceinte ? demanda l'inspecteur, surpris.

– Oui. »

Elle tremblait. Il se passait quelque chose de terrible.

« J'ignore pourquoi on appelle ça les nausées matinales, fit Tom, se rappelant la demi-douzaine d'ouvrages qu'il avait parcourus. Ça survient tout au long de la journée. »

Il fit un pas en avant, posa une main sur l'épaule d'Anna avant de poursuivre :

« Les toilettes doivent être ouvertes, fit-il avant de se tourner vers Halden. Ça ne vous ennuie pas ? Nous en avons pour une minute. »

Halden secoua la tête en signe de dénégation.

« Bien sûr que non. Allez-y.

– Merci », répondit Anna, le visage grimaçant.

Elle se mit en marche, Tom à son côté, la soutenant. Ils passèrent devant la baraque à frites dont le rideau de fer était descendu, tournèrent au coin, vers les toilettes. Ses pensées se bousculaient dans sa tête. Il essayait d'imaginer ce qui pouvait l'avoir contrainte à utiliser un tel mensonge.

Halden les regarda s'éloigner. Quand ils eurent tourné au coin, il fit volte-face et contempla le lac. Il huma l'air, prêta l'oreille au grondement de l'eau, observa les vagues qui venaient mourir sur le rivage. Un sourire suave lui étirait les lèvres.

Bordel, il était un sacré inspecteur.

C'était sa chance. Résoudre l'affaire de l'année tout seul. Il s'y voyait déjà : les gros titres, la citation, la dispense quasi immunitaire de travail de merde, les échelons gravis, l'augmentation sur sa feuille de paie. Il pourrait prendre sa retraite avec une pension confortable. Acheter ce chalet et passer le reste de sa vie à lire et à se balader dans les bois, loin de la ville et des abrutis qui la peuplaient.

Il plongea la main dans sa poche et en ressortit ses cigarettes. Normalement, il se limitait à deux par jour, mais une cigarette pour la victoire, ça ne comptait pas. Il l'alluma, tira goulûment dessus. Le grésillement du tabac se mêla au vrombissement du moteur d'une voiture qui s'éloignait.

Qu'Anna soit enceinte expliquait un certain nombre de choses. Il s'était demandé pourquoi ils avaient pris cet argent. À dire vrai, ça l'avait un peu contrarié. Aussi tentant que ce soit, c'était un geste complètement stupide. C'est ce qu'il avait essayé de leur dire le jour où il avait bu un café dans leur cuisine. Mais les gens faisaient les choses les plus folles pour leurs enfants. C'était étrange quand même qu'elle n'ait pas mentionné sa grossesse plus tôt, pas même lorsqu'elle avait raconté l'irruption de Witkowski dans leur maison et le coup qu'il lui avait donné. On aurait pu croire que ç'aurait été la première chose dont elle se serait inquiétée, la santé de son bébé. Et n'était-on pas censé éviter le café quand on était enceinte ?

D'un autre côté, il savait par expérience que certains pouvaient avoir une conception plutôt banale quant à l'éducation de leurs enfants. Il avait vu plus d'une mère fumer ou s'injecter dans les veines l'argent censé servir à payer les courses. Tout de même... Il se détourna de la ligne d'horizon. L'entrée des toilettes était située de l'autre côté de la baraque. Et derrière, à une centaine de mètres, se trouvait le parking.

Halden jeta sa cigarette à moitié fumée dans le sable et se mit en marche ; son pas s'accélérait à chaque foulée, ses chaussures de ville résonnaient contre le ciment. Il tourna derrière la baraque, se dirigea vers les toilettes.

La porte était fermée. Un lourd cadenas entravait la poignée.

« Non ! Non ! » lâcha Halden en tournant les talons, les yeux rivés sur le parking, se rappelant le bruit du moteur qui s'éloignait.

Un énorme poids lui écrasa les épaules. Plus rien à faire. Il ne les arrêterait pas lui-même. Il ne serait pas le type capable de tout résoudre. Le flic héroïque qui avait sauvé la situation. Ils étaient en fuite maintenant, en train de quitter la ville. Il était temps d'appeler la cavalerie. Et de subir toutes les conséquences qui en découleraient. Il soupira, se passa une main énergique sur le front.

Que s'était-il passé pour qu'ils prennent peur au point de s'enfuir ? Tom s'était montré quelque peu nerveux avec cette histoire d'avocat, mais Halden ne pouvait pas croire que ce soit la raison pour laquelle ils avaient pris la poudre d'escampette. Et Anna, elle était au téléphone avec sa sœur...

Minute.

Il gagna sa voiture au pas de course, pensant au dossier que Lawrence Tully lui avait remis au resto-grill, à toutes les informations personnelles collectées sur les Reed qu'il conte-nait. Relevés bancaires, factures, historique de cartes de crédit. Noms et adresses des membres de la famille.

La cavalerie attendrait. Il pouvait encore régler ça tout seul.

« S'il vous plaît, disait Sara. Je vous en prie, il a peur. »

Même dans la lumière opaque qui filtrait à travers le store, il pouvait voir les yeux de la jeune femme, aussi écarquillés que ceux des personnages féminins dans les mangas.

Jack compatissait à sa douleur. Vraiment. Il était hors de question qu'il fasse du mal à un bébé, mais ça, elle l'ignorait, et il ne pouvait pas imaginer les visions qui lui traversaient l'esprit à ce moment-là, la panique à l'état brut que cela impli-quait. Mais bon, c'était ça le boulot et parfois, ce job était à gerber. Il reposa le combiné du téléphone.

« Ça s'est bien passé. Tu as fait comme il fallait. »

Depuis l'autre pièce leur parvint le bruit d'un grand fracas, comme des casseroles tombant sur le sol. Il entendit Marshall jurer.

La femme grimaça.

« Je vous en prie », dit-elle en faisant un pas en avant.

Elle leva un bras, les doigts tremblants. Elle avait le teint livide et il pouvait sentir l'odeur de la peur que sa peau dégageait.

« S'il vous plaît.

— S'il vous plaît quoi ?

— Ce n'est que... Il est si... S'il vous plaît. Mon fils. »

Jack baissa les yeux sur le bébé qu'il tenait dans son bras gauche. Un beau gamin, aux joues rondes et aux grands yeux animés et curieux.

« Ne t'inquiète pas, dit-il. Tout ça sera bientôt terminé. »

Il releva les yeux sur elle.

« Juré. »

20

TOM ÉTAIT VENU dans cette rue un nombre incalculable de fois, mais aujourd'hui, tout lui paraissait différent. Plus lumineux et plus concentré. Il discernait les détails de chaque feuille comme si chacune d'elles était sur un plan distinct et brillant. C'était presque oppressant, toute cette précision.

« Tu as la clé ? »

Anna serrait le volant. Tom tâta sa poche, ordonna à son genou d'arrêter de trembler.

Ils avaient fui par le sud le long de Lake Shore Road et à chaque seconde qui passait, il s'était attendu à voir des lumières bleues dans le rétroviseur. Il avait vu l'effort que cela avait coûté à Anna de ne pas enfoncer la pédale d'accélérateur, de se maintenir à cinq kilomètres à l'heure au-dessus de la vitesse autorisée.

Je le ferai, avait-il dit. Je lui apporterai l'argent. Non. Nous le ferons tous les deux.

Il connaissait ce ton. Il n'avait pas argumenté. Il avait fomenté son plan dans sa tête : après avoir récupéré l'argent, il sauterait dans la voiture, verrouillerait les portières et la laisserait sur place. Inutile qu'ils soient deux à se rendre à l'abattoir.

Mais Anna avait eu une meilleure idée. C'était simple, élégant, et assurait la sécurité de Sara et de Julian. Le revers de la médaille : ils étaient foutus tous les deux. Mais il y avait des choses qui valaient la peine qu'on se batte pour elles. Qu'on meure pour elles, au besoin. C'était drôle, pourtant. Alors que tout le reste foutait le camp, la vie ne se résumait plus qu'à eux deux. Ils s'en sortiraient ou ils y passeraient, mais ça serait ensemble. Il n'y avait pas si longtemps de ça, tout ce qu'il désirait, c'était revenir à l'époque où ils étaient tous les deux contre le reste du monde.

Il faut se méfier des souhaits que l'on murmure.

« Il y a une place », dit-il.

Elle tourna le volant, mit la marche arrière et fit un créneau. L'emplacement était bien trouvé, à un demi-pâté de maisons de chez Sara, suffisamment loin pour ce qu'ils avaient à faire.

Anna éteignit le moteur. À cet instant, Tom eut le sentiment que, répondant à ce signal, son cerveau s'était mis à sécréter une hormone. Ses doigts furent parcourus de picotements et il se mit à transpirer. Il aspirait des petites bouffées d'air, il voulait être prêt, mais pas au point de laisser son corps devenir une boule de nerfs incontrôlable. Anna ouvrit son portable, le referma une nouvelle fois. Elle le déposa sur l'accoudoir puis regarda la pendule, les arbustes au-dehors, une bannière des Cubs flottant au vent sous un porche. Elle regarda partout sauf vers lui.

« Ça va aller, dit-il sans y croire. Une fois qu'il aura son argent, il n'aura aucune raison de nous tuer. »

Elle se tourna vers lui, les lèvres tremblantes. L'espace d'un instant, elle hésita, puis elle se jeta sur lui, enroula ses bras autour de son cou, son dos, se colla à lui comme si elle ne voulait plus jamais le laisser échapper.

« Je t'aime tellement ! »

Il sourit, la tête enfouie dans son cou, passa une main dans ses cheveux.

« Chut... »

Ils restèrent un moment dans les bras l'un de l'autre, puis elle recula.

« Si on s'en sort, je vais... je ne...

– Je sais, dit-il. Moi aussi. »

Il glissa un regard vers l'horloge. Ils avaient quitté la plage vingt minutes plus tôt. Plus que tout au monde, il voulait rester là.

« C'est le moment. »

Anna s'essuya les joues du dos de la main. Elle aspira une bouffée d'air saccadée, puis une plus profonde. Elle ouvrit le téléphone et pressa les trois touches.

« Je suis prête. »

Il acquiesça, sentant une chaleur sourde lui parcourir les intestins. Il ouvrit la portière dans un grincement, pivota pour sortir un pied.

« Tom. »

Sa voix était comme une digue prête à lâcher. Il se retourna et lui lança un sourire censé la rassurer. Elle se fendit d'un mince sourire en retour, les yeux embués.

« Sois prudent. »

Il lui fit un clin d'œil, referma la portière derrière lui et se mit en marche avant que ses nerfs le lâchent. Wolfram Street était une rue paisible, arborée et regroupant des appartements et des maisons de brique rouge. Il se rappelait avoir aidé Sara à emménager, avoir fait pivoter le futon pour lui faire passer la porte d'entrée, avoir transporté une armoire qui devait peser une tonne. Après quoi, ils avaient gagné un bar des environs que connaissait Sara, un endroit appelé Chez Dalila. La musique était géniale. Ils s'étaient tous les trois enfilé des bières accompagnées de rasades de whisky. Ils étaient moites de sueur, riaient aux éclats et avaient même poussé la chansonnette.

Il écarta ces souvenirs de son esprit. Il y avait trop en jeu et sa concentration devait être maximale. Les nuages avaient commencé à se dissiper et des rais de soleil traversaient le feuillage des arbres. Il avait la gorge sèche et les jambes en coton. Tom plongea la main dans sa poche, en ressortit la clé en cuivre. Tous les stores de chez Sara étaient descendus, mais il crut apercevoir du mouvement derrière l'un d'eux. Son cœur cognait si fort qu'il semblait sur le point de lui briser les côtes.

Il s'avança sous le porche.

Anna le regarda s'éloigner et, à chaque pas que faisait Tom, son cœur se resserrait, comme pris dans un étau de barbelés. Pendant tout ce temps où ils avaient essayé d'atteindre les choses qu'ils pensaient vouloir, ils avaient oublié celles qu'ils possédaient déjà. Plus jamais. Elle se répétait cela sans cesse comme une formule magique qui protégerait Tom et le lui ramènerait. C'était tout ce qu'elle désirait à présent. Et tout ce qu'elle n'obtiendrait pas. Peu importait le nombre de mensonges qu'ils s'étaient racontés, Witkowski ne leur laisserait pas la vie sauve. Aucune chance. Mais au moins, ils pourraient sauver Sara et Julian.

Le téléphone dans une main, elle s'enfonça dans son siège jusqu'à ce que Tom, qui gravissait les marches du perron de Sara, disparaisse presque de sa vue. Au moment où il atteignait la porte, celle-ci s'ouvrit. Elle ne pouvait pas voir à l'intérieur, mais elle contempla l'homme de sa vie lever la clé. Il était calme, ferme, comme si troquer sa vie contre celle de sa famille était la chose la plus naturelle du monde et, à ce moment-là, à cet instant où elle risquait le plus de le perdre, elle l'aima plus qu'elle ne l'avait jamais aimé.

Un calme étrange s'était emparé de Tom. Face au monstre, la peur était toujours présente, comme inhérente à l'air qu'il respirait. Mais c'était comme une entité à part. Il tendit la clé devant lui, priant pour que sa main ne tremble pas.

Jack se tenait dans l'embrasure de la porte, les bras croisés. Une bande de gaze blanche tachée de sang lui entourait le bras gauche. Tous les stores étaient fermés, la maison était plongée dans la pénombre, si bien que Tom put parfaitement discerner le holster et la façon dont les doigts de Jack reposaient, légers, sur la crosse de son revolver. Le moment s'étira comme une ligne à haute tension, si tendu et chargé d'électricité qu'on aurait pu entendre des grésillements.

« Où est madame ? demanda finalement Jack.

– À l'abri en train de nous observer, le 911 déjà composé sur son portable et le doigt prêt à appuyer sur la touche appel.

– À l'abri, hein ? ricana Jack avant de se pencher par l'ouverture pour regarder à droite puis à gauche dans la rue. Vous ne pouviez pas vous contenter de m'apporter mon fric, hein ? Il faut toujours que vous compliquiez les choses.

– Non. On les simplifie, rétorqua Tom en respirant profondément. Sara et Julian n'ont rien à voir dans cette histoire. Vous vous servez d'eux, mais tout ce qui vous intéresse, c'est l'argent, pas vrai ? »

Puis, avec un haussement d'épaules, il ajouta :

« Alors, prenez-nous à leur place et nous vous conduirons au garde-meubles où nous avons caché l'argent.

– Voyons voir si j'ai bien compris. Je sors d'ici avec toi, je monte dans ta caisse, et tu m'emmènes à mon blé. Si je ne le fais pas, ta femme appelle les flics. C'est bien ça ? »

Tom hocha la tête en signe d'acquiescement.

« Les flics, ça peut leur prendre de dix à quinze minutes pour rappliquer, continua Jack. Tu sais à quel point ça peut paraître long, des fois, dix à quinze minutes ? »

La bouche de Tom s'assécha d'un coup, mais il ne fléchit pas.

« Vous n'obtiendrez pas ce que vous voulez de cette manière. »

Il ramena ses mains derrière ses cuisses pour cacher le tremblement imminent qui menaçait. C'était là la pierre angulaire de tout leur plan, l'idée selon laquelle peu importait le degré de rage de Jack, ce qu'il voulait avant tout, c'était le fric. Si cette hypothèse se révélait erronée, le carnage pourrait être pire que ce qu'il osait imaginer.

« Laissez-moi m'assurer que Sara et Julian vont bien et ensuite, nous irons chercher votre argent. »

Pendant un long moment, Jack se contenta de l'observer. Puis il haussa les épaules, recula d'un pas dans la maison.

« Entre. »

Une faible lumière filtrait par les stries des stores, rendant l'intérieur familier effrayant et sinistre. L'air était lourd de l'odeur du talc pour bébé, mais il y avait autre chose, une odeur piquante de brûlé que Tom ne parvenait pas à identifier. Jack fit un geste en direction de la porte close de la chambre.

« Là-dedans. »

Tom s'avança le premier, le dos parcouru de picotements à l'idée que Jack se tenait derrière lui.

Du calme. Ça marche. Il n'a aucune raison de te sauter dessus. Il sait qu'Anna appellera la police s'il fait quoi que ce soit, il sait qu'ils répondront plus vite si elle leur dit qui il est. Alors, fais-le et sors de là. Chaque pas que tu fais vers cette chambre est un pas de plus vers la sortie.

Il posa la main contre la porte de la chambre et la poussa doucement. La lumière était tamisée et des particules de poussière flottaient dans la pièce. L'odeur y était plus forte aussi. Il resta immobile un instant pour permettre à ses yeux de s'acclimater à la pénombre. Les formes vagues qui emplissaient la chambre se transformèrent en lit, en armoire – celle qu'il avait transportée –, en berceau dans un coin. Il vit la silhouette de Julian couché à l'intérieur.

Une paire de jambes sortait de derrière le lit.

Tom fit les trois pas qui le séparaient de ces jambes sans s'en rendre compte. Sara était étendue face contre terre au milieu d'un océan de babioles, cartes postales et livres tombés du tiroir de la table de nuit qui avait été arraché. Dans la pénombre, l'amas de sang et de chair qui avait été son dos semblait presque noir.

Derrière lui, il entendit le frottement du métal contre le cuir, Jack venait de sortir son arme.

« C'était un bon plan, Tom. Mais j'en avais un autre en tête. »

Anna s'en voulait de ne pouvoir rien faire.

La lumière du soleil dansait sur le tableau de bord. Elle regarda Tom sous le porche, vit Jack passer la tête par la porte, porter son regard dans sa direction. Elle réprima l'envie de s'enfoncer plus profondément dans son siège, consciente que le moindre mouvement attirerait son attention. Lorsqu'elle était enfant, elle imaginait que ses yeux étaient des rayons laser, qu'ils pouvaient découper et fendre tout ce qu'ils regardaient. À présent, collée à son siège, sans autre ressource que l'attente et l'observation, elle rêvait de ces rayons laser. Elle les imagina en train de traverser la vitre, foncer sur Jack et le transpercer, le couper en deux.

Ses pensées défilaient à cent à l'heure, elle réfléchissait à toutes les issues fatales. Sa vitre était à moitié ouverte, mais elle était trop loin pour entendre les paroles que prononçait Tom. Elle observa la scène, le vit reposer sa main valide sur sa cuisse. Puis, après un très long moment, il entra dans la maison.

Elle se remit à respirer. Bien. Ils s'étaient mis d'accord sur le fait que si Jack sortait son arme, essayait de lui sauter dessus, Tom l'avertirait d'un geste. Qu'il entre dans la maison de son propre chef était bon signe. Ça marchait.

Mais bon, le plus dur était à venir. Ses mains étaient moites, son cœur battait trop vite et sa tête l'élançait. Un moment passa, puis un autre. Tom ne traînerait pas, mais il lui faudrait peut-être calmer Sara, s'assurer qu'elle n'appelle pas la police. Ça pouvait prendre quelques minutes. D'un autre côté, si les choses tournaient mal, chaque seconde passée sans qu'elle appelle la police faisait courir à Tom le risque d'être blessé. Elle compta ses respirations, le pouce sur la touche d'appel.

Elle était sur le point d'appuyer quand on frappa à sa vitre. Lorsqu'elle tourna la tête, elle se retrouva nez à nez avec le canon d'un revolver.

L'espace d'un instant, l'univers de Tom se résuma à une série d'images se superposant devant ses yeux. Le carnage visqueux qu'était le corps de Sara, la chair exposée. Puis l'odeur monta, une odeur animale, plus cuivrée, horrible. Et il se rappela la façon dont elle riait, jetant sa tête en arrière, et sa façon de le serrer dans ses bras. Quand il pensa à ce qu'était devenu son corps, son estomac se contracta. Une affreuse amertume remonta dans sa gorge, sa bouche, ses narines. Il lutta pour ne pas vomir. Ses yeux enregistraient des détails qu'il aurait préféré ignorer : la mare de sang qui s'étalait sur la moquette bon marché, le bois du tiroir fendu, un éclat de métal brillant qu'il ne reconnut pas sous le lit.

« C'est dur, hein ? lâcha Jack derrière lui. De voir ce qu'on est vraiment. Tu avances dans la vie, tu connais quelqu'un, et puis... »

Il aspira l'air entre ses dents avant de terminer.

« Je dirais bien que je suis désolé mais, hé ! c'est pas ma faute. »

Sara. Oh, Seigneur, pauvre Sara. Puis une autre pensée le saisit et il se précipita vers le berceau. Julian était couché sur le dos. Ses yeux étaient ouverts. Le corps tout entier de Tom fut pris de tremblements et un cri puissant, mais silencieux s'éleva au plus profond de lui.

Le bébé cligna des yeux et gazouilla, le regard rivé sur Tom.

« Le gosse va bien, fit Jack. Mais ta belle-sœur... eh bien, elle a essayé de s'enfuir et elle a pris la mauvaise direction. »

Tom pivota sur ses talons, avança d'un pas. Il allait tabasser ce connard jusqu'à ce que mort s'ensuive, à mains nues s'il le fallait. Pour ce qu'il avait fait à Sara, pour ce qu'il avait fait à leur vie.

Jack leva son arme plus vite que Tom n'aurait pu l'imaginer, l'appliquant sur son front. Malgré lui, il s'immobilisa. Sa main valide se resserra jusqu'à ne plus former qu'un poing tremblant. Lorsqu'il prit la parole, sa voix était presque inaudible, les mots sortaient avec difficulté.

« En ce moment, ma femme est en train d'appeler le 911. »

Jack secoua la tête, se fendit d'un sourire.

« Je crains que non », lâcha Jack Witkowski.

L'adrénaline l'embrasa. Elle laissa échapper un petit cri, pas un hurlement. Elle était plus surprise qu'autre chose.

Halden se tenait à côté de sa voiture, son arme braquée sur elle. Cette même arme qui avait attiré son regard chaque fois qu'elle s'était trouvée en présence de l'inspecteur, celle à propos de laquelle elle s'interrogeait quant à la sensation ressentie lorsqu'on la portait, la levait, la braquait. Sauf que maintenant, c'était sur elle qu'elle était pointée.

« Posez ce téléphone et sortez de la voiture », dit-il.

Elle le regarda, déglutit, cligna les yeux.

« Vous ne...

– Sortez de cette putain de bagnole ! »

Le ton était autoritaire et elle se retrouva en train de chercher la poignée de la portière. Il recula d'un pas, le flingue toujours braqué devant lui.

« Doucement.

– Inspecteur, ce... Tom, il est à l'intérieur avec... Il faut que vous vous cachiez. S'il vous voit...

– Sortez de votre voiture, tournez-vous, les mains sur la tête.

– Mais...

– Maintenant ! »

Elle plongea le regard dans ces yeux devenus froids et professionnels, comprenant que tout ce qu'ils voyaient, c'était une criminelle, une personne impliquée dans le décès d'un policier. Pire, une femme qui avait menti à un inspecteur, qui l'avait entravé dans sa mission. À cette pensée, son cœur rétrécit dans sa poitrine. Il n'y avait pas plus obstiné qu'un homme humilié. Il fallait qu'elle le calme, qu'elle lui explique ce qui était en train de se passer dans la maison. Tom pouvait ressortir avec Jack à tout moment. S'il voyait un flic dans le coin, tout allait s'écrouler.

La meilleure chose à faire était sans doute de coopérer, de le mettre à l'aise. Elle ouvrit la portière, s'extirpa de l'habitacle, gardant ses mains à hauteur de sa poitrine.

« Je ne vais rien tenter. Vous n'avez pas besoin de votre arme.

– Tournez-vous et mettez les mains sur la tête. »

Son esprit s'emballa. Tom comptait sur elle.

« Écoutez-moi. Jack Witkowski se trouve dans cette maison, dit-elle en faisant un geste de la tête. C'est lui qui m'a appelée. Je suis désolée qu'on se soit enfuis. Mais il détient ma sœur. »

Il secoua la tête.

« Voilà comment ça va se passer. Je vais vous mettre les menottes et ensuite je les passerai à Tom. Puis vous me direz tous les deux où est l'argent. Je vais vous emmener au poste, vous d'un côté, Tom de l'autre et l'argent dans un sac.

– Vous avez entendu ce que je vous ai dit ? »

Elle le regarda fixement, comprenant qu'il ne s'agissait pas uniquement de distance professionnelle. Il y avait de la détermination dans le regard de l'inspecteur. Comparable à l'obsession dont elle venait enfin de se débarrasser. Pour sa part, son aveuglement s'était concentré sur l'argent. Pour lui, c'était peut-être autre chose, mais l'intensité était la même. Il fallait qu'elle réussisse à lui faire comprendre.

« Écoutez-moi. Witkowski est ici. Il est ici en ce moment même !

– Tournez-vous et mettez les mains sur la tête », répéta-t-il.

Puis il y eut un bruit, un cliquetis étrangement familier, à sa gauche.

L'attention de Halden fut détournée, il écarquilla les yeux tout en se tournant d'un geste rapide, son arme suivant la rotation de son corps. Anna se tourna également, vit un visage, un homme. Seigneur, c'était l'autre type du centre commercial, un fusil braqué droit sur elle.

L'explosion fut plus forte que ce qu'elle aurait jamais pu imaginer.

Une déflagration lui parvint du dehors, forte, nette, proche. Un coup de feu, puis un autre.

Anna. Elle était seule dehors. Et elle n'avait pas d'arme.

Tom sut à cet instant précis qu'elle était morte, et plus rien d'autre ne compta. Le hurlement qui couvait en lui se libéra et sortit en un grondement terrifiant. Il se jeta en avant. La rage était plus forte et plus féroce que tout ce qu'il avait connu jusque-là. Il fonça tête baissée, percuta l'homme au ventre avec ses épaules. L'air s'échappa des poumons de Jack et un objet tomba au sol. Le flingue. Tom continua à pousser, le cognant contre le chambranle de la porte. Il lança son poing dans l'estomac de Jack, ramena son bras, frappa à nouveau. Il était si près qu'il pouvait sentir l'odeur de la sueur et de la colère de Jack, il pouvait distinguer les détails du tissu de son T-shirt, la bandoulière du holster vide. Il voulait le démonter, lui arracher les bras, le décapiter. Jack abattit ses coudes dans le dos de Tom, l'impact fut pareil à une décharge électrique, mais il ne lâcha pas prise, il ne lâcherait jamais. Il encaissa tout ce que cet enfoiré envoyait. Il donna un nouveau violent coup de poing dans le flanc de l'homme et fut récompensé par le souffle coupé de Jack. Il sut alors qu'il allait gagner.

Puis la main droite de Jack se tortilla entre leurs deux corps à la recherche de la main gauche de Tom. Il agrippa les doigts bandés et les retourna d'une torsion. Les jambes de Tom se dérobèrent sous lui tandis qu'une douleur blanche, insupportable, le terrassait.

Halden recula dans un rai de soleil et ce fut comme si la lumière l'avait transpercé, comme si l'astre solaire l'avait inondé de rouge et de liquide et avait exposé ses entrailles au grand jour. Il avait la bouche ouverte, comme surpris. Anna le regarda, une main tendue comme pour le rattraper, le remettre en état. Puis il y eut un nouveau grondement et le corps de Halden fit un tour sur lui-même, éclaboussant ce qui se trouvait autour de lui. Il lâcha le revolver. Anna se tourna pour voir l'homme du centre commercial, son arme braquée droit devant lui, bouger légèrement le bras pour la viser, elle.

Elle se mit à courir.

Nouveau coup de feu et le pare-brise explosa dans une pluie de prismes acérés. Son pied buta contre le bord du trottoir et elle trébucha, manquant s'étaler de tout son long, retrouva son équilibre et fonça en avant, se dirigeant vers une allée sombre qui séparait deux immeubles. Son cerveau réagissait mécaniquement. Elle était devenue un animal, fuyant pour sa survie, une proie détalant dans la forêt pour échapper aux chasseurs. L'angle du bâtiment explosa, des éclats de brique volèrent en tous sens, l'un deux l'atteignit au visage, de la poussière rouge la recouvrit comme du sable. Elle gagna enfin l'allée, les bras battant l'air. Derrière elle, elle entendit un juron et le bruit de pas lourds.

Il n'y avait rien à part le rugissement du sang dans ses oreilles et la douleur qui courait le long de ses nerfs. La souffrance était si insoutenable, si chaude et si aiguë qu'elle troublait tous ses sens. Il pouvait la sentir, la toucher, l'entendre. Tom s'ordonna de se lever, se dit qu'il était sur le point de gagner. Mais Jack s'était emparé de son petit doigt, l'avait tordu et l'air avait quitté ses poumons.

Un coup de poing l'atteignit au nez. La violence du geste l'étourdit. Des étoiles éclatèrent derrière ses yeux. Il sentit Jack lâcher sa main et, courbé en deux, il la porta à sa poitrine, cherchant son souffle. Son visage n'était qu'à quelques centimètres du corps de Sara et il imagina la sensation que lui procurerait la balle, comment il s'écroulerait sur sa belle-sœur et accueillerait la mort avec gratitude.

Il voulut bouger, mais son corps en était incapable. Les ténèbres se profilèrent au loin, avec, en leur cœur, Anna.

Dans sa précipitation, Marshall n'avait pas bien ajusté son tir et le fût de son arme lui percuta par deux fois l'épaule, comme le poing d'un géant. L'adrénaline étouffa la douleur, mais cette erreur lui valut de manquer deux tirs faciles sur la femme.

Pas grave. Quand il jouait au football, il pouvait sprinter plus vite que n'importe qui. Il courut derrière elle, tenant le Remington d'une seule main.

L'allée entre les deux immeubles était sombre et étroite. Au moment où il l'atteignit, elle tournait déjà au coin. Il se pencha un peu plus en avant pour accélérer. Il rejoignit un patio juste à temps pour la voir sauter par-dessus la barrière d'un jardin privé. Il mit les bouchées doubles, prit appui sur un pied et, dans son élan, attrapa le haut de la barrière d'une main, puis il sauta par-dessus et retomba sur le ciment d'une autre allée. Il leva le Remington, mais elle était déjà en train de tourner dans une nouvelle allée, retournant là d'où ils venaient.

Erreur. Tant qu'elle zigzaguait et restait à couvert, il ne pouvait rien faire d'autre que lui courir après. Mais elle se dirigeait vers la rue. Jack avait dit que c'était elle le cerveau, mais cette idiote ne réfléchissait plus. La rue était large, dégagée, et il savait qu'un tir de Magnum était précis sur cent cinquante mètres.

Marshall tourna au coin en posant sa main gauche contre l'angle du mur pour s'aider à conserver sa vitesse puis accéléra encore. Il répéta ses gestes dans sa tête : vue dégagée, arrêt, appui sur ses pieds, positionnement de son fusil.

Anna Reed avait encore dix secondes à vivre.

Un poing le percuta de nouveau, cette fois à la joue. La tête de Tom partit sur le côté. Le monde tremblait, il était moite.

« Enfoiré, lâcha Jack au-dessus de lui d'une voix gutturale. Sale enculé. »

Une botte lui fendit une côte. Dans son berceau, Julian pleurait d'une petite voix faible.

« Je parie que tu rêves de retourner à ta petite vie tranquille maintenant. Hein ? Je parie que t'aimerais bien. »

Un calme mystérieux l'avait envahi. Tout n'était que souffrance, mais la douleur, tout comme la peur, était trop forte pour être contenue. Les coups ne l'effrayaient plus. Anna n'était plus de ce monde. Plus Jack le frapperait fort, plus tôt il la rejoindrait. C'était tout ce qui comptait. Sa vision était embrumée, mais lorsqu'il regarda le visage de Sara, il crut y déceler une étrange paix. Bizarrement, il se demanda pourquoi elle avait couru jusqu'à cet endroit. Elle voulait peut-être atteindre le téléphone posé sur la table de nuit.

Il vit Jack se pencher, écarter du pied le bordel qui régnait par terre et y trouver la clé.

« Ça n'a plus d'importance, fit Jack. Y a pas tant de garde-meubles que ça à Chicago. Je finirai bien par le trouver. »

Savoir que Jack allait gagner fit monter la colère en Tom, ainsi qu'une douleur plus intense que celle due à ses blessures. Mais ça ne suffisait pas. Pas sans elle.

Le pied d'Anna lui faisait mal et elle avait une entaille au visage. Elle entendait l'homme derrière elle. Elle devinait que, même s'il n'était pas tout près, il n'avait pas disparu pour autant.

Tu y es presque. Il faut que tu réussisses. Tom a besoin de toi.

Elle redescendit l'allée, une main courant sur le mur. La rue était juste devant. La sécurité. Les pas de l'homme se firent plus lourds alors qu'elle débouchait dans la lumière. Elle se retrouva exactement là où elle l'avait espéré.

C'était marrant comme l'objet avait attiré son regard la première fois où elle l'avait vu, des semaines plus tôt. Comme si, déjà, elle avait su. C'était plus lourd que ce qu'elle croyait, et c'était parfait.

Elle pivota et se pencha sur le capot de la voiture, les bras étendus sur les éclats de verre brisé, détestant les secondes qui passaient, tout ce temps où elle ne pouvait aider Tom. L'angoisse, la frustration, la haine, tous ces sentiments bouillonnaient en elle.

Lorsque Marshall entra dans son champ de vision, elle lâcha prise, hurlant des mots qu'elle n'entendit pas. Elle braqua l'arme de Halden et appuya sur la détente, encore et encore, jusqu'à ce que la poitrine de l'homme soit tachée de rouge, jusqu'à ce qu'il tombe en arrière et glisse le long du mur, une expression d'incrédulité figée sur ses traits, jusqu'à ce que le pistolet cesse de cogner dans sa main.

Le coup de poing qui lui ferma l'œil gauche lui procura un sentiment désagréable. La fin était proche. Tom le savait, il voyait l'expression sur le visage de Jack tandis qu'il s'accroupissait à côté de lui.

« OK, Tom. Épargne-moi la peine. Dis-moi où est le garde-meubles, et tout ça s'arrêtera. »

Quelle différence cela faisait-il ? Jack le trouverait tôt ou tard. Et une balle, c'était tout ce qui le séparait d'Anna.

Puis il se rappela que Jack l'avait tuée, avait assassiné Sara, avait détruit leurs vies. Il leur avait pris tout ce qui comptait à leurs yeux, tout ça pour de l'argent. Des bouts de papier coloré. Il se redressa comme il put, contrôlant difficilement son propre corps. Il se força à sourire, goûtant le sang qui s'écoulait de son nez cassé. Il toussa avant de dire : « Va te faire foutre. »

L'homme se raidit et Tom se prépara à recevoir un nouveau coup. Mais Jack gloussa.

« Tu sais, c'est drôle. Je t'aime bien, je crois. Je vous aime bien, toi et ta nana. Vous avez du cran. »

Il lâcha un gros rire avant de venir tapoter la joue de Tom.

« C'est bien que tu te conduises en homme. Que tu prennes tes responsabilités, fit-il avant de se lever et de reculer d'un pas. Il t'aura fallu le temps. »

Et, alors que Jack s'éloignait, Tom vit ce que Sara était venue chercher ici. L'éclat de métal qui l'avait ébloui un peu plus tôt. Un flingue. Un petit revolver au canon court se trouvait à quelques centimètres de sa main, juste sous le lit.

Il cilla, secoua la tête. Le revolver était toujours là. Au prix d'un effort surhumain, il s'avança un peu.

Ses membres étaient lourds. Son corps l'élançait. Il ne pouvait pas bouger. Jack retourna vers le mur où Tom l'avait poussé plus tôt, où son flingue était tombé.

Tom le suivit du regard. Il savait qu'il n'y arriverait pas. Ça lui demandait trop d'efforts. Il souffrait trop. Et Anna. S'il tuait Jack, il ne la rejoindrait pas. Sa femme. Disparue.

Puis il entendit une série de détonations, des tirs, les uns après les autres. Ils étaient forts, rapprochés, monstrueux. Mais il les remarqua à peine. Parce que par-dessus le bruit, il entendit Anna. Elle criait son nom, encore et encore. Comme une prière. Elle était toujours en vie. Sa femme était vivante.

Tom avança les doigts, ses côtes le transperçaient, le monde vacillait, mais tout cela n'avait plus d'importance. Il avait l'arme entre les mains, il se tourna, se mit à genoux, au moment même où Jack se rapprochait, son propre revolver à la main.

Lorsqu'elle entendit les coups de feu en provenance de l'intérieur de la maison, Anna hurla. Ses jambes se bloquèrent. Le pistolet désormais vide tomba dans un bruit sourd sur le bitume.

Trop tard. Elle avait agi trop tard. Plus rien n'avait d'importance désormais.

Plus tard, allongée dans le noir, l'oreille tendue vers le rythme régulier de la respiration de Julian, elle se rappellerait cet instant, le dévidant comme une bobine de fil. Le moment où tout avait changé. La chaleur du soleil dans son dos, les feuilles bruissant dans la brise, le monde continuant de tourner comme s'il n'avait rien remarqué, comme s'il ne s'était rien passé.

Le temps s'arrêta. Elle resta immobile. Elle voulait disparaître, se précipiter à l'intérieur de la maison. Mais elle ne pouvait pas bouger. Elle entendit les sirènes qui se rapprochaient, la police qui répondait à un appel signalant un échange de coups de feu dans un quartier résidentiel des plus calmes. Un oiseau pépia au-dessus d'elle.

Rien de tout ça n'avait d'importance.

Un bruit à l'intérieur attira son attention. On bougeait. Une silhouette, une ombre dans la faible lumière. Un homme avec une arme à la main se mouvait avec lenteur. Il se dirigeait vers elle. Elle décida de ne pas bouger et de laisser Witkowski l'abattre.

C'était Tom.

Ce fut comme s'ils sortaient d'un long et profond sommeil. Tous deux renaissaient de leurs cendres. Un instant, ils se contentèrent de se regarder dans les yeux. Puis, alors que des voitures de police déboulaient du coin de la rue, toutes sirènes hurlantes, elle courut vers lui. Ils tombèrent dans les bras l'un de l'autre, s'accrochant pour ne pas défaillir et elle se jura, à ce moment précis, qu'elle ne lâcherait plus jamais prise, plus jamais.

21

« ... Selon Patrick Camden, le porte-parole de la police, l'enquête concernant les coups de feu échangés la semaine dernière dans un centre commercial de Lincoln Park est close. Les deux responsables ont été identifiés. Il s'agirait de Jack Witkowski, 43 ans, et de Marshall Richards, 39 ans, qui ont tous les deux trouvé la mort lors d'une fusillade qui a eu lieu plus tard ce même jour et qui a causé la mort de plusieurs personnes, dont un inspecteur de police. Après avoir quitté le centre commercial, Witkowski et Richards ont, selon toute vraisemblance, abattu Sara Hughes, une mère célibataire vivant à proximité, et se seraient cachés chez elle pendant plusieurs heures.

« Witkowski et Richards ont tous les deux des casiers judiciaires impressionnants et sont également considérés comme les suspects principaux dans l'affaire connue sous le nom du "braquage de la Star". Cet incident, qui s'est déroulé le 24 avril, a fait deux victimes, deux hommes. Alors que des rumeurs grondent concernant le vol d'une importante somme d'argent lors de ces incidents, la police n'a pas confirmé, et aucun argent n'a été découvert... »

Malachi se pencha en avant et éteignit la radio. C'était toujours intéressant de confronter la version officielle à ce qu'il s'était réellement passé. La presse avait fait de Tom et Anna Reed des héros qui avaient contribué à faire tomber deux dangereux tueurs de flics, mais la police était avare en détails quant à ce que cela signifiait vraiment. Malachi avait des amis dans la police et, à ce qu'il avait entendu dire, ils étaient nombreux à vouloir voir tomber les Reed, mais l'affaire était devenue politique. La décision de clore l'affaire – et de fermer les yeux – était venue d'en haut. Sans nouvelles informations sur le sujet, les journalistes faisaient des reportages de plus en plus brefs. Bientôt, une autre sale affaire ferait la une des journaux et cette histoire tomberait aux oubliettes. Le monde n'était qu'un jeu d'ombres.

« Ben, voyons », dit André avec un mouvement de tête en direction d'un bâtiment flanqué d'un énorme panneau orange.

Malachi se contenta de hocher la tête. Il n'était pas certain de ce qu'il y avait à « voir », ni de la partie qui venait de se dérouler. Au fil des années, il avait appris que lorsqu'il ne savait pas ce qu'il se passait, il valait mieux se taire et réfléchir. André gara la Mercedes à un demi-pâté de maisons. Dehors, le ciel était uniformément bleu. Une femme blanche promenait trois chiens qui tiraient dans trois directions différentes.

Étrange situation. Beaucoup de choses à évaluer et pas suffisamment d'informations pour le faire. Il avait reçu un coup de téléphone énigmatique et son intuition avait fait le reste. Mais bon, quand même. Qui ne risque rien n'a rien.

Malachi se pencha en avant, retira sa veste puis son holster et tendit le Sig à André.

« Mets ça dans le coffre, le tien aussi. »

Le colosse s'extirpa du véhicule. Malachi attendit que le coffre soit refermé puis sortit lui aussi de la voiture. La police avait besoin de soupçons raisonnables pour fouiller un véhicule et de la permission du propriétaire ou d'un mandat pour ouvrir une caisse fermée à clé trouvée dans un coffre. Il ne croyait pas le risque très grand, mais mieux valait se méfier.

Le bureau d'accueil était tenu par un type qui semblait mourir d'ennui et qui portait une moustache en désordre. Malachi hocha la tête tout en s'approchant.

« Je crois que vous avez une clé pour moi ? »

Le type lui tendit une petite enveloppe en kraft.

« L'ascenseur ?

– Au fond à droite. »

Ils montèrent jusqu'au cinquième étage sans échanger un mot. Ils débouchèrent sur un couloir vide éclairé au néon. Malachi tendit la clé à André qui se pencha pour la glisser dans la serrure avant de soulever la porte.

« Bordel de merde ! »

Malachi fit un pas en avant. Au centre du petit local, une pile de billets de cent dollars l'attendait. Une enveloppe était posée à son sommet. Il referma prestement la porte, lança un regard soupçonneux à la pile, estima qu'elle devait bien atteindre un mètre de hauteur. André le regarda, les sourcils arqués en un mouvement interrogateur.

« Donne-moi cette enveloppe. Ne touche à rien d'autre. »

C'était une enveloppe standard, qui n'était pas cachetée. Il l'ouvrit et en sortit une feuille qu'il déplia en la secouant d'un geste.

On ne choisit plus son camp.
Ceci est du poison.
Nous n'en voulons pas.

C'était tout. Trois lignes, tapées sur du papier blanc et sans signature. Malachi les lut une deuxième fois, puis replia la feuille avant de la glisser dans une poche intérieure.

« Hum. »

Le néon au-dessus de leur tête émit un petit grésillement.

« Qu'est-ce que tu veux faire ? »

Malachi releva les yeux sur son homme de main, secoua la tête.

« Quelle question ! Embarque-moi toute cette merde. »

Le poison, il connaissait.

JUILLET 2007

22

L'ODEUR DES LILAS FANÉS se mêlait à celle, salée, de la mer.
Tom était assis sur le banc en bois. Il avait lu quelque part que
les lilas soignaient les migraines, mais ça n'avait jamais rien
fait pour les siennes. Le docteur Carney disait que Tom allait
devoir apprendre à vivre avec. « Que croyez-vous ? avait-elle
ajouté avec un haussement d'épaules. Nez cassé, mâchoire frac-
turée, dents démises, commotion cérébrale, et vous voudriez
être prêt à danser le rock ? »

Ça n'avait pas d'importance. Il se pencha en arrière, pinça
l'arête de son nez entre deux doigts, faisant abstraction de la
sensation qui l'oppressait : mille aiguilles lui transperçant
les globes oculaires de l'intérieur. Lorsqu'il repensait à cette
nuit-là – une année s'était écoulée depuis – deux souvenirs
s'affrontaient. Le premier, c'était Anna hurlant son nom et
comment, en cet instant, il était revenu à la vie, ressuscité par
elle. Il aimait bien ce souvenir.

Le second, c'était le moment où il avait pointé son arme
sur Jack Witkowski et pressé la détente. Celui-là, il l'aimait
moins. Pas parce qu'il regrettait son geste, bien au contraire.
Il espérait que ce salaud était en train de brûler en enfer. Mais
Tom craignait que cet instant ne devienne celui qui détermi-
nerait le reste de son existence, qui écraserait tous les précieux
trésors de sa vie. Il craignait que le jour de sa mort, ce ne
soit pas du regard d'Anna ou du sourire de Julian dont il se

souviendrait, mais du regard sournois de Witkowski qui continuait à le fixer alors même que la moitié de sa tête avait explosé.

Le ciel, abandonnant ses tons orangés, se teintait lentement de mauve. C'était le moment où le crépuscule était plus sombre que la nuit elle-même. Il aimait le calme qui régnait ici, dans le jardin derrière leur petite maison, près de la plage. L'endroit était parfait pour réfléchir. En un instant, le monde auquel il croyait était parti en fumée et il avait dû faire un effort pour le reconstruire.

Quant aux flics, les pauvres, entre l'affaire du braquage et celle du Century Mall, ils avaient connu en moins d'un mois deux grosses affaires, toutes les deux liées aux milieux chic et politiques. Il se sentait presque désolé pour eux. Des policiers morts, des civils abattus et un orphelin. Deux dangereux criminels qui s'étaient échappés et avaient fini abattus par deux citoyens, des gens normaux, bien que soupçonnés d'avoir volé une énorme somme d'argent. Le bordel, quoi.

Au début, avec Anna, ils avaient entrepris de dire toute la vérité. L'inspecteur les avait stoppés d'un geste et laissés seuls dans la salle d'interrogatoire pendant un long moment. Quand la porte s'était enfin rouverte, un flic d'un autre genre était entré. Il avait lui aussi une étoile accrochée à la hanche, mais le costume qu'il portait coûtait plusieurs billets de plus. Et il parlait comme un avocat.

Après vingt minutes d'un discours précautionneux, Tom finit par comprendre que la police ne voulait rien savoir de la vérité. Pas dans cette histoire. Parce que, avec Jack Witkowski et Marshall Richards morts, tout ce qu'ils pouvaient espérer retrouver, c'était le fric dont un millionnaire n'admettrait jamais avoir été dépossédé. Un millionnaire prêt à débourser de bon cœur la même somme pour que le silence se fasse sur cette affaire. En échange, ils condamneraient deux civils qui avaient vengé la mort de deux des leurs et placeraient un bébé d'un an en famille d'accueil. Tout cela était secondaire pour eux, bien sûr... Tout, c'est-à-dire l'affaire exposée en première page des journaux et en ouverture des JT.

Alors, Anna et lui s'étaient soudain retrouvés libres de partir avec la consigne non déguisée de la boucler. La vérité, c'était que parfois la vérité ne suffisait pas.

Après quoi, les choses avaient empiré. Il y eut l'enterrement de Sara, la souffrance de devoir affronter les conséquences de leurs actes. Anna, tremblante et pâle, le regard posé sur le visage de cire de sa sœur, trop rose sur le coussin. Les journalistes faisant le pied de grue au cimetière. Les photos dans les journaux, les gens qui les reconnaissaient dans la rue, les regardaient avec des yeux de vampires. La découverte de ce que Witkowski avait fait à leur maison, brûlant le dernier lien qui les reliait aux êtres qu'ils avaient été. Et, pire que tout, les heures solitaires de la nuit, lorsque les démons venaient leur murmurer à l'oreille qu'ils n'avaient pas fini de payer. Que le pire était à venir.

Mais il y avait aussi les plages de tranquillité quand ils étaient dans les bras l'un de l'autre, parlant, pleurant, faisant l'amour. Et il y avait Julian. C'était un ange et c'était leur devoir. Il était sans doute ce qui les aidait à tenir. C'était à son sujet que les démons chuchotaient en général, à propos de ce qu'il adviendrait, un jour, quand... C'était sans importance. S'il y avait bien une chose qu'Anna et lui pouvaient promettre, c'était que Julian serait aimé intensément. Voilà tout ce qui comptait.

Au-dessus de lui, les étoiles apparaissaient. Une façon de repenser au passé. Elles étaient là tout ce temps. Il ne les avait simplement pas regardées.

« Mama, gata, gata, dit Julian avec un sourire.

– C'est vrai, fit Anna. Mama, gata, gata. »

Elle boutonna le body vert pomme de l'enfant et remonta le drap de coton sur son ventre. Parfois, lorsqu'il pleurait, il n'y avait rien qu'elle puisse faire pour le consoler. Peu importait qu'elle le prenne dans ses bras et lui chuchote des mots réconfortants en le berçant. Dans ces moments-là, elle se demandait s'il pleurait pour réclamer sa vraie mère. S'il y avait une odeur ou un sentiment ou une sensation de sécurité qu'elle ne pourrait jamais lui apporter. Ce soir, cependant, il était heureux.

Anna alluma sa veilleuse et eteignit la lampe avant de lui donner sa peluche préférée, une chose borgne avec des tentacules, déchirée et tachée de bave. Il tendit les bras dès qu'il l'aperçut, ses petits poings s'ouvrant et se refermant. Elle lui effleura la joue, sentit la douceur de sa peau. Chaque jour, il lui semblait encore plus parfait que la veille. Doucement, elle se mit à chanter le dernier morceau qu'elle écoutait en ce moment, Kevin Tihista : *Ne t'en fais pas bébé/je veillerai sur toi/jusqu'au jour où tu sauras quoi faire/crois-moi.* Julian la regardait, les yeux brillants de fatigue avant de les fermer doucement.

Elle s'assit à côté du berceau et l'écouta. Elle écouta aussi les bruits de la nuit qui parvenaient jusqu'à elle par la fenêtre ouverte. Au bout d'un moment, elle entendit le volet de la porte d'entrée grincer et elle sortit de la chambre sur la pointe des pieds. Elle trouva Tom dans la cuisine, il avait ouvert un placard et était en train de verser des comprimés d'Advil dans sa paume.

« Mal au crâne ?

– C'est rien. »

Elle se serra contre lui, les bras autour de son torse, respirant au même rythme que lui. Il se colla à elle, posa ses mains sur les siennes. L'espace d'un instant, ils restèrent dans le silence, uniquement troublé par le ronronnement du frigo et par leurs pensées.

« Tu vas bien ? »

Elle secoua la tête de gauche à droite contre ses épaules.

« Pourquoi ça ? demanda-t-il en se retournant pour lui faire face.

– Je donnais son bain à Julian. Il éclaboussait l'eau de ses deux mains et commençait à sourire... C'était... »

Elle ne finit pas sa phrase, détourna les yeux.

« Quoi ?

– Il ressemblait à... C'était la façon dont elle souriait. »

Il la dévisagea un moment puis la prit dans ses bras. Il lui caressa les cheveux et la serra contre lui. Elle accepta le réconfort qu'il lui prodiguait. Voilà ce qu'ils échangeaient sans cesse, un réconfort dont tous deux avaient besoin et qu'ils se procuraient mutuellement. Ils le nourrissaient, le couvaient et se l'offraient. Elle laissa la chaleur l'envahir, attendit d'être soulagée du poids du souvenir.

Puis il dit :

« J'ai fini.

– Vraiment ? »

Anna se libéra de son étreinte, recula d'un pas. Son T-shirt était encore humide des jeux du bain. Les pattes-d'oie qu'il avait remarquées l'année précédente s'étaient creusées en rides. Tom se fendit d'un demi-sourire, posa une main sur sa joue.

« Oui.

– Je peux voir ? »

Il hocha la tête et la conduisit dans son bureau. La lampe sur la table diffusait une lumière dorée. Il ouvrit un tiroir et en sortit un paquet de feuilles, plus de trois cents. Puis, d'un geste de la main, il l'invita à s'asseoir pendant qu'il prenait place dans le fauteuil opposé.

« C'est dur.

– Tu as dit la vérité ?

– J'ai fait de mon mieux. »

Elle tendit une main et il lui donna le manuscrit. Il se rencogna dans son siège pour l'observer lire la première page, celle de la lettre. Son visage passa par toute la gamme des sentiments, d'abord un sourire, puis un serrement de lèvres, puis l'humidité dans les yeux. Finalement, elle arriva au bout de la page qu'elle retourna sur les autres.

« C'est parfait, dit-elle.

– Tu vas lire le reste ?

– Pas encore. »

Il acquiesça. Ils partageaient tant désormais que, parfois, ils n'avaient plus besoin de parler pour se comprendre. Il la vit lutter contre les mêmes sentiments qu'il combattait, essayant de trouver son chemin vers le bonheur sans oublier le prix à payer. Une joie construite sur de la tristesse.

« Ça va aller pour nous, pas vrai ? Un jour ? »

Tom se frotta la joue.

« J'ai réfléchi à ce que tu as dit, au fait que c'était comme dans les contes de fées. »

Elle hocha la tête.

« Le truc, c'est que les histoires se terminent, mais la vie continue. Tout ce que nous pouvons faire, c'est essayer de tirer des leçons de nos actes, fit-il avant de marquer une pause. Nous devons juste trouver notre chemin dans la partie qui se déroule après la fin de l'histoire. »

Anna le regarda avec une expression indéfinissable.

« Je t'aime.

– Approche », fit-il en s'enfonçant dans son fauteuil.

Elle reposa le paquet de feuilles, le livre qu'il s'était promis d'écrire, puis se glissa sur ses genoux. Il enroula ses bras autour d'elle et la serra contre lui. Un dernier regard vers le manuscrit et il ferma les yeux, se concentrant sur l'instant présent.

C'était cela, leur richesse. Et ça leur suffisait.

Cher Julian,

Au moment où j'écris ces mots, tu n'es qu'un bébé. Quand tu les liras, tu seras un jeune homme. J'ignore comment te préparer à ce que tu vas découvrir ici. Lorsque tu auras fini, tu ne penseras plus à nous de la même manière. Tu nous haïras peut-être.

C'est ce qui nous effraie le plus au monde. Ta mère et moi avons pensé garder le secret, et une partie de moi-même le désire ardemment. Je veux me persuader que tant que nous t'élevons pour te rendre meilleur que nous, cela nous excuse pour ce que nous avons fait. Mais c'est un mensonge. Nous n'aurons pas payé notre dette tant que tu ne sauras pas la vérité.

Tel est le but de ces pages : la vérité, du mieux que nous pouvons te la rapporter. Cette histoire raconte comment nous sommes devenus ce que nous sommes et comment tu es devenu notre fils. J'ai dû imaginer certaines parties, il y a des détails que nous ne pouvons pas savoir. Mais j'ai essayé de tout te dire — même les choses qui pourraient t'éloigner de nous.

Pendant que tu liras, garde à l'esprit que nous étions avides, c'est vrai, mais uniquement avides d'amour.

Ta mère et moi avons eu un jour une conversation quant à l'utilité de tout ça. Sur l'intérêt d'y croire quand le monde peut changer si brutalement, s'il n'y a pas de ligne de conduite ni rien en quoi tu puisses avoir une confiance aveugle. Et elle m'a dit que c'était peut-être ça justement avoir une belle vie : être des gens bien.

Avoir une famille et l'aimer sans condition.

Nous t'aimons, fiston. Pour toujours.

CHAPITRE UN

Le sourire était célèbre. Jack Witkowski n'était pas spécialement fan, mais il avait déjà vu cette dentition un tas de fois...

Remerciements

Ce livre n'aurait pas vu le jour sans tout un tas d'autres gens.

Mes remerciements les plus sincères à :

Scott Miller, ami et agent exceptionnel qui sait toujours ce qu'il veut et comment l'obtenir ; Stephanie Sun, son assistante à l'humeur éternellement joyeuse ; Sarah Self, qui fait trembler Hollywood. Lorsqu'on me demande si j'ai des agents à conseiller, mon unique réponse, c'est : prenez les miens.

Mon éditeur, Ben Sevier, un homme en passe de devenir une légende vivante. Incroyable la façon dont un livre se bonifie une fois qu'il y a mis sa patte.

Tout le reste de l'équipe chez Dutton, en particulier Brian Tart, Trena Keating, Lisa Johnson, Rachel Ekstrom, Rich Hasselberger, Carrie Swetonic, Aline Akelis, Erika Imranyi et Susan Schwartz.

Autour d'un café ou d'une bière, lors de petits déjeuners angoissés et de séances de réflexion tard dans la nuit, Sean Chercover, Joe Konrath et Michael Cook m'ont plusieurs fois sauvé la mise.

Merci à mes lecteurs de la première heure : Brad Boivin, Peter Boivin, Jenny Carney, Darwyn Jones et Dana Litoff. Un merci tout particulier à Blake Crouch pour sa lecture minutieuse et impeccable.

La communauté des auteurs de romans policiers en général, notamment Jon et Ruth Jordan, Judy Bobalik, Ken Bruen,

Lee Child, Ali Karim, Dennis Lehane, Laura Lippman, David Morrell, T. Jefferson Parker, Patricia Pinianski, Sarah Weinman et toute la bande du Killer Year et de l'Outfit (le cercle des auteurs de polars de Chicago). Ma reconnaissance également à Brett et Kiri Carlson, des artistes extraordinaires.

Les libraires et les bibliothécaires sans qui nous ne sommes rien.

Tous les amis qui m'ont empêché de devenir fou, et ceux qui ont saboté leur boulot.

Mon frère Matt et mes parents, Sally et Anthony Sakey, dont le soutien n'a jamais failli, ni même vacillé.

Enfin, ma femme, G.G., qui possède toutes les qualités d'Anna et aucun de ses défauts. Je t'aime, ma chérie.

Mis en pages par DV Arts Graphiques à La Rochelle
Imprimé en France par CPI Bussière
à Saint-Amand-Montrond (Cher)
N° d'édition : 1322. — N° d'impression : 091313/1.
Dépôt légal : mai 2009.
ISBN 978-2-7491-1322-7